Sous les cendres de la passion

ROSANNE BITTNER

Pionnière au Montana	*J'ai lu* 3970/**6**
Tendre trahison	*J'ai lu* 4127/**7**
Sous les cendres de la passion	*J'ai lu* 4424/**4**

Rosanne Bittner

Sous les cendres de la passion

Traduit de l'américain
par Paul Benita

Éditions J'ai lu

Titre original :

EMBERS OF THE HEART
Published by arrangement with Bantam Books,
a division of Bantam Doubleday Dell Publishing Group, Inc., N.Y.

1

1860

Anna préparait les bagages. Elle s'arrêta un instant pour effleurer son collier de perles orné d'un petit cœur en or. Darryl le lui avait offert un an plus tôt, le jour de leur mariage. Un an déjà. Un an d'amour partagé mais aussi un an où la vie n'avait pas toujours été très facile à Lawrence, petite ville du Kansas.

Elle avait souffert de la façon dont on traitait Darryl ici, le mépris qu'on lui témoignait simplement parce qu'il était originaire du Sud, d'une plantation de Géorgie. Parfois, elle avait l'impression que tout le Kansas allait exploser. Elle était malade de toute cette haine, de ces bagarres qui ne cessaient d'éclater entre ceux qui étaient pour ou contre l'esclavage et les droits des États. A la frontière du Missouri, une guerre larvée opposant *Bushwhackers*, les pillards sudistes, et *Jayhawkers*, les bandes nordistes, ravageait la campagne et avait déjà fait beaucoup de victimes.

— J'ai l'impression que c'est ma faute, Darryl, murmura-t-elle tristement.

Poussant un soupir, il l'enlaça de ses mains

fortes et douces. Il respira le parfum de ses longs cheveux blonds avant de répondre :

— Ne sois pas ridicule. (Il avait cet accent traînant du Sud qu'elle avait appris à aimer.) Tu n'es pas responsable des préjugés des habitants de cette ville. Ce sont des ignorants qui ne jurent que par le Nord. Pour eux, je suis de Géorgie, mes parents possèdent des esclaves. Ils ne retiennent que ça.

— Ce n'est pas juste, répondit Anna en se retournant pour le regarder droit dans les yeux.

Darryl était un homme mince mais robuste, toujours habillé de façon irréprochable, sa noire chevelure impeccablement peignée. Dès l'instant où ce jeune docteur s'était installé à Lawrence, elle avait été attirée par lui. Cela remontait à deux ans, elle n'avait que seize ans à l'époque et Darryl vingt-six. Mais tant de choses étaient arrivées en deux ans, tant d'insultes, tant d'injures crachées au visage de cet homme pourtant habité par un sincère désir d'aider.

— Tu as fait tellement d'efforts, Darryl. Tu as toujours été bon avec ces gens. Tu n'as jamais pris parti...

Il posa un doigt sur ses lèvres, le regard plongé dans le bleu de ses yeux, savourant le contact de son corps aux courbes parfaites. A dix-huit ans, elle n'avait rien d'enfantin sinon son innocence. Anna était une jeune femme forte, élevée à la dure, mais qui possédait une grâce et une beauté surprenantes dans un environnement aussi rustre. Sans jamais le dire, il avait espéré un enfant. Ce bonheur leur était encore refusé et il savait qu'au plus profond d'elle-même, elle en était troublée.

— Je ne veux pas rester ici et te voir supporter d'autres insultes à cause de moi, dit-il. Sans parler des menaces pour ta vie. Ces fous furieux ont quand même jeté une torche enflammée à travers notre fenêtre, avant-hier. Pour la seule et unique raison que tu as épousé un Sudiste.

— Mais pour moi, tu n'es pas un Sudiste. Tu es mon mari et un docteur qui se dévoue entièrement à ses patients.

— Ce que tu penses ne compte pas. En ce moment, tout le pays est dévoré par la haine, Anna. Nous ne pouvons rien y faire.

Elle l'enlaça et posa son visage sur sa poitrine.

— Ma sœur va me manquer et père aussi... même si je leur en veux encore.

— Je sais... mais un jour, cette folie prendra fin et tu retrouveras ta famille. D'ici là, ton père et ta sœur se débrouilleront très bien. Ils sont tous les deux solides et obstinés... comme toi, ajouta-t-il avec un sourire. (Il lui caressa les cheveux.) J'aurais aimé m'entendre avec ton père, Anna. Mais je ne suis pas parvenu à me faire comprendre. Mes parents ne fouettent pas leurs esclaves, ne brisent pas leurs familles comme semblent le croire les Nordistes. Je sais que de telles choses arrivent mais pas chez nous. Bon sang, sans le travail des esclaves, mes parents nc pourraicnt maintenir la plantation...

En proie à des émotions mêlées, Anna baissa les yeux. Elle ne parvenait pas à accepter l'esclavage. Même si on les « traitait bien », posséder des esclaves lui semblait une chose aberrante et écœurante. Parfois, quand Darryl parlait d'eux, elle avait presque l'impression qu'il ne pensait pas à eux comme à des êtres humains. Pourtant, elle connaissait sa compassion — c'était un docteur plein de zèle et d'attention pour ses malades. Après tout, il aurait pu rester avec ses parents et profiter de leur richesse. Au lieu de cela, il avait préféré étudier pour soigner les autres.

— Un jour, reprit-il, quand tout ceci sera fini, je t'emmènerai en Géorgie, Anna. Tu verras par toi-même qui sont mes parents. Et tu adoreras cet endroit. La plantation est magnifique. D'une manière ou d'une autre, nous nous en sortirons. (Il caressa son collier de perles.) Souviens-toi seulement de qui t'a donné ce collier et ce qu'il représente. Rappelle-toi cela... quoi qu'il arrive.

Fronçant les sourcils, elle scruta son regard.

— Pourquoi dis-tu cela ? Je n'aime pas ça. Nous allons bien vivre chez un de tes amis dans le Missouri, n'est-ce pas ? Je veux dire, si la guerre finit par éclater, tu ne vas pas m'abandonner ?

Le cœur serré, elle vit la fierté et la colère briller dans ses yeux.

— C'est une possibilité, Anna.

— Darryl...

— Anna, il est évident que l'Union est de plus en plus jalouse de la richesse du Sud et de notre main-d'œuvre gratuite. Les grands industriels du Nord veulent nous détruire ! Mon père et son père avant lui ont travaillé sans relâche pour bâtir ce qu'ils ont aujourd'hui. Si l'Union triomphe, le Sud que j'ai toujours connu disparaîtra à jamais. Mes parents et leurs amis risquent de tout perdre ! Crois-tu que je puisse assister à cela sans rien faire ?

— Mais... je pensais... que nous avions le même avis sur cette haine, cette ridicule rivalité entre le Nord et le Sud, que nous étions neutres... que nous voulions simplement vivre notre vie, à l'écart de cette folie.

Il esquissa un petit geste de recul en secouant la tête.

— Anna, dans quel monde vis-tu ? Je serais plus qu'heureux de pouvoir vivre ainsi. Mais tout ceci devient trop grave. Bientôt, il ne sera sans doute plus possible de ne pas y être mêlé. (Il poussa un profond soupir.) Bon sang, je ne dis pas que je vais partir à la guerre demain. Je te demande simplement de ne pas oublier qui je suis, d'où je viens et tout ce que cela signifie pour ma famille.

— Mais... tu es médecin ! Tu sauves des vies. Tu ne les détruis pas.

Il opina.

— Et j'espère bien continuer. Si la guerre éclate et que je décide d'y participer, je m'engagerai comme docteur.

Elle ravala la boule douloureuse qui s'était formée dans sa gorge.

— Mais... tu courras quand même de grands dangers. Tu pourrais te faire tuer.

Il l'attira à nouveau contre lui.

— Anna, nous n'en sommes pas encore là et il se peut que nous n'arrivions jamais à ce point. J'essaie simplement d'envisager le pire. Je veux que tu sois prête, que tu me comprennes et que tu me soutiennes.

— J'essaie de te comprendre, Darryl. Et je te soutiens, parce que je t'aime. Mais... je ne sais pas. C'est vrai, depuis qu'on nous a lancé cette torche enflammée, je commence à saisir la gravité de la situation. Et j'ai peur.

Il la serra contre lui.

— Moi aussi, j'ai peur. Mais cela ira mieux à Columbia. Bien sûr, il y a des troubles là-bas aussi mais le Missouri est du côté du Sud... en tout cas, pour le moment. Nous vivrons avec Fran et Mark pendant quelque temps. Nous serons en sécurité chez eux. Et si les choses se passent bien, nous ne tarderons pas à nous installer dans notre propre maison.

— Je l'espère. Tu sais comme j'aime me sentir chez moi et tout arranger à ma manière.

— Je sais, fit-il avec un tendre sourire. Le Missouri me semble un compromis raisonnable. Tu ne seras pas si loin de ta famille. Et moi, je retrouverai d'anciens amis de Géorgie. Pour l'instant, je ne crois pas qu'il serait sage de vivre ailleurs, plus au sud ou plus au nord.

Elle le considéra avec une certaine inquiétude.

— Tu penses que Fran Rodgers acceptera ma présence ?

Il sourit.

— Comment pourrait-elle ne pas t'accepter ? Tu es belle, tu es gentille et tout le monde t'adore.

Elle baissa les yeux.

— Tu m'as dit qu'autrefois, Fran et toi avez été très proches.

— Nous étions tout jeunes et nous avons presque grandi ensemble. C'était un flirt d'enfance, c'est tout. Le père de Fran était contremaître à la plantation. Elle et moi, on faisait du cheval parfois et un été — nous devions avoir seize ans — je l'ai embrassée. A l'automne, je suis parti à l'école et c'était terminé. L'été suivant, nous avons compris tous les deux que ce n'était qu'une histoire entre deux gamins. Voilà, c'est aussi simple que cela.

Elle croisa à nouveau son regard.

— Peut-être que pour elle, ce n'est pas aussi simple que cela. Peut-être qu'elle t'aime plus que tu ne le crois. Le séduisant fils du patron de son père... Et si elle éprouvait encore quelque chose pour toi ?

Darryl eut un petit rire.

— Elle a épousé Mark, Anna, mon meilleur ami. Je l'ai ramené un été de l'école et je les ai présentés, longtemps après avoir rompu avec Fran. Un an plus tard, ils étaient mariés. Fin de l'histoire. (Il se pencha vers sa jeune épouse.) De plus, elle est loin d'être aussi belle que toi. Elle tient de son père, qui était un type plutôt costaud. Elle est grande et forte, plus même que certains hommes... Et maintenant, je n'ai plus envie de parler de Fran.

Il s'empara tendrement de sa bouche. Les tensions avaient été si fortes qu'ils n'avaient pas fait l'amour depuis un certain temps. Darryl avait su rendre leur nuit de noces splendide. Anna n'avait pas tardé à apprendre qu'il n'y avait rien à redouter dans l'amour, que c'était une chose sublime... Leur baiser devint plus profond, plus passionné : tout deux avaient besoin de mettre de côté leurs angoisses et les menaces de guerre.

Il la souleva dans ses bras pour la porter dans la chambre à coucher, ni l'un ni l'autre ne se souciant du fait qu'elle avait déjà emballé draps et couvertures.

Bientôt perdue dans les tumultes de la passion, Anna oublia leur situation présente et ce que l'avenir leur réservait. Elle ignorait encore qu'elle allait avoir besoin de toute sa force pour supporter la tragédie qui s'annonçait.

1861

Il n'y eut jamais de nouvelle maison à Columbia.

Tout comme le Kansas, le Missouri était à feu et à sang, et Darryl estimait préférable de continuer à vivre avec Mark et Fran. Il ne reprit même pas son métier de médecin. Au lieu de cela, ils travaillèrent tous les deux au restaurant des Rodgers. Fran et Mark s'étaient installés là pour être plus proches de la mère de Fran, qui vivait à Centralia. Le couple s'était bien débrouillé. Mark aimait cuisiner et il avait étudié le commerce : son restaurant connaissait un succès certain. Mais, ces derniers temps, ils avaient perdu quelques clients car ils étaient des

« Confédérés de Géorgie », autrement dit des Sudistes.

Anna se demandait à présent comment une année entière avait pu passer si vite. Et quand, comment et pourquoi le si bel amour qu'elle partageait avec Darryl à Lawrence avait disparu...

A nouveau, elle préparait des bagages. Cette fois pour une raison bien plus terrible : Darryl partait à la guerre avec Mark Rodgers. Lorsqu'il le lui avait annoncé, elle avait senti qu'il était inutile de discuter, qu'elle n'aurait aucune influence sur son choix. Trois mois plus tôt, les Confédérés avaient ouvert le feu sur Fort Sumter. Les soldats de l'Union avaient répliqué. La guerre de Sécession venait d'éclater et Darryl, en bon Sudiste, se devait d'y participer. Les soldats de l'Union foulaient le sol sudiste, menaçant sa famille.

Certains États avaient fait sécession d'avec l'Union, dont la Géorgie. Anna savait que la question de l'esclavage n'était que la partie émergée de l'iceberg, que les différends concernaient aussi des problèmes économiques et politiques bien plus subtils. Mais déjà les incompréhensions, les fausses rumeurs, la désinformation étaient telles que plus personne ne semblait capable de dire comment cet horrible gâchis avait commencé. Anna avait l'impression que les deux camps se battaient surtout pour une question de fierté ridicule, comme deux gamins qui cherchent à imposer leur point de vue.

— J'aurais préféré que tu restes, dit-elle à voix basse car elle ne voulait pas être entendue de Fran et de Mark. Dieu sait que l'on se bat assez ici, dans le Missouri.

Elle continuait à ranger les affaires de son mari.

— Nous serons plus utiles ailleurs, répondit Darryl.

— Tu vas bien t'engager comme docteur, n'est-ce pas? s'inquiéta-t-elle. Tu ne vas pas te battre?

Leurs regards se croisèrent tandis qu'il boutonnait sa chemise.

— Je ferai de mon mieux, Anna. Tout dépendra de l'évolution de cette guerre.

Elle baissa les yeux.

— Tu agis ainsi uniquement à cause de Fran et Mark. Ils sont si... certains que le Sud a raison... ils sont dévoués corps et âme à la Confédération. C'est Mark qui t'a convaincu. Il n'arrête pas de clamer qu'il faut se battre pour le Sud et son patriotisme t'a contaminé. Une maladie, voilà ce que c'est. Une vilaine maladie qui contamine tout.

Sa voix se brisa en un sanglot.

— Tu te trompes, Anna. Il s'agit simplement de se battre pour ce que nous croyons.

— Et si ce que tu crois n'est pas juste? murmura-t-elle en le dévisageant, les joues baignées de larmes.

Pour la première fois depuis qu'elle le connaissait, elle vit sur le visage de Darryl de la colère contre elle.

— Tu penses que j'ai tort? Que le Sud a tort?

Elle se mordit les lèvres.

— Je ne sais plus quoi penser. Je sais simplement que je t'aime et que je ne veux pas que tu partes. Le Missouri est mis à sac par ces bandes de hors-la-loi, ces *Bushwhackers* et ces *Jayhawkers*. Nous n'avons pas la maison que nous sommes venus chercher ici. Et le bonheur que nous partagions au début de notre mariage a disparu. Ces histoires de guerre, d'Union et de Confédération me rendent malade. (Elle soutint son regard.) Je veux simplement être avec toi, Darryl. Je veux que nous ayons notre propre maison. Je veux être avec mon merveilleux médecin de mari qui soigne et guérit les gens. Je veux m'asseoir avec toi tous les soirs à notre table. Je ne supporte pas l'idée de ne pas savoir si tu es mort ou vivant.

Il l'attira contre lui au moment où elle éclatait en sanglots.

— Je t'écrirai, Anna. Et si je m'engage comme docteur, je serai derrière les lignes. Tout ira bien. Maintenant que Fran et Mark ont vendu la maison, tu vas t'installer dans cette pension près du restaurant. Tout ira bien pour toi. Et puis, j'ai promis à Mark que tu aiderais Fran au restaurant.

Elle se détourna avant de s'essuyer les yeux avec un mouchoir.

— Fran ne m'aime pas.

— C'est ridicule.

— Ce n'est pas ridicule et tu le sais, répliqua-t-elle plus fermement. Elle ne supporte pas que mon père soit Unioniste. Tu as bien vu la façon dont elle l'a traité quand il est passé nous voir. Elle se conduit avec moi comme si j'étais son ennemie. Elle n'a jamais été très amicale. Depuis le début, c'est comme si elle était jalouse de moi, comme si j'étais un obstacle entre elle et toi.

— Anna, tu te fais des idées. Je te l'ai déjà dit. Tu ne te sens pas à ta place parce que Fran et Mark sont de vieux amis, que nous sommes originaires du même endroit et que nous sommes des sympathisants de la cause confédérée.

— Ce ne sont pas des idées.

Elle se détourna et fit quelques pas afin de se calmer.

— Darryl, reprit-elle d'une voix plus douce, je ne veux pas que tu voies en moi une ennemie. Je veux que tu comprennes que, dans cette guerre, je ne prends le parti de personne. Je déteste la violence... d'où qu'elle vienne. Et... je t'aime. Je veux retrouver la vie que nous menions quand nous nous sommes mariés.

Il la rejoignit, la prenant par la taille.

— Nous la retrouverons, Anna. Il nous faudra peut-être quelques mois supplémentaires mais nous la retrouverons. Je comprends qu'il est difficile pour toi de soutenir la Confédération, mais j'ai besoin que tu me soutiennes. J'ai besoin de ton soutien, Anna. J'ai besoin que tu comprennes pourquoi j'agis ainsi. Pour ma famille, pour notre façon de vivre, pour la Géorgie...

Elle se retourna et le fixa droit dans les yeux, comprenant enfin que, pour le moment, sa famille et la Géorgie passaient avant son amour pour elle. Mais ensuite, après cette absurde guerre, les choses changeraient peut-être...

— Alors, reviens-moi, Darryl, murmura-t-elle. Nous avons eu... si peu de temps.

Il la serra dans ses bras et l'embrassa follement, désespérément.

— Je reviendrai, Anna. Je te le promets.

Un coup retentit à la porte.

— Mark est prêt! annonça Fran.

Anna nota l'excitation qui perçait dans sa voix. Fran Rodgers semblait presque heureuse de voir son mari partir à la guerre. Elle était entièrement dévouée à la cause sudiste, allant même jusqu'à déclarer que tout homme du Sud qui ne s'engageait pas n'était qu'un traître et un lâche. Elle aurait sans doute aimé se battre elle-même, et Anna ne doutait pas qu'elle se serait débrouillée aussi bien qu'un homme. Fran ressemblait bien à la description qu'en avait faite Darryl. C'était une femme grande, brune et dominatrice, pas belle mais pas vraiment déplaisante à regarder.

— Nous arrivons, répliqua Darryl.

Anna se sépara de lui, s'essuyant les yeux, et rangea d'un geste déterminé son mouchoir dans sa manche. Il était inutile de continuer à pleurer. Elle était devant le fait accompli : Darryl et Mark partaient. Il fallait être forte, pour Darryl.

— Anna...

D'un petit geste de la main, elle l'arrêta et acheva son sac. Tout aurait pu être plus facile si elle s'était mieux entendue avec Fran... si elle avait pu parler avec elle, partager ses sentiments. Mais Anna avait été incapable de briser la froideur de Fran : celle-ci semblait dépourvue de la moindre émotion. Au restaurant, elle se conduisait comme un véritable dictateur, régissant ses affaires avec une autorité cassante. Dans sa vie privée, elle se désintéressait des passe-temps féminins. Elle ne brodait pas, ne jouait pas du piano... En fait, elle était plus masculine que féminine. Anna se demandait ce que Darryl avait pu apprécier en elle autrefois, mais peut-être était-elle différente dans sa jeunesse...

A présent, cela n'avait plus aucune importance. Elle allait devoir s'entendre avec elle jusqu'au retour de son mari. Au moins, à la pension, elle vivrait sous le même toit que Claudine Marquis. Claudine était la cuisinière que Mark avait engagée pour le remplacer. Elle venait de La Nouvelle-Orléans et était française. Plus âgée, c'était une femme extrêmement amicale. Elle avait tout de suite apprécié Anna, la prenant sous son aile protectrice telle une mère poule. Fran se renfrognait toujours quand elle les surprenait ensemble. En l'absence de Darryl, Claudine serait la seule à qui elle pourrait parler, dans cette ville où elle ne pouvait se fier à personne.

— Tout est prêt, annonça-t-elle à son mari d'une voix monocorde.

Il enfilait une vieille veste.

— Ce n'est pas la peine de mettre mes habits du dimanche, lui dit-il, presque gêné. D'ici peu, je porterai l'uniforme confédéré et je n'aurai plus besoin de vêtements civils.

Elle chercha son regard.

— Je t'aime, Darryl.

— Je t'aime aussi, Anna.

— Si seulement... je t'avais donné un enfant. Tu ne serais peut-être pas parti.

Il secoua la tête.

— Non, Anna. Je n'aurais eu que davantage de raisons d'aller me battre... pour préserver son héritage. D'une certaine façon, je fais ceci pour les enfants que nous aurons... quand je reviendrai.

« Si tu reviens », pensa-t-elle malgré elle.

Il n'y avait rien de plus à dire et ils n'avaient plus le temps de refaire l'amour. Ils l'avaient fait cette nuit avant de s'endormir dans les bras l'un de l'autre. Elle pria pour qu'un jour très proche, Darryl Kelley puisse à nouveau la tenir dans ses bras.

— Écris-moi, lui dit-elle.

— Aussi souvent que je le pourrai. Et je te donnerai une adresse où me répondre. (Il ramassa son sac et passa une main sur l'épaule de la jeune femme.) Ne te laisse pas impressionner par Fran. Elle est comme elle est. Mais elle n'a rien contre toi, tu sais. Après notre départ, vous aurez besoin l'une de l'autre.

Anna ne répondit pas.

Ils quittèrent la chambre et soudain elle eut l'impression de ne plus pouvoir respirer. La peur lui broyait le cœur. Le moment des adieux était arrivé.

Ils sortirent sur le porche où Fran, aussi grande que son mari, étreignait Mark. Il n'y avait aucune larme dans ses yeux, seulement de l'excitation.

— Il était temps, fit-elle en les apercevant.

Elle se sépara de Mark pour se précipiter vers Darryl.

— Reviens-nous vite, lui dit-elle.

Anna vit alors dans son regard quelque chose qu'elle avait déjà remarqué : un sentiment plus profond que de la simple amitié. Son intuition féminine lui murmurait que Fran n'avait jamais perdu son affection et sa passion pour Darryl. Elle l'embrassa sur les lèvres avant de retourner vers son mari.

— Prenez soin l'un de l'autre, vous deux. Et essayez de vous enrôler dans le même régiment.

— Promis, fit Mark avec un sourire. Ce vieux Darryl et moi, on veille l'un sur l'autre depuis l'école.

Anna avait peine à croire que Mark et Fran puissent être aussi joyeux. C'était comme un jeu pour eux. Se rendaient-ils compte qu'il s'agissait de la guerre ? Que Mark pouvait être tué ?

— Pour la Géorgie, pour le Sud ! Tuez ces maudits Yankees et qu'on n'en parle plus ! conclut Fran avec enthousiasme.

L'estomac d'Anna se révulsa. Cette femme parlait de son père, du mari de sa sœur. Soudain, elle réalisa que c'était contre eux que Mark et Darryl allaient se battre ! Les journaux avaient bien parlé de guerre fratricide mais jamais elle n'en avait eu conscience comme aujourd'hui. Et elle comprit aussi que Fran Rodgers la considérait comme une Yankee, une ennemie...

— Nous ferons de notre mieux, dit Mark.

Il embrassa à nouveau sa femme tandis que Darryl revenait vers Anna pour un dernier, long et tendre baiser.

— Je t'aime, murmura-t-il.

— Je t'aime, moi aussi. Reviens vite, Darryl.

— Dès que je le pourrai. Tu me manques déjà.

Elle surprit une larme au coin de ses paupières quand il se détourna pour prendre son sac. Il se hissa sur son solide hongre noir tandis que Mark chevauchait un appaloosa. Pendant une fraction de seconde, Darryl parut sur le point de changer d'avis. Puis il fit faire volte-face à sa monture et se lança au galop sans regarder derrière lui. Mark le suivit.

Les deux femmes ne les quittaient pas des yeux et Anna se demanda si sa compagne avait aussi mal qu'elle à la poitrine et à la gorge.

— Ils ont fière allure, dit Fran. Le Sud va gagner cette guerre, Anna. Tu verras. Votre Union ne va pas nous imposer sa loi.

Anna ne répondit pas. Elle ne voyait pas l'utilité d'entamer une discussion stérile maintenant.

Fran soupira.

— Allons ouvrir le restaurant.

Éberluée, Anna la dévisagea.

— Aujourd'hui ? Tu ne veux pas le laisser fermé aujourd'hui ?

— Et pourquoi donc ? rétorqua Fran en lui lançant un regard de dédain. Mieux vaut nous occuper.

— Mais... nous devons déménager, préparer nos affaires. Les nouveaux propriétaires arrivent après-demain.

— Nous ferons cela ce soir. Ils ont acheté le mobilier avec la maison. Nous n'avons pas grand-chose à prendre. (Elle croisa les bras.) J'espère que tu ne vas pas commencer à créer des problèmes, Anna. Nos maris sont partis se battre pour une belle cause. Tu devrais être fière. (Elle plissa les paupières.) Mais j'imagine que tu en tiens pour cette maudite Union. Tu te rends compte, je l'espère, que ce serait trahir ton mari ?

— Je ne trahis pas mon mari, Fran. Je l'aime et je ne veux pas qu'il soit blessé, c'est tout. Je ne prends pas parti dans cette guerre.

Fran émit un reniflement méprisant.

— Bien sûr que tu prends parti. Tout le monde prend parti. Et je sais quel est ton camp. Mais ne t'inquiète pas, tu ne tarderas pas à comprendre que c'est le Sud qui a raison. Pour l'instant, il nous faut penser à survivre en l'absence de Mark et Darryl. Plus nous travaillerons au restaurant, moins nous aurons à puiser dans nos réserves. Darryl a promis à Mark que tu m'aiderais. Je peux compter sur toi ? Tu respecteras l'amitié qui existe entre Darryl et Mark... entre Darryl et *moi* ?

Vexée, Anna serra les dents. Darryl venait de disparaître de sa vie et Fran parlait d'ouvrir le restaurant comme si rien n'avait changé.

— Je respecte l'amitié entre Darryl et Mark, répondit-elle en notant l'étincelle de colère dans le regard de Fran. J'ai dit que je t'aiderais et je le ferai. Je veux aussi être ton amie, Fran. Nous avons besoin l'une de l'autre.

— Oh, mais nous sommes amies ! ricana Fran avant de rentrer dans la maison.

Anna se retourna vers la piste dans l'espoir d'apercevoir une dernière fois Darryl, mais il était déjà hors de vue. Un frisson glacé la saisit.

2

1863

La diligence bondissait et cahotait sur la piste défoncée, roulant à toute allure vers Columbia. Anna plissa les paupières pour se protéger de la poussière. Dehors, le soleil d'août écrasait la campagne et les fermes, dont certaines n'étaient plus que ruines noircies. Les pillards et autres hors-la-loi s'en donnaient à cœur joie le long de la frontière entre le Kansas et le Missouri.

Anna savait que le voyage qu'elle venait d'accomplir jusqu'à Lawrence était dangereux, mais elle n'avait pas les moyens de s'offrir le train qui était plus sûr et elle avait tenu à revoir sa sœur. Leur père ainsi que Greg, le mari de Joline, avaient été tués un an plus tôt.

C'était donc une année de chagrin qui venait de s'écouler. A sa peine et à celle de sa sœur s'ajoutait l'attitude de Fran qui se montrait plus odieuse chaque jour.

Mais le pire n'était pas là : cela faisait plus d'un an qu'Anna n'avait pas reçu la moindre nouvelle de Darryl. Au début, ses lettres étaient arrivées régulièrement jusqu'à ce qu'il lui annonce qu'il avait bénéficié d'une permission pour aller rendre visite à sa famille. Depuis, elle n'avait plus entendu parler de lui. De son mari, il ne lui restait qu'un portrait, des lettres, une alliance... et le collier de perles.

La vie était devenue une abominable attente, avec pour unique plaisir ses visites à Claudine, le soir. Sans le soutien et la délicate attention de celle-ci, elle serait sans doute devenue folle. Fran la méprisait et la haïssait de plus en plus, à mesure que la guerre semblait tourner à l'avantage du Nord. Elle non plus n'avait pas eu de nouvelles de Mark depuis plusieurs mois.

A présent, Anna avait au moins le réconfort de savoir qu'il ne subsistait aucun ressentiment entre Joline et elle. Elle avait eu quelque appréhension avant de revoir sa sœur, mais à l'instant où leurs yeux s'étaient croisés, elles avaient retrouvé leur vieille complicité. Les deux femmes avaient subi des pertes cruelles et elles comprenaient toutes deux qu'elles ne devaient pas laisser cette guerre détruire leur relation. Anna avait même envisagé de rester à la ferme familiale, mais elle ne cessait de se répéter que Darryl pouvait revenir d'un jour à l'autre et qu'elle devait être à Columbia pour lui. Il n'allait sûrement plus tarder, à présent...

Ces deux semaines avec Joline avaient été plaisantes et mélancoliques. Anna avait été étonnée de constater avec quel succès Jo avait maintenu la ferme mais sa sœur était ainsi : dure au travail et dotée d'une force insoupçonnable malgré sa silhouette menue.

Elle aurait bien aimé l'aider, au moins financièrement, mais ses propres ressources s'amenuisaient de façon dramatique. Depuis le départ de Darryl, elle ne s'était rien acheté : pas une robe, pas une paire de chaussures. Elle baissa les yeux vers les poignets élimées de sa robe de coton bleu et soupira. Les semelles de ses chaussures étaicnt trouées et elle allait devoir les réparer une fois de plus. Elle refusait de dépenser le moindre sou inutile. Darryl lui avait bien laissé un peu d'argent mais si jamais il lui arrivait quelque chose...

Elle frissonna, s'exhortant à ne pas penser ainsi. Darryl allait s'en sortir, il reviendrait bientôt. Il fallait juste se montrer patiente. Et prier. Une chose était sûre, en tout cas : s'il ne revenait pas bientôt, elle devrait trouver un autre moyen d'assurer sa subsistance. Fran se montrait plus insupportable chaque jour. Anna ne restait avec elle que parce que Darryl avait donné sa parole à Mark.

Le cocher poussa un cri et elle se pencha par la fenêtre. Columbia était en vue. Elle lâcha un soupir de soulagement : ils n'avaient pas été attaqués par les bandes de hors-la loi qui infestaient la région.

— Il faut croire aux miracles, ma p'tite dame, lança l'homme joyeusement.

Anna lui sourit et se renfonça dans la cabine.

Fouillant son sac à main, elle sortit la dernière lettre de Darryl. Elle la gardait toujours avec elle et l'avait lue un nombre incalculable de fois, essayant de glaner une information, un détail qui lui aurait échappé. Pour comprendre pourquoi il ne lui avait donné aucun signe de vie depuis un an.

La lettre se terminait par un simple « je t'aime » mais ne contenait pas les lignes passionnées qui caractérisaient ses lettres précédentes. Il décrivait uniquement les horreurs de la guerre, parlait des mutilations et des traumatismes et expliquait comment le Sud perdait. Ses phrases étaient remplies d'amertume, de haine et du désir de vengeance sur ces « maudits Yankees ». Il ne savait même pas que Greg et son père étaient morts et elle se demanda s'il s'en soucierait. Elle frissonna en se disant que la guerre pouvait l'avoir transformé. Son mari risquait d'avoir perdu sa compassion et sa gentillesse, ces qualités qu'elle aimait tellement en lui...

Elle rangea la lettre. Peu après, la diligence pénétrait dans Columbia et se dirigeait vers le dépôt. Anna en était l'unique passagère depuis le dernier arrêt. Elle descendit, soulagée de poser enfin le pied sur la terre ferme. Le long voyage lui avait moulu le corps et elle n'avait qu'une envie : prendre un bon bain.

Le cocher déchargea ses bagages. Elle glissa son petit sac de brocart sous le bras, s'empara des deux plus gros sacs d'un geste décidé et se mit en marche. La pension se trouvait un peu plus haut dans la rue principale et elle allait devoir passer devant le restaurant. Elle esquissa une grimace. Si elle s'y arrêtait, Fran lui ordonnerait probablement de se mettre sur-le-champ au travail et elle était trop épuisée pour cela.

Elle hésitait à faire un détour quand elle constata avec stupéfaction que le restaurant était fermé. Fran ne fermait jamais, pour quelque raison que ce fût. Anna fronça les sourcils, se demandant si, à force de les houspiller, Fran avait perdu toutes ses employées. Mais c'était peu probable. Les femmes qui travaillaient pour elle avaient toutes leur mari à la guerre et elles avaient besoin de cet emploi. Elles n'abandonneraient pas leur travail. Quant à imaginer Fran malade, c'était fort peu probable. Elle était aussi forte qu'un cheval. Anna ne l'avait jamais vue souffrir du moindre rhume ou de la moindre indisposition.

Dépassant le restaurant, elle pressa le pas vers la pension. Elle ne tarda pas à distinguer le rideau noir qui tombait devant la fenêtre de Fran au deuxième étage.

— Seigneur Dieu, murmura Anna.

Son sang se glaça dans ses veines tandis qu'elle se mettait à courir. Les jambes plombées, elle gravit les marches du porche. Posant l'un de ses sacs, elle ouvrit la porte et pénétra dans l'entrée fraîche de la maison bien tenue.

Claudine apparut en haut de l'escalier en chêne.

— Anna!

La petite femme dévala les marches aussi vite qu'elle le put.

— Oh, Anna, je suis tellement contente de te revoir! C'est terrible! La pauvre Francine! Elle a appris la nouvelle hier!

Les yeux d'Anna s'embuèrent de larmes tandis que les deux femmes s'étreignaient.

— C'est Mark, n'est-ce pas? Il est mort?

— Oui, répondit Claudine en lui frottant gentiment le dos. Il faut que tu ailles la réconforter, Anna. Rien ne peut adoucir sa peine! Je ne parviens pas à la consoler. Elle était si amère avant. A présent, c'est pire encore.

Anna ferma les yeux avant de soupirer.

— Je monte tout de suite mais je ne suis pas certaine de pouvoir l'aider.

— Je vais lui apporter de l'eau fraîche. Et il faut la faire manger. Elle n'a rien avalé depuis qu'elle a reçu la nouvelle. Maintenant que tu es revenue, on pourrait peut-être rouvrir le restaurant jusqu'à ce qu'elle se sente prête à retravailler?

Anna hocha la tête en contemplant l'escalier.

— Oui, tu as raison. Fran ne peut se permettre de le laisser fermé trop longtemps. Aucune d'entre nous ne le peut. (Elle se retourna vers Claudine avec espoir.) Il n'y a pas eu de nouvelles de Darryl?

Claudine secoua la tête, quelques mèches grises s'échappant de son chignon.

— Je suis navrée, ma chérie.

Anna se dirigea vers l'escalier.

— Laisse-moi quelques minutes seule avec elle avant d'apporter l'eau, dit-elle à Claudine.

Elle gravit les marches, redoutant ce qui l'attendait mais se sentant dans l'obligation d'aider Fran autant qu'elle le pouvait. Elle ignorait même si celle-ci accepterait ses condoléances.

Elle hésita devant la porte de la chambre.

— Entre donc, Anna, fit la voix de Fran.

Anna lui obéit. La femme était assise dans un rocking-chair près de la fenêtre masquée par le rideau noir. Celui-ci était entrouvert de façon qu'elle puisse voir la rue dehors.

— Comment savais-tu que j'étais là? s'enquit Anna.

— Je t'ai vue arriver et cette pipelette de Claudine parle si fort qu'on l'entend jusqu'à l'autre bout de la ville. Cette femme est une vraie plaie. Si elle ne cuisinait pas aussi bien, je me débarrasserais d'elle.

Elle avait prononcé ces mots sans la moindre émotion. Anna préféra ignorer cette remarque, certaine que, pour l'instant, Fran devait haïr la terre entière.

— Je ne sais pas quoi dire, Fran. Dans des moments pareils, il semble que les mots ne suffisent pas. Darryl et Mark étaient de si bons amis. Je sais que cela va être très dur pour Darryl.

— Tu ne sais rien du tout, répliqua Fran. Et tu dis que cela va être dur pour Darryl mais pas pour toi. (Elle continuait à fixer la rue par la fenêtre, se balançant lentement dans son fauteuil.) Tu ne nous as jamais aimés, Mark et moi, parce que nous étions proches de Darryl.

Anna ferma les yeux, se commandant de garder son sang-froid. Fran était en deuil.

— Ce n'est pas vrai, Fran. J'aimais beaucoup Mark et j'ai toujours voulu qu'une réelle amitié se développe entre toi et moi, mais tu n'as jamais paru le désirer. Tu m'as toujours traitée comme une ennemie.

Francine émit un ricanement de dédain.

— Darryl a toujours eu un faible pour les jolies petites blondes... T'a-t-il dit qu'il a été le premier à me faire l'amour ?

Surprise, Anna se sentit pâlir.

— Quoi ?

Fran se berçait toujours, refusant de la regarder.

— Nous n'avions que seize ans. Pour Darryl, c'était plus une expérience qu'autre chose mais pas pour moi. Quand il est parti au collège, je n'avais pas terminé de grandir. J'ai hérité de cette carrure d'homme pendant que lui allait dans l'Est courtiser de mignonnes petites choses comme toi. Quand il a ramené Mark, j'avais dix-neuf ans et, j'ignore encore pourquoi, Mark est tombé amoureux de moi. Je savais que mon amour pour Darryl était sans espoir et je pensais le rendre jaloux en sortant avec Mark. Ça n'a pas marché. Quand Mark m'a demandé de l'épouser, je me suis dit : Pourquoi pas ? Qui d'autre voudrait m'épouser ?

— Fran, c'est ridicule.

— Non, ce n'est pas ridicule. J'ai épousé Mark et j'ai appris à l'aimer... ct maintenant il est parti... le seul homme qui m'aimait vraiment. Tué par des Yankees, des gens comme ton père et ton beau-frère.

Une douleur violente noua la gorge d'Anna.

— Ils sont morts, eux aussi. Les deux camps ont connu des pertes terribles, Fran. (Sa voix se brisa.) La douleur est la même pour tous. Et Darryl pourrait très bien être mort à l'heure qu'il est, je n'ai aucune nouvelle.

Le fauteuil couinait tandis que Francine continuait à se balancer tout en fixant la rue.

— Darryl... oui, murmura-t-elle. Ce serait pire encore.

L'affection dans sa voix était évidente. Anna avait envie de hurler. Pourquoi lui avait-elle raconté cette histoire dans un moment pareil ? Et pourquoi Darryl ne lui en avait-il pas parlé ? Pour la protéger ? Ou bien cela avait-il été à ce point insignifiant pour lui qu'il ne s'en souvenait même plus ? Ou alors, Fran avait-elle simplement tout inventé par cruauté ?

— Je suis venue pour essayer de te réconforter, reprit Anna. Apparemment, tu ne veux ni de mon réconfort ni de mon amitié. Je suis terriblement désolée pour Mark, Fran.

Lentement, celle-ci se dressa, face à Anna. Quelques mèches lui tombaient sur le visage. Ses yeux sombres soulignés par des cernes noirs semblaient hallucinés. Elle avait quelque chose d'effrayant et Anna lutta pour ne pas montrer sa peur.

— Ne sois pas surprise si je ne pleure pas, dit Fran, les dents serrées. Je ne pleure plus depuis longtemps. Mon père a épuisé mes larmes depuis cette nuit-là. J'avais douze ans. Avant, il se contentait de me battre mais cette nuit-là, cela ne lui a plus suffi. Ce qu'il m'a fait subir, je ne l'ai jamais dit à personne, même pas à Darryl.

— Ton propre père? fit Anna, choquée et écœurée.

Fran s'approcha d'elle dans le bruissement inquiétant de sa robe de taffetas noir.

— Voilà pourquoi Darryl était si important pour moi et, plus tard, Mark. Ils m'ont montré qu'un homme pouvait être gentil. C'est une chose que j'ignorais. Ma mère souffrait beaucoup, elle aussi... Presque autant que moi.

Elle s'arrêta un instant, comme pour essayer de se souvenir du visage de sa mère.

— Pendant toutes ces années où je grandissais, reprit-elle d'une voix absente, Darryl était mon seul ami. Il était si différent de mon père. Jusqu'à ce que tu arrives, je pouvais m'imaginer qu'il m'appartenait, même si j'avais épousé Mark. D'une certaine façon, il m'appartient toujours car nous partageons quelque chose que tu ne connaîtras jamais... un passé, notre première étreinte et l'amour du Sud. Tu es une Yankee, Anna, et quand Darryl reviendra, tu auras des problèmes.

— Je t'ai déjà dit que je ne prenais pas parti dans cette guerre.

— Tu rentres à peine d'une visite à ta sœur yankee dont le mari yankee et le père yankee ont été tués alors qu'ils se battaient pour l'Union. Ne me dis pas que tu n'as pas choisi ton camp. Et si la famille de Darryl perd tout dans cette guerre, ils ne vont pas beaucoup apprécier que la femme de leur fils soit une Yankee. En fait, même Darryl risque de t'en vouloir.

— Notre amour est plus fort que cela, rétorqua Anna avec colère.

— Tu crois ça ? C'est ce qu'on verra.

Anna secoua la tête.

— Tu es amère et furieuse, Fran. Dieu sait que tu as, d'une certaine façon, le droit de l'être. Je suis terriblement navrée pour Mark, et je suis sincère. (Elle retourna vers la porte.) Demain, Claudine et moi nous rouvrons le restaurant. Repose-toi.

Elle allait sortir quand Francine l'arrêta :

— Je serai au travail demain matin. Le restaurant est tout ce qui me reste de Mark.

Quelques heures plus tard, Anna se réveilla tandis qu'on la secouait gentiment.

— Anna, je suis navrée, ma chérie, mais il faut que tu te lèves.

La jeune femme gémit, roula sur elle-même et se redressa lentement, le cerveau embrumé.

— J'ai monté tes sacs, mon enfant. Je t'aurais bien laissée dormir mais j'ai entendu quelque chose, continuait Claudine. Quelque chose de terrible est arrivé à Lawrence, dans le Kansas. Comme ta sœur habite là-bas, j'ai pensé que tu voudrais savoir.

Anna se frotta les yeux, la réalité émergeant petit à petit dans son esprit. Mark était mort. Et à présent, il était arrivé quelque chose à Lawrence.

— Que s'est-il passé ?

Claudine la considérait avec une infinie tendresse.

— Je suis désolée de t'apporter des mauvaises nouvelles. J'étais dehors à couper des roses pour la chambre de Fran. Je pensais que les fleurs lui feraient du bien. J'ai entendu des hommes parler. Ils disaient que cet affreux brigand, Quantrill, avait attaqué Lawrence, au Kansas, et qu'il avait brûlé la moitié de la ville. Il y a eu de nombreux tués!

Pendant un instant, incapable de réagir, Anna se contenta de fixer son amie. Quantrill était l'un des pires hors-la-loi qui écumaient la frontière.

— Joline! s'exclama-t-elle soudain en bondissant. Il faut que j'aille au télégraphe!

Passant devant le miroir, elle se rendit compte qu'elle s'était endormie tout habillée. Même son petit chapeau de paille était encore sur son crâne, tout écrasé. Elle le redressa tant bien que mal et attrapa son sac à main.

— Merci de m'avoir réveillée, Claudine. (Elle croisa son regard.) J'ignore combien de mauvaises nouvelles je vais encore pouvoir supporter. Si seulement Darryl revenait...

— Il reviendra bientôt, j'en suis sûre. Ou alors, tu vas recevoir une lettre. (Claudine lui tapota le bras.) Je suis désolée.

Anna ferma les yeux.

— Darryl est mon dernier espoir, Claudine. Et Joline. Je prie pour qu'il ne lui soit rien arrivé.

— Au moins, tu as pu lui rendre visite et te rapprocher d'elle, n'est-ce pas?

Anna acquiesça.

— Oui. C'était merveilleux. Nous étions à nouveau comme deux sœurs. Oh, je ne sais pas ce que je vais faire s'il lui est arrivé quelque chose...

Claudine lui prit le bras.

— Tu survivras parce que tu es forte et courageuse.

Poussant un soupir, Anna sourit faiblement.

— Je n'en suis pas si sûre.

— Veux-tu que je vienne avec toi ?

— Non. Ça ira. Reste avec Fran.

Elle se précipita dehors. Malgré ces quelques heures de sommeil, elle était encore épuisée. Tout, autour d'elle, lui semblait irréel. Elle se demanda même si elle n'avait pas rêvé les choses que Fran lui avait dites. Mais pour l'instant, cela n'avait aucune importance, songea-t-elle.

Elle pénétra dans le bureau du télégraphe. Une dizaine de personnes attendaient et elle fit la queue. Quand son tour arriva, elle eut le soulagement d'apprendre qu'un câble de Joline l'attendait déjà. Elle le lut rapidement :

Vais très bien. Ferme brûlée, récolte détruite. On m'aide. Pas d'inquiétude. T'écris bientôt pour plus de détails. Reste à Columbia. Voyage trop dangereux. Je t'aime. Joline.

Elle soupira et replia le message. Ainsi, la vieille ferme où Joline et elle avaient passé tant d'heureuses années était détruite...

Elle se demanda quelle sorte d'hommes pouvaient attaquer et assassiner des gens innocents, détruire ce qu'ils avaient mis une vie entière à bâtir. Dans son cœur, une haine nouvelle prit naissance à l'encontre de ces pillards. Elle aurait voulu les voir capturés et pendus, qu'ils soient *Bushwhackers* ou *Jayhawkers*, Sudistes ou Nordistes...

— Bon après-midi, marshal ! s'exclama le télégraphiste.

Anna, perdue dans ses pensées, sentit une présence derrière elle.

— Salut, Newt, répliqua une voix grave. Tu n'as pas reçu de nouveaux messages de Lawrence ?

— Pas encore, marshal. Vous avez bien choisi votre moment pour venir dans le Missouri, on dirait. Vous pensez que le procès à Saint Louis durera longtemps ?

— J'espère que non. Je préférerais rentrer à Lawrence donner un coup de main et rattraper certains de ces bâtards... (Il hésita avant de se tourner vers Anna.) Excusez mon langage, m'dame, mais les types comme ce Quantrill me mettent les nerfs en boule.

Anna leva les yeux et ne put s'empêcher d'apprécier aussitôt l'allure de cet homme. Il était grand, beau, avec des yeux gris et des cheveux noirs. Une fine moustache parfaitement taillée ourlait sa lèvre supérieure. Sa forte carrure semblait emplir la pièce.

— Je vous en prie. J'éprouve les mêmes sentiments à l'égard des pillards, lui dit-elle. Ma sœur vit à Lawrence. Je viens de recevoir un télégramme d'elle.

Le marshal repoussa son chapeau en arrière, laissant apparaître quelques mèches folles sur son front tanné par le soleil. Il devait avoir trente ans passés, estima Anna.

— J'espère qu'elle va bien, dit-il.

— Oui, elle va bien, mais notre ferme a été détruite. (Elle dut faire un effort pour détacher son regard du sien.) Dire que je reviens à peine de là-bas et que notre diligence a dû traverser la région où se trouvaient Quantrill et ses hommes !

— Eh bien, vous avez eu une sacrée chance. Je suis heureux que votre sœur aille bien. Je sais que vous devez être inquiète mais je vous déconseille de retourner là-bas. Ce serait un voyage terriblement dangereux. Ces hommes ne méritent qu'une chose : la corde pour les pendre. Ce qu'ils font n'a rien à voir avec la guerre.

— Je suis absolument de votre avis.

Elle leva à nouveau le regard vers lui et ses yeux gris éveillèrent en elle des sensations qu'elle n'avait plus éprouvées depuis très, très longtemps...

Il hocha la tête.

— Beaucoup de gens sont assez fous pour croire que ces bandits ont raison. J'espère que votre sœur s'en sortira. (Il se retourna vers le télégraphiste.) Je repasserai voir s'il y a des messages avant de prendre le train, Newt. Mais avec ce procès à Saint Louis, je ne pourrai pas rentrer au Kansas avant un moment. (Il s'inclina vers Anna et toucha son chapeau.) Bonne chance pour votre sœur et pour vous, m'dame.

— Merci.

Il sortit, dépassant la foule autour de lui d'une bonne tête. Anna s'adressa au télégraphiste :

— Qui était-ce, Newt ?

— Le marshal Kevin Foster, du Kansas. Il est en route pour témoigner au procès d'un pilleur de banques. S'il est condamné, Foster le ramènera au pénitencier de Leavenworth. C'est son travail : il poursuit, arrête et fait juger les hors-la-loi. Il travaille surtout dans le Kansas et le Missouri. Il passe assez souvent ici, pour voir s'il a reçu des messages de son quartier général.

— Je ne t'ai pas demandé l'histoire de sa vie, Newt. Je voulais simplement connaître son nom. J'aime savoir à qui je parle.

Newt esquissa un sourire complice.

— Je comprends. Votre sœur va bien, hein ?

— Si j'en crois ce télégramme... mais il ne donne pas beaucoup de détails.

— Comment va Francine ? On a appris pour son mari, hier.

Le cœur d'Anna se serra au souvenir de sa conversation avec Fran.

— Elle tient le choc, répondit-elle.

L'employé secoua la tête.

— J'espère que j'aurai bientôt de bonnes nouvelles à vous donner de votre mari. Vous avez eu votre part de malheur, vous aussi, madame Kelley.

— Oh, je me débrouille, Newt. Peut-être que Darryl me fera bientôt la surprise d'arriver à l'improviste. J'espère simplement qu'il n'était pas avec Mark Rodgers.

— Oui, moi aussi.

Anna s'en fut. Dehors, elle aperçut Kevin Foster qui discutait avec le shérif local. Il se tourna soudain vers elle et hocha la tête. A sa grande stupéfaction, Anna sentit son cœur s'emballer subitement. Elle rougit et pressa le pas, mettant cet émoi sur le compte de sa solitude. Darryl lui manquait cruellement.

Elle rentra tout droit à la pension, sans se rendre compte que le marshal Kevin Foster ne la quittait pas des yeux. Il était désolé pour cette belle jeune femme. Le shérif venait de lui apprendre qu'elle attendait fidèlement son mari dont elle n'avait plus de nouvelles depuis un an.

— C'est un peu dur pour un homme de voir toutes ces femmes qui attendent le retour de leur mari, dit le shérif à Kevin. Ça vous donne envie de soulager leur solitude.

Foster sourit.

— Parlez pour vous, Clyde.

Le shérif gloussa.

— En tout cas, avec quelqu'un comme Mme Kelley, il n'y a pas de risque. C'est une femme forte et fidèle. Elle n'ira pas chercher le réconfort dans les bras d'un autre tant qu'il existera une chance que son mari soit vivant. Elle attendra cinq ou six ans s'il le faut.

— Ça ne me dérangerait pas d'avoir une femme qui m'attende aussi longtemps, répondit Foster en souriant.

— Bah ! Vous passez votre temps à chevaucher par monts et par vaux. Ce n'est pas comme ça que vous garderez une femme, Kevin.

Foster éclata de rire.

— Sans doute.

Il ne put s'empêcher de lancer un dernier regard vers Anna Kelley. Elle devait vivre un véritable enfer : une sœur à Lawrence, un mari disparu... Il haussa les épaules d'un air fataliste. Anna Kelley était une femme solitaire parmi des milliers d'autres que cette guerre faisait souffrir. Il haïssait cette guerre. Et, plus que tout, il haïssait les pillards comme ceux qui avaient massacré sa propre famille.

3

Septembre 1864

Anna s'approcha du train, ignorant la foule sur le quai. En ces temps troublés, nul ne savait à qui se fier. D'ailleurs, elle était trop consumée par sa propre solitude pour remarquer quiconque. Chacun de ses gestes était mécanique, chaque seconde de sa vie une épreuve de patience et d'endurance.

Trois ans et demi s'étaient écoulés depuis le jour où Darryl l'avait quittée. Et plus de deux années avaient passé depuis cette dernière lettre amère. Elle s'accrochait encore à l'espoir qu'un jour ou l'autre, il réapparaîtrait. Cela seul lui permettait d'accepter les brimades et l'hostilité de Fran. Elle avait bien envisagé de chercher un autre travail mais elle se sentait obligée envers cette femme, et elle se disait que le restaurant serait le premier endroit où passerait Darryl à son retour. Le Sud perdant la guerre, Darryl allait vivre des moments difficiles, elle ne voulait pas lui laisser penser qu'elle avait abandonné Fran.

Toutes sortes de gens se pressaient autour d'elle sur le quai, y compris plusieurs soldats de l'Union, visiblement en permission. Ils commencèrent à embarquer tandis que des sympathisants confédérés les conspuaient.

Anna avait accueilli avec joie ce voyage jusqu'à Centralia : c'était une occasion de quitter Columbia où elle se sentait prisonnière et de s'éloigner de Fran. Elle espérait que ce service qu'elle lui rendait apaiserait la tension croissante qui régnait entre elles. La tante de Fran venait de mourir et sa mère qui vivait avec elle devenait trop vieille pour rester seule. Fran répugnant à abandonner le restaurant, même pour quelques heures, Anna avait proposé d'aller chercher la vieille femme pour qu'elle ne voyage pas seule. Anna espérait que la présence de sa mère à ses côtés mettrait Fran dans de meilleures dispositions.

A présent, la foule pressante obligeait la jeune femme à grimper dans le wagon. Un employé lui prit le bras pour l'aider. Elle s'engagea dans l'allée centrale avant d'hésiter en remarquant que les sièges étaient en majorité occupés par les permissionnaires nordistes. Elle se sentait soudain mal à l'aise devant ces hommes que Darryl aurait considérés comme des ennemis.

— Dépêchons, ma p'tite dame, se plaignit un homme derrière elle.

Avant qu'elle ne se décide, le train s'ébranla et quelqu'un la bouscula involontairement, la faisant trébucher. Par bonheur, une main solide la rattrapa avant qu'elle ne s'effondre dans l'allée.

— Je suis absolument désolé, m'dame, fit une voix profonde derrière elle.

Anna se retourna, les joues empourprées, le chapeau de guingois. L'homme eut du mal à retenir un sourire devant sa mine dépitée et échevelée.

— Je ne voulais pas vous heurter ainsi, dit-il.

Anna fixa les yeux gris enfoncés dans le beau visage tanné par le soleil. L'homme portait un insigne de marshal. Ils se reconnurent au même instant. Anna rougit de plus belle.

— Marshal Foster ! Cela fait plus d'un an...

Il afficha ce beau sourire si... troublant.

— Vous êtes cette dame qui a une sœur à Lawrence, n'est-ce pas ?

— Plus maintenant. Elle est partie pour le Montana.

— Le Montana !

— Ma p'tite dame, ça vous ennuierait de vous asseoir ?

Le même énergumène qui l'avait déjà interpellée commençait à s'énerver.

— Nous ferions mieux de trouver un siège, annonça le marshal.

Lui prenant le bras, il l'installa à la première place libre à côté d'une fenêtre.

— Je m'occupe de votre sac, fit-il en allant ramasser le bagage.

Il revint s'asseoir devant elle, au bord de l'allée, posant le sac sur le siège innocupé près d'Anna. Ses longues jambes créaient une barrière qui dissuaderait quiconque de venir s'installer face à la jeune femme. Ainsi, il leur assurait une relative tranquillité.

— Vous allez bien maintenant ? s'enquit-il.
— Très bien, merci.

Le train prit de la vitesse tandis que les soldats entonnaient un chant où il était question de « rentrer à la maison ». Ils allaient être quelque peu excités pendant le voyage mais Anna songea qu'ils avaient bien mérité de se détendre un peu. Dieu seul savait où ils avaient été et ce qu'ils avaient vu.

Beaucoup d'entre eux ne semblaient pas avoir plus de seize ou dix-sept ans, remarqua-t-elle. Elle les observait car elle était soudain trop timide pour affronter les yeux du marshal qui, elle le sentait, étaient posés sur elle.

En réalité, Foster l'examinait encore plus attentivement qu'elle ne le croyait. Il se disait que cette jeune femme était excessivement belle, que ses yeux bleus et ses cheveux blonds lui rappelaient quelqu'un qu'il avait aimé autrefois. C'était une vraie dame, il en était certain.

Il admirait la sensualité de ses lèvres ainsi que les courbes de sa silhouette tout en se posant de multiples questions. Que faisait-elle, seule dans ce train ? Comment cette maudite guerre l'avait-elle affectée ? Avait-elle enfin reçu des nouvelles de son mari ? Tout à coup, il se rendit compte qu'il ignorait dans quel camp celui-ci s'était engagé.

Comment s'appelait-elle ? Anna ? Il ne se rappelait plus son nom de famille.

Un employé apparut pour vérifier les billets. Anna fouilla dans son sac tandis qu'il se levait pour extirper le sien de la poche arrière de son pantalon. Anna lui jeta un coup d'œil en coin, remarquant son colt et le ceinturon garni de balles. Il était vraiment très grand et très large d'épaules, se dit-elle, impressionnée.

— Dans combien de temps arrivera-t-on à Moberly ? demanda-t-il à l'employé.

— Oh, peut-être une heure et demie. Cela dépend si nous devons nous arrêter à Centralia. Je ne sais pas s'il y aura des passagers là-bas. Vous allez chercher un prisonnier, marshal ?

— C'est à peu près ça.

— Ah, je reconnais que maintenir l'ordre chez les civils est bien utile ces temps-ci. C'est bizarre, hein ? Vous devez courir après des criminels pendant que des tas d'hommes se tirent dessus en toute impunité parce que c'est la guerre.

— Oui, vous avez raison. C'est assez bizarre.

L'employé lui rendit son billet avant de prendre celui d'Anna.

— Quand arriverons-nous à Centralia ? s'enquit-elle.

— Oh, bientôt. Dans quarante-cinq minutes, à peu près.

— Eh bien, il faudra que le train s'y arrête parce c'est là que je descends.

L'homme éclata de rire.

— Dans ce cas, m'dame, je vous assure que le train s'y arrêtera. Je vous souhaite un bon voyage.

— Merci.

Reprenant son billet, elle ne put s'empêcher de regarder à nouveau le marshal : il aurait été impoli de ne pas le faire, pensait-elle.

— Merci de m'avoir épargné la gêne de tomber dans l'allée, dit-elle en souriant.

Une étincelle passa dans ses yeux gris.

— C'était tout à fait normal. (Il repoussa son chapeau en arrière.) Au fait, comment savez-vous mon nom ?

Anna rougit à nouveau. Elle n'osait pas avouer qu'elle avait eu l'audace de le demander.

— Je... j'ai entendu le télégraphiste parler de vous avec quelqu'un après votre départ... ce jour-là... Vous vous rappelez ?

« Comment aurais-je pu l'oublier ? » eut-il envie de répondre. Il sourit.

— Oui, ce vieux Newt adore papoter. Mais j'ai un problème. Vous connaissez mon nom et j'ignore le vôtre.

Comment lui dire qu'il s'était renseigné auprès du shérif ? Il ne voulait pas l'offenser.

— Anna. Anna Kelley.

— Et vous vivez à Columbia, je suppose ?

Il répugnait aussi à lui avouer qu'il savait pour son mari. Avait-elle reçu de ses nouvelles ?

— Oui, répliqua-t-elle. Mais je suis originaire de Lawrence.

— Ah oui, votre sœur y vivait. C'est vrai... Elle est donc partie pour le Montana ?

Anna eut un léger éclat de rire. Comme c'était bon de rire et de parler à nouveau !

— Oui. Si vous connaissiez Joline, vous ne seriez pas si surpris. Elle est très téméraire... et très indépendante d'esprit.

Il adorait ses yeux, la façon dont bougeaient ses lèvres.

— Je parie que vous lui ressemblez beaucoup.

Le sourire d'Anna s'estompa légèrement.

— Oh, nous avons beaucoup de points communs mais pas physiquement. Joline a les cheveux bruns et les yeux marron. Quant à être indépendante... (Il vit la tristesse passer dans ses yeux.) Eh bien, j'ignore jusqu'à quel point je le suis. Disons que je suis surtout dépendante des circonstances...

« Elle n'a pas dû recevoir de nouvelles de son mari, pensa-t-il. Cela doit faire deux ans maintenant. »

— Joline est partie pour échapper aux mauvais souvenirs, expliqua Anna. Notre père et son mari ont été tués à Shiloh. Père est mort sur le champ de bataille, le mari de Jo, deux mois après. C'est ce qui a été très dur pour Jo : elle ne savait pas que son mari avait été blessé, sinon elle aurait été le rejoindre. (Des larmes brillèrent dans ses yeux et elle se détourna.) En fait, je crois qu'elle voulait surtout partir le plus loin possible de cette guerre.

Kevin opina d'un air grave.

— Je ne peux pas l'en blâmer. Beaucoup d'entre nous voudraient en faire autant.

Anna contempla le paysage qui défilait à la fenêtre.

— Si seulement nous ne vivions pas dans cette peur constante des pillards...

La conversation prenait un tour plus personnel qu'elle ne l'aurait voulu. Pour une raison étrange, il lui était très facile de parler avec Kevin Foster.

Celui-ci fronça les sourcils.

— Un jour, tous ces hommes seront derrière des barreaux ou se balanceront au bout d'une corde, croyez-moi. Ce sont des hors-la-loi, un point c'est tout. Je me fiche de ce qu'ils prétendent.

— Je suis d'accord avec vous, fit Anna.

Kevin enleva son chapeau pour se passer une main dans les cheveux.

— Ce Quantrill a été un mauvais exemple. Il a donné naissance à une race de loups sanguinaires : des types qui aiment cette vie de pillage et de meurtre et qui continueront probablement à se comporter ainsi après la guerre. L'un des pires est Bill Anderson.

Anna frémit.

— Celui qu'ils appellent Bloody Bill ?

— Oui. (Une étrange expression de tristesse et de colère mêlées passa dans les yeux de Kevin.) C'est à cause d'hommes comme Anderson et Quantrill que je porte cet insigne.

Anna se demanda ce que cela pouvait signifier mais elle n'osait pas se montrer trop curieuse.

— Eh bien, comme disait l'employé tout à l'heure, il faut bien que quelqu'un reste pour veiller à ce que les civils ne deviennent pas des bêtes sauvages pendant que la guerre fait rage plus au sud... Je crois me rappeler que vous êtes du Kansas ?

Il sourit et elle ne put s'empêcher de rougir une nouvelle fois : elle venait d'admettre qu'elle n'avait rien oublié de leur première rencontre.

— Oui, m'dame, tout comme vous. Je suis installé à Topeka. Je vais chercher deux hommes qui sont soupçonnés de vol et de meurtre dans la région.

— Votre travail doit être très dangereux.

— Il est plus dangereux pour une jolie jeune femme de voyager seule. (Il remarqua avec satisfaction le rose qui colora ses joues.) Qu'est-ce qui vous amène à Centralia ? Vous avez de la famille là-bas ?

Anna se sentit soudain un peu coupable. Elle aimait toujours Darryl et l'attendait fidèlement. Elle se demanda si elle ne parlait pas un peu trop, ou bien si elle ne donnait pas à Kevin Foster une fausse impression.

Il s'aperçut de son malaise.

— Je suis navré, reprit-il. Pardonnez mes questions indiscrètes. Avec mon travail, j'ai pris l'habitude de poser des questions. Cela ne me regarde vraiment pas.

— Non, je vous en prie, ce n'est rien...

Anna se rendait compte à quel point Darryl lui manquait, à quel point elle avait besoin de l'attention d'un homme. Nombreux étaient ceux qui la complimentaient ou même tentaient de flirter avec elle au restaurant, mais aucun ne lui donnait cette impression de vie et de chaleur qu'elle éprouvait près de Kevin Foster. Elle remarqua la puissance de ses bras et pensa à tous ces jeunes gens qu'elle avait vus revenir de guerre mutilés, avec un bras ou une jambe en moins. Elle priait le ciel pour que Darryl revienne tel qu'il était parti : doux, attentionné. Elle sentait que Kevin Foster était ainsi et c'était pour cela qu'il lui faisait penser à Darryl.

— Je travaille dans un restaurant, expliqua-t-elle. La propriétaire, Francine Rodgers, a perdu son mari l'an dernier. Sa mère habite Centralia et Fran veut qu'elle vienne vivre avec elle maintenant. Comme elle est trop âgée pour voyager toute seule, je vais la chercher tandis que Fran tient le restaurant.

— C'est gentil à vous, dit Kevin. Et... vous avez dit que votre père était mort à Shiloh. Il combattait pour l'Union ?

Anna jeta un coup d'œil aux autres soldats dans le wagon.

— Oui. Le mari de Joline et lui combattaient tous les deux pour l'Union.

Ayant subitement trop chaud, elle enleva ses gants. Kevin aperçut l'alliance dorée à sa main gauche. Il leva les yeux et se rendit compte qu'elle avait surpris son regard curieux. Elle se tourna vers la fenêtre. Un silence gêné tomba entre eux.

— Mon mari est de Géorgie, lui dit-elle en levant fièrement le menton. Je n'ai jamais vraiment pris parti dans cette guerre, marshal Foster. J'ai rencontré Darryl bien avant que tout ceci ne commence. C'est un docteur et un homme bon. Je n'étais ni pour le Nord, ni pour le Sud. Nous voulions simplement vivre notre vie mais les gens de Lawrence ne nous l'ont pas permis. Nous avons dû partir parce que Darryl venait de Géorgie et que ses parents possèdent une plantation. Les gens se moquaient qu'il soit un bon docteur. Ils ne voulaient pas qu'un Sudiste les touche et ils accusaient Darryl d'être un espion à la solde des *Bushwhackers*. Un peu plus tard, mon mari a souhaité assumer ses responsabilités envers...

Elle hésita, jetant un nouveau coup d'œil vers les soldats. Ils bavardaient et riaient ensemble, ne leur prêtant aucune attention.

— ... envers la Confédération, conclut-elle. Mais il ne se bat pas. Il ne tue personne. Je suis certaine qu'il a soigné des blessés aussi bien nordistes que sudistes. Darryl est très gentil, très bon.

Kevin sourit avec sympathie.

— Il est inutile de le défendre, madame Kelley. (Il sortit un mince cigare de sa poche.) Vous permettez ?

— Je vous en prie.

Il alluma son cigare en se demandant pourquoi il se sentait si déçu d'apprendre que son mari était toujours vivant. Il fuma quelques instants en silence.

— Vous n'étiez pas forcée de me raconter tout cela, reprit-il finalement. Comme je l'ai déjà dit, cela ne me regarde pas.

— Certes. Mais je vous ai vu regarder ma bague et je savais que vous vous posiez des questions.

Un bref silence s'installa.

— On dit que Sherman est en Géorgie, lança-t-il. La guerre devrait se terminer bientôt.

— J'espère que vous avez raison. Dieu seul sait ce qui est arrivé à Darryl et à sa famille... Cela fait si longtemps que je n'ai plus de nouvelles de lui. Chaque jour, je me dis qu'il va revenir et que nous allons enfin pouvoir reprendre la vie que nous menions avant ce carnage.

— Eh bien, j'espère que c'est ce qui va se passer, madame Kelley. Mais la guerre peut transformer un homme. Le changer à jamais. Il faudra peut-être quelque temps à votre mari pour pouvoir reprendre cette belle vie que vous imaginez.

Anna contempla à nouveau le paysage qui défilait par la fenêtre.

— Je l'aiderai de toutes mes forces. J'espère simplement qu'il me reviendra intact.

Elle sentit les larmes lui piquer les yeux. Elle avait parfois du mal à se souvenir de la vie qu'elle menait autrefois avec Darryl. Elle avait même du mal à se souvenir de son visage. En le revoyant, aurait-elle l'impression de rencontrer un étranger ? Trois ans, c'était si long...

— Hé, Doc, tu es sûr que ce télégraphe ne fonctionne plus ? cria un des *Bushwhackers*.

Darryl Kelley, barbu et crasseux, émergea du dépôt, laissant derrière lui le télégraphiste qu'il venait d'abattre de sang-froid.

— Ne t'inquiète pas. La ligne est coupée et ce bonhomme envoie ses messages en enfer maintenant.

— Yahou !

L'autre tira un coup de feu en l'air qui se mêla aux multiples détonations qui retentissaient dans la petite ville de Centralia. Bloody Bill Anderson et près de cent cinquante hommes avaient lancé un raid sur la ville, volant, tuant et terrorisant. Un tonneau de whisky avait été ouvert en plein milieu d'une rue et les hors-la-loi s'y abreuvaient à loisir.

Darryl éclata de rire en voyant un de ses acolytes pousser une femme à terre, lui arracher une de ses bottes et la traîner jusqu'au tonneau. Il plongea la botte dans l'alcool avant d'obliger la malheureuse à boire, l'aspergeant de whisky. Puis il l'embrassa de force. Le mari se précipita pour aider son épouse. Le pillard se retourna et lui enfonça son poing dans le ventre. Puis il entreprit de le battre à mort tandis que la femme s'enfuyait.

Darryl pensa à Anna en la suivant des yeux. Une petite douleur lui pinça le cœur mais il n'y avait plus de place désormais pour Anna dans sa vie. Seule comptait la vengeance.

Il contempla le chaos autour de lui. Des enfants erraient en pleurant, des femmes hurlaient. Les hommes qui tentaient de se rebeller étaient battus ou bien froidement assassinés. D'autres fuyaient. Certains étaient aussi ivres que les pillards car on les avait forcés à boire.

— Ils l'ont bien mérité, marmonna Darryl.

La plupart des habitants de Centralia soutenaient l'Union. La famille et la demeure de Darryl avaient été détruites par les soldats de l'Union. Il n'oublierait jamais ce qu'il avait vu là-bas. Ces cendres brûleraient à jamais dans son cœur. Rien, jamais, ne pourrait apaiser sa haine. D'ailleurs, il éprouvait une certaine jouissance à suivre un homme comme Bill Anderson. Partout où ils allaient, les gens tremblaient devant eux. Dans une autre vie, il avait essayé d'être bon et gentil, et en retour, on l'avait chassé comme un criminel.

« Un jour, pensa-t-il, un jour, je serai le chef. Les gens auront peur de Crazy Doc autant qu'ils ont peur de Quantrill et d'Anderson. » Il se fichait qu'on l'appelle Crazy Doc, le docteur fou. Ce surnom lui allait comme un gant après la blessure qu'il avait reçue au crâne. Il avait oublié trop de choses pour pratiquer la médecine. Il y avait même des moments où il oubliait son propre nom, où il oubliait Anna. Le whisky était son seul ami : le whisky enlevait la douleur, enlevait les souvenirs.

Johnny Field le rejoignit avec un large sourire, tirant en l'air.

— Hé, Doc ! Un train arrive ! Paraît qu'il y a des soldats nordistes à bord ! On va bien rigoler !

Darryl se dirigea aussitôt vers la gare. Déjà, on avait érigé une barricade pour forcer le train à s'arrêter.

Il ricana. S'il était vrai que des soldats de l'Union se trouvaient à bord de ce train, il allait assouvir aujourd'hui son besoin de vengeance. Derrière lui, une fumée noire s'élevait dans le ciel : les *Bushwhackers* incendiaient la ville.

— On arrive à Centralia, annonça l'employé en remontant l'allée centrale.

Anna regarda par la fenêtre. La gare n'était pas encore en vue. Elle se tourna vers Kevin Foster.

— Je suis contente de vous avoir revu, marshal. Je vous souhaite bonne chance avec vos prisonniers.

Il sourit en hochant la tête avant d'éteindre son cigare dans un cendrier. Avec un petit sentiment de culpabilité, Anna ne put s'empêcher d'admirer le jeu des muscles sur son avant-bras.

— Et moi, j'espère que votre mari reviendra sain et sauf de la guerre, madame Kelley, quel que soit le camp dans lequel il a combattu. (Il se redressa.) Après cette guerre, le temps viendra d'oublier et de refermer les blessures. J'ai peur que cela ne se fasse pas en un jour. Mais vous semblez être une femme capable d'oublier et de pardonner.

Elle rougit.

— J'essaierai, marshal.

Elle se tourna à nouveau vers la fenêtre et sursauta.

— Marshal, regardez ! On dirait qu'il y a le feu !

Foster s'approcha de la fenêtre pour regarder à son tour.

— Qu'est-ce qui...

Il vit alors des cavaliers qui tiraient dans tous les sens, des gens qui s'enfuyaient, d'autres qui essayaient de se défendre. Le train freina violemment. Anna fut projetée contre Kevin Foster. Surprise, elle agrippa son bras. Il l'aida à reprendre place sur le siège.

— Vous allez bien ? demanda-t-il.

— Oui... oui. Que se passe-t-il ?

Ils entendaient les hurlements et les détonations à présent. Une balle fracassa une des fenêtres du wagon. Kevin força la jeune femme à se baisser.

— A terre. Ce doit être une bande de pillards !

Le cœur d'Anna battait à se rompre. Au nom du ciel...

— Restez là, reprit Kevin. Je vais...

Il s'interrompit tandis que plusieurs hommes se ruaient à l'intérieur du wagon par les deux extrémités.

— Tout le monde dehors ! hurla l'un d'entre eux.

Kevin était toujours penché au-dessus d'Anna. Elle sentit qu'il lui glissait quelque chose dans la main.

— Mettez ça dans votre sac, chuchota-t-il.

Elle acquiesça, comprenant qu'il s'agissait de sa plaque de marshal. Fébrile, elle la cacha dans son sac.

4

— Allez ! Dehors !

Un hors-la-loi agitait son arme devant Anna et Kevin. Elle sentit une main se poser doucement sur son bras.

— Restez près de moi, madame Kelley, lui dit calmement Foster en l'aidant à se relever.

D'horribles insultes retentissaient dans la voiture tandis que les pillards jetaient les soldats nordistes hors du wagon. Ils battaient cruellement ceux qui n'allaient pas assez vite à leur goût. Un brigand arracha l'un des jeunes hommes de son siège par son bras mutilé. Anna frémit. Soudain, on la retourna sans ménagement.

— Eh bien, eh bien... qu'avons-nous là ? Tu ne serais pas la femme d'une de ces Tuniques bleues, ma jolie ?

Anna resta sans voix tandis que l'homme posait le canon de son arme sur sa gorge.

— Laissez cette dame tranquille, intervint Kevin Foster. Son mari est docteur dans l'armée confédérée.

D'une bourrade, le bandit repoussa Anna sur le siège avant de pointer son arme sur Kevin.

— Elle a bien d'la chance, fit l'inconnu en le toisant. Détachez votre arme, monsieur, si vous avez envie de continuer à vivre.

Kevin hésita.

— Je vous en prie, intervint à son tour Anna, terrifiée. Faites ce qu'il dit.

S'il provoquait le moindre incident, pensa Kevin, elle risquait de se faire blesser, ou pire encore. Ces hommes n'avaient pas besoin d'excuse pour tuer et, vu les circonstances, il n'avait pas une chance contre eux.

A regret, Kevin déboucla lentement son ceinturon. La voiture était à présent quasiment vide : les soldats étaient tous sur le quai. Anna entendit soudain quelqu'un crier dehors :

— Ne tirez pas ! Je vous en...

Une détonation retentit et il y eut un choc sourd contre la paroi du wagon.

Anna sursauta. Kevin lâcha sa ceinture et se pencha vers elle, pour lui prendre la main. A cet instant, le brigand abattit violemment la crosse de son arme sur son crâne. Kevin s'effondra sur la jeune femme.

Elle poussa un cri tandis qu'il roulait à terre.

— Allez, ma p'tite dame ! ordonna le bandit. Descendez du train. Et estimez-vous heureuse d'être une Confédérée.

Elle le fusilla du regard.

— Vous n'aviez pas besoin de le frapper ainsi ! Il vous a obéi ! Vous n'êtes qu'une...

L'homme l'interrompit en posant le canon de son arme sur sa joue.

— Attention à ce que tu dis, la belle. On n'a pas encore tué de femme aujourd'hui mais ne me tente pas. Maintenant, dehors !

Kevin gémit et s'accrocha à la banquette. Du sang ruisselait sur son visage. Anna le saisit par le bras.

— Venez, mar... monsieur Foster. Laissez-moi vous aider.

A moitié inconscient, Kevin se redressa, s'appuyant sur les minces épaules d'Anna alors que l'homme lui enfonçait douloureusement son revolver dans les côtes. Ils descendirent du train et traversèrent un nuage de poussière soulevé par les sabots des chevaux des pillards.

— Par ici ! le pressa Anna en l'entraînant à l'écart parmi un groupe de spectateurs.

L'homme qui les avait fait descendre les oubliait déjà, se dirigeant vers ses acolytes et les soldats nordistes. Kevin se retint à un poteau.

— Je suis vraiment désolée, marshal. Il ne vous aurait pas frappé si je n'avais pas été là, dit Anna en sortant un mouchoir de son sac pour éponger le sang qui coulait sur son œil gauche.

Kevin cligna des paupières et parut enfin la reconnaître.

— Madame Kelley ?

— Oui. (Doucement, elle pressa le mouchoir contre la plaie sur son crâne.) Ici. Tenez-le. Et pressez.

Il lui obéit.

— Il vous a fait du mal ? s'enquit-il.

— Non. Je... Mon Dieu !

Du coin de l'œil, elle avait surpris une scène qui la laissa sans voix. Kevin suivit son regard. Tous les soldats nordistes étaient alignés le long du train, certains déjà entièrement nus, d'autres en train d'enlever leurs vêtements.

Anna s'accrocha au bras de Kevin.

— Marshal, que se passe-t-il, au nom du ciel ?

Kevin observa les hors-la-loi qui passaient et repassaient à cheval devant les soldats, leur ordonnant de se dépêcher en s'esclaffant.

— Tu es trop lent ! fit un des *Bushwhackers* à un jeune soldat qui pleurait tout en se débattant avec son caleçon.

Le cavalier lui tira une balle dans la tête. Le jeune garçon s'écroula en arrière.

— Salopards ! marmonna Foster. Salopards de meurtriers ! Je les traquerai jusqu'au dernier !

Abasourdie, Anna fixait les soldats, dont la plupart n'étaient que des adolescents. Ils étaient à présent tous nus. Certains pleuraient, d'autres suppliaient, d'autres encore restaient simplement muets de stupeur et d'horreur.

— Et maintenant, chef ? demanda quelqu'un.

Un cavalier s'avança face aux soldats.

— C'est Bill Anderson, annonça Kevin.

Une peur glaciale s'empara d'Anna. Elle avait entendu parler des atrocités commises par cet individu.

— On va vous envoyer en enfer ! hurla Anderson aux soldats tremblants avant de se tourner vers un très jeune homme qui chevauchait à son côté : Archie, débarrasse-moi d'eux.

Le jeune homme sauta de selle et se dirigea vers les soldats. Dégainant son pistolet, il se mit à tirer. Les Nordistes tombaient sans une plainte. D'autres *Bushwhackers* ouvrirent le feu à leur tour, vociférant et ricanant.

Anna aperçut alors un homme monté sur un appaloosa. Il visa avec soin et abattit froidement un jeune garçon. Puis il éclata de rire avant de s'éloigner. Anna frissonna. Ce rire lui semblait familier, mais pas un seul instant elle ne songea qu'elle pouvait connaître ce tueur.

Elle se couvrit le visage, incapable d'observer plus longtemps cette abomination. Sentant la chaleur d'un bras autour d'elle, elle se laissa aller contre Kevin Foster. Jamais elle n'oublierait ce qu'elle venait de voir, se dit-elle sans retenir ses larmes.

— A bas l'Union ! hurla un des assassins en s'éloignant au galop.

Anna s'arracha à l'étreinte de Kevin, gênée soudain de s'être abandonnée contre lui.

— Ça va, madame Kelley ?

Elle se contenta de hocher la tête en s'essuyant les yeux.

Kevin la mena vers un banc.

— Asseyez-vous.

Il grimaça sous l'effet de la douleur qui lui vrillait le crâne et s'assit auprès d'Anna.

— Mieux vaut rester ici et ne pas attirer l'attention sur vous, expliqua-t-il. Quand des hommes ont à ce point perdu le contrôle d'eux-mêmes, nul ne sait ce qu'ils sont capables de faire. Bon sang, si seulement je pouvais les...

Anna le regarda.

— Marshal, ils sont plus d'une centaine. Et il doit y en avoir d'autres en ville.

— C'est pourquoi je vous ai donné ma plaque. J'avais peur qu'ils ne vous fassent du mal en vous voyant avec un marshal. Pour l'instant, je ne peux pas faire grand-chose. (Il grimaça à nouveau.) Rendez-la-moi. Je vais la garder dans ma poche.

Anna lui obéit. Une femme passa alors devant eux, le visage maculé de larmes et de boue, les vêtements déchirés. Soudain, Anna se rappela la raison de sa venue ici.

— Henrietta ! s'exclama-t-elle en se levant d'un bond. Je dois la retrouver ! Elle est vieille et toute seule !

— Vous feriez mieux de rester ici, madame Kelley, la prévint Foster.

— Non. Je n'oserais jamais me présenter devant Francine si quelque chose arrivait à sa mère. Elle a déjà perdu son mari.

— Attendez !

Sans penser une seule seconde à sa propre sécurité, Anna se précipita vers la ville. Kevin se lança à sa poursuite mais un vertige le saisit et il s'effondra à genoux. Il l'appela, mais elle était déjà loin.

Sur le chemin, Anna passa devant plusieurs cadavres étalés dans les rues. Elle avait du mal à en croire ses yeux. Ceci n'était pas une guerre. C'était bien pire.

Elle avançait aveuglément à travers les nuages de fumée, dans l'espoir que la mère de Fran aurait échappé aux maraudeurs. Le galop d'un cheval derrière elle la fit se retourner. Quelqu'un fonçait à toute allure dans sa direction.

Elle frémit d'horreur et se mit à courir, mais le

cavalier la rattrapa sans peine et la frôla de si près qu'elle tomba. Elle se redressa, la peur cédant maintenant la place à la colère. L'homme ricanait. A nouveau, elle eut l'impression que ce rire lui était familier. Puis l'individu fit tourner sa monture et revint vers elle.

Soudain, Anna eut l'impression de se vider de son sang. En un éclair, elle comprit pourquoi elle connaissait ce rire.

— Darryl ! fit-elle d'une voix étranglée.

Le sourire de l'homme se figea tandis qu'il s'arrêtait. Il la dévisagea sans rien dire.

Anna se mordit les joues pour ne pas s'évanouir sur place. Il était sale et mal rasé. Et... lui aussi l'avait reconnue !

— Darryl, que fais-tu ? Pourquoi...

Elle frémit à nouveau. C'était bien lui qu'elle avait vu abattre un jeune soldat de sang-froid.

Une lueur de démence passa dans son regard et il éclata d'un rire suraigu. Puis il arracha l'alliance à son doigt et la jeta à terre, en la fixant droit dans les yeux.

— Va au diable !

Il fit faire volte-face à son cheval et s'en fut au galop.

Anna le suivit du regard, pétrifiée. Un tourbillon de vent l'enveloppa d'une fumée noire et elle se mit à tousser. Oui, elle était réveillée, et tout ceci était bien réel. C'était vraiment son mari qui avait assassiné un adolescent désarmé...

Avec des gestes mécaniques, elle se pencha pour ramasser l'alliance. Incrédule, elle la contempla dans sa main tremblante. *Va au diable !* Pourquoi ? Pourquoi lui dire une horreur pareille ? Elle n'avait fait que l'attendre fidèlement. Qu'était-il arrivé à son gentil mari ? Qu'était-il arrivé à l'homme qu'elle avait tant aimé? Comment Darryl pouvait-il se retrouver en compagnie d'individus comme Bloody Bill Anderson?

— Darryl, gémit-elle.

— Madame Kelley!

Elle entendit la voix du marshal derrière elle. Très vite, elle cacha l'alliance dans son sac.

— Madame Kelley, vous n'auriez pas dû vous mettre à courir ainsi! Bon sang, ces types sont des fous, des bêtes sauvages...

Il la poussa vers le trottoir de planches et elle ne résista pas. Complètement hébétée, elle avait à peine conscience de ce qui se passait autour d'elle.

— Je crois qu'ils s'en vont enfin, conclut-il avec soulagement.

La voix de Kevin Foster ressemblait à un écho lointain.

— Je... dois... trouver Mme Sloane, articula-t-elle péniblement.

Elle s'accrochait à son sac, terrifiée à l'idée que le marshal puisse y trouver cette alliance. Déjà, la honte remplaçait la stupéfaction et l'horreur. Comment avouer à Kevin Foster — ou à quiconque, d'ailleurs — qu'elle était l'épouse d'un meurtrier?

Tout à coup, elle eut la nausée. Elle se sentait gênée, humiliée, trahie.

— Madame Kelley, vous êtes pâle comme un linge. Tout ceci est trop pour vous.

Il l'emmena dans une ruelle à l'écart.

— Nous allons rester ici, jusqu'à ce qu'ils soient tous partis.

Anna ne dit rien. Elle ferma les yeux et se laissa aller contre Kevin. Elle ne se rendait même plus compte qu'elle cherchait le réconfort dans les bras d'un inconnu. Elle avait simplement besoin de s'accrocher à quelque chose de solide. Pour ne pas devenir folle.

Plusieurs minutes passèrent avant que la fusillade ne cesse définitivement. Des gens commencèrent à se risquer dans les rues, hébétés. Certains couraient en criant des noms, tandis que d'autres essayaient de s'organiser pour éteindre les incendies. Kevin poussa gentiment Anna devant lui.

— Je vais vous aider à chercher la mère de votre amie. Comment s'appelle-t-elle ?

Anna s'essuya les yeux.

— Henrietta. Henrietta Sloane. Elle est petite et frêle.

— Très bien. Tout ira bien maintenant, madame Kelley, ils sont partis.

Rien n'ira jamais bien ! eut-elle envie de hurler. *L'un d'entre eux est mon mari !*

La tenant toujours par le bras, Kevin lui fit remonter la rue principale où s'était rassemblée la population. Ils dévisagèrent chaque personne, sans succès. Finalement, ils s'approchèrent d'une femme gisant près d'un poteau. Kevin s'agenouilla pour la retourner et Anna éclata à nouveau en sanglots.

Kevin soupira, inspectant le cadavre.

— Elle a pris un coup sur la tête. Un cavalier a dû la faire tomber et elle a heurté ce poteau, annonça-t-il en couvrant le visage de la vieille femme avec son propre châle. Elle est morte, madame Kelley.

— Dieu du ciel, murmura Anna. Comment cela est-il possible ? Comment ?

Kevin se redressa et la prit par les épaules.

— La guerre transforme des hommes ordinaires en véritables monstres.

Comme il avait raison !

— Je veux que vous restiez ici, reprit-il. C'est promis ? Je retourne au train chercher mes affaires et les vôtres ainsi que mon cheval. Je n'en ai que pour quelques minutes.

Après une dernière pression sur l'épaule, il s'en fut. Anna s'assit sur le trottoir près du cadavre d'Henrietta Sloane. Elle connaissait à peine cette femme, l'ayant rencontrée à deux ou trois reprises. Mais elle redoutait le moment où elle allait devoir annoncer sa mort à Fran...

Anna ne se rendait pas compte du temps qui passait. Elle leva soudain les yeux pour voir Kevin Foster qui revenait à cheval. Il s'était bandé la tête avec un foulard et lui apportait son sac. Il sauta à terre pour l'aider à se relever.

— Nous avons réussi à rebrancher le télégraphe, annonça-t-il. Le 39e d'infanterie du Missouri vient par ici. Ils pourchasseront Anderson et sa bande. (Il posa la main sur l'épaule d'Anna.) Je vais essayer de trouver le fossoyeur. Il doit avoir du travail en ce moment mais nous parviendrons peut-être à obtenir un cercueil pour Mme Sloane... Vous pourrez ramener son corps à Columbia et permettre à sa fille de l'enterrer là-bas.

— Vous n'avez pas à faire tout ceci pour moi, protesta Anna.

— Je ne puis vous laisser seule dans une telle situation, madame... Bon, vous allez monter sur mon cheval. Je porterai Mme Sloane. Nous retournons à la gare. Les incendies se développent et vous pourriez être en danger ici.

— Peu m'importe, fit-elle, absente.

— Quoi ?

Kevin fronça les sourcils et l'examina un instant.

— Tout va bien, murmura-t-il doucement. C'est fini, à présent. Je sais que les scènes dont vous avez été témoin ont dû vous choquer mais nous ne pouvions rien faire. Y compris pour la mort de la mère de votre amie. Étiez-vous très proche de Mme Sloane ?

Anna le regarda comme si elle ne savait plus très bien qui était cet homme qui lui parlait.

— Mme Sloane ? Henrietta ? Euh... non, pas vraiment.

Kevin fouilla ses beaux yeux bleus et vit la douleur qui les hantait.

— Qu'y a-t-il, madame Kelley ?

Anna se détourna. Que lui dire ?

— C'est juste... Ces malheureux soldats... et la pauvre Henrietta... et Fran, marmonna-t-elle en guise d'excuse.

Kevin l'aida à grimper sur sa selle avant de soulever le corps d'Henrietta Sloane. En temps normal, une femme aussi frêle n'aurait pas constitué un réel fardeau pour un homme comme lui. Mais sa blessure à la tête et la perte de sang l'avaient affaibli. Quand il abandonna le corps raide dans le dépôt, il était épuisé.

Pourtant, il trouva la force d'aider Anna à descendre de selle. Leurs regards se croisèrent un instant et il eut soudain une folle envie de la serrer dans ses bras, de chasser la terrible solitude qu'il lisait dans les profondeurs azurées de ses yeux.

— Dites-moi, marshal, fit-elle avec un calme qui le surprit, pourquoi la guerre ne vous a-t-elle pas affecté ?

Kevin l'étudia avec curiosité.

— Pourquoi croyez-vous cela ?

— Parce que vous êtes resté un homme décent.

Il poussa un profond soupir avant de la lâcher pour saisir les rênes de sa monture.

— La guerre m'a affecté. Moi aussi, j'ai beaucoup perdu. Comme je vous l'ai dit, la guerre et certaines choses qui sont arrivées avant ont fait de moi ce que je suis à présent. Certains hommes deviennent des hors-la-loi et d'autres décident de les traquer. Je fais partie de ceux qui traquent. Je porte mes propres cicatrices.

— Oui. Comme nous tous...

Foster repoussa son chapeau en arrière.

— M'dame, je ne peux pas m'empêcher de penser qu'il s'est passé quelque chose pendant que vous étiez seule. Vous vous conduisez bizarrement depuis que je vous ai retrouvée. Quelqu'un vous a-t-il dit quelque chose... fait quelque chose ?

Elle baissa les yeux vers son sac à main.

— Non. Je n'avais encore jamais assisté à une telle horreur, c'est tout. Plus j'y pense, plus cela me rend malade.

Il lui prit le bras.

— Le temps vous aidera à oublier, madame Kelley. Les soldats vont poursuivre Anderson et ses hommes. Si je n'avais pas une mission à achever, je rassemblerais une patrouille et je les traquerais moi-même. Mais nous sommes dans le Missouri ici. Ce n'est pas ma juridiction. Si un jour ils posent un pied dans le Kansas, ils le regretteront.

Vous pourchasseriez mon propre mari... La honte l'empêcha de prononcer ces paroles.

— Je... ne sais comment vous remercier pour tout ce que vous faites pour moi, lui dit-elle. Vous auriez bien besoin de voir un docteur, marshal. Votre blessure saigne encore.

— Plus tard. Asseyez-vous là, dans l'herbe. Cela risque de prendre un peu de temps. Avez-vous faim ?

— Non. (Anna s'assit avec lassitude.) Mais je boirais volontiers un peu d'eau.

Foster décrocha sa gourde de sa selle et la lui tendit.

— Gardez-la avec vous. Je reviens bientôt.
— Merci.

Anna serra la gourde sur son ventre tandis que le marshal attachait son cheval non loin de là. Puis il s'éloigna pour aller chercher de l'aide. Anna baissa les yeux et remarqua que le sang de Kevin Foster avait taché sa jupe. Cette vue lui rappela l'horreur des meurtres auxquels elle avait assisté. Elle repensa à Darryl.

Elle roula sur le côté en pleurant amèrement, gémissant son nom. Malgré ses larmes, elle entreprit soudain de creuser un trou dans la terre. Fouillant frénétiquement dans son sac, elle retrouva l'alliance. Elle la contempla à peine avant de l'enfouir dans le sol. Pour elle, Darryl Kelley était aussi mort que si on lui avait ramené son corps. A défaut d'enterrer son cadavre, elle pouvait enterrer le symbole de leur union.

Les doigts maculés de terre, elle toucha le collier de perles qu'elle avait fidèlement porté pendant toutes ces années. Elle l'enleva et le jeta dans son sac. Choquée, humiliée, furieuse, elle ne pensait qu'à trouver un moyen de faire du mal à Darryl comme il lui avait fait du mal aujourd'hui. Elle se jura de ne plus jamais porter le collier.

— Je le vendrai, siffla-t-elle entre ses dents.

5

Lorsque le train arriva à Columbia, les gens savaient déjà. Le télégraphe réparé, la nouvelle du massacre de Centralia était parvenue jusque-là. Une foule énorme attendait sur le quai. Le train s'arrêta et les voyageurs commencèrent à descendre. Des parents ou des amis les accueillirent avec enthousiasme, soulagés de les retrouver sains et saufs. Très vite, la gare fut submergée de cris, de rires et de larmes. Anna observait cette agitation à travers la vitre. Elle n'avait aucune envie de descendre ; elle aurait voulu rester à bord de ce train et se laisser emporter au bout du monde.

Elle se leva enfin quand la voiture fut vide et se dirigea vers la plate-forme arrière, cherchant Fran parmi la foule. Elle la repéra finalement qui la guettait avec angoisse. Anna se fraya un chemin jusqu'à elle. Lorsque Fran découvrit qu'elle était seule, ses yeux s'écarquillèrent d'horreur.

— Je suis navrée, Fran. Je n'ai jamais rien vu d'aussi horrible et j'espère ne plus jamais revoir une telle scène. (Elle hésita.) A notre arrivée, les hors-la-loi mettaient déjà la ville à feu et à sang. Je ne voyais ta mère nulle part. J'étais si choquée... au début je ne savais pas quoi faire. J'ai vu... je les ai vus tuer ces malheureux soldats désarmés, là, devant moi. Si un marshal ne m'avait pas aidée, j'ignore ce que j'aurais fait. Nous... Nous avons cherché ta mère. Et nous avons fini par la trouver. (Son cœur se serra devant l'expression de Fran.) Elle devait courir, fuir sûrement devant un *Bushwhacker*. Elle a dû tomber sur la tête.

Elle baissa les yeux.

— Ma mère est morte, dit froidement Fran.

C'était plus une constatation qu'une question.

Anna la fixa à nouveau.

— Oui. Le marshal... Il m'a aidée à trouver un fossoyeur pour que je la ramène dans un cercueil. Tu... voudras peut-être quelque chose de mieux. Celui qu'il nous a donné est juste une grosse boîte en pin...

Fran ferma les yeux et poussa un long soupir.

— Tout ce qu'elle avait à faire, c'était leur dire qu'elle était de Géorgie. C'est tout.

— Quoi ?

— Les *Bushwhackers*. Si l'un d'entre eux la pourchassait, elle aurait dû lui dire qu'elle était de Géorgie. Il l'aurait aidée au lieu de la blesser. Ce n'est pas leur faute. Mère était trop vieille, c'est tout. Elle n'a pas compris ce qui se passait... elle n'a pas compris que les *Bushwhackers* étaient ses amis.

Anna la fixa avec incrédulité.

— Ses amis ! Fran, tu as bien entendu ce que je t'ai dit ? Ces hommes ont fait descendre du train des jeunes soldats désarmés dont certains étaient blessés ! Ils ont ordonné qu'ils se déshabillent devant toute la ville puis ils les ont abattus de sang-froid !

Fran croisa son regard et un frisson saisit la jeune femme. Ces yeux-là n'étaient pas très différents de ceux des assassins.

— Ils ont fait ce qu'ils avaient à faire. Nous sommes en guerre, Anna, tu te rappelles ? Mais non, c'est moi qui oublie. Tu es une Yankee... C'est votre faute. C'est vous qui avez commencé cette maudite guerre ! Pourquoi ne nous avez-vous pas laissés tranquilles ? Et toi... tu aurais dû être avec ma mère ! C'est toi qui aurais dû être tuée, pas elle !

Choquée, Anna blêmit mais elle ne voulait pas céder devant Fran. Elle la fixa droit dans les yeux.

— Peut-être, répliqua-t-elle avec flamme. Mais cela ne s'est pas passé ainsi et j'ai risqué ma vie pour retrouver ta mère dans cette ville. Elle n'était pas à la gare où elle aurait dû se trouver et c'est tant mieux. Tu n'étais pas là, Fran. Tu ne peux imaginer une horreur pareille ! Au moins, ta mère a évité cela.

Fran la toisait d'un air méprisant qui la mit en rage.

— Tu appelles ça la guerre ? reprit Anna. Moi,

j'appelle ça un assassinat ! C'est une chose de porter un uniforme et de tirer sur un ennemi qui vous tire dessus. Mais porter des vêtements civils et abattre des adolescents désarmés qui sont en permission, à mon avis, cela mérite la corde ! Ces hommes ne se battent pas pour le Sud ! Ce sont des brutes sauvages qui profitent de la guerre pour tuer, voler et violer ! Comment peux-tu les défendre alors que ta propre mère est morte à cause d'eux !

— Elle est morte à cause des Yankees !

Fran, qui la dominait d'une bonne tête, s'avança vers elle d'un air menaçant. Si elles avaient été seules, nul doute qu'elle l'aurait étranglée de ses propres mains, se dit Anna. Puis elle la vit se raidir.

— Je ne peux pas m'empêcher de penser que tu aurais pu faire quelque chose. Mais, comme tu le dis si bien, je n'étais pas là. Je suppose que je devrais te remercier d'avoir au moins ramené son corps. Je vais essayer de lui offrir des funérailles décentes.

Elle ne se rendait absolument pas compte des atrocités commises à Centralia. Ou alors, elle s'en moquait. Pour Anna, ne pas pouvoir partager ce qu'elle avait enduré ne faisait qu'accroître l'horreur de cette journée.

— Fais ce que tu as à faire, répliqua-t-elle. Le cercueil est dans la troisième voiture. Il est marqué. Il est clair que tu ne désires aucune aide de ma part. (Elle affronta bravement son regard chargé de haine.) Je suis désolée, Fran. Pas pour Mark ou pour ta mère. Je suis désolée pour ce que cette guerre te fait. Tu l'utilises pour exprimer toute l'amertume qu'il y a en toi à cause de ton passé.

Là-dessus, elle tourna les talons et la planta sur place. Sans doute aurait-elle dû lui dire qu'elle avait vu Darryl, qu'il était encore en vie. Fran aurait été folle de joie et elle aurait probablement été ravie d'apprendre qu'il avait pris part au massacre. Pour elle, ces monstres ne faisaient qu'accomplir leur devoir. Mais Anna ne voulait pas lui donner cette joie. Darryl était devenu un meurtrier. Et même s'il lui revenait un jour, elle ne pourrait plus le voir autrement.

Et s'il revenait vraiment? Et s'il voulait la reprendre pour femme? La forcer à le rejoindre et à partager sa vie de pillard et d'assassin!

En proie à une abominable confusion, elle ne savait plus que penser. Elle voulait aimer Darryl. Il était son mari. Mais partager la vie d'un homme qui tuait gratuitement, par plaisir, lui semblait impossible.

Comme elle haïssait cette guerre! Cette guerre qui avait transformé tant de gens normaux en bêtes sauvages. Elle aussi devenait plus dure. Le collier de perles n'avait plus aucune valeur sentimentale à ses yeux depuis qu'elle avait décidé de le vendre. Au moins, cet argent lui permettrait de survivre. En fait, elle avait perdu son mari. Même mort, il n'aurait pas été plus perdu pour elle.

Elle refoula sa peine et sa douleur. Pour l'instant, c'était ce qu'il fallait faire afin de ne pas devenir folle. Elle ne voulait plus rien sentir. Son mariage était devenu une prison et Darryl Kelley détenait la clé de sa cellule...

Anna assista aux funérailles d'Henrietta. Fran ne versa pas une larme. Elle resta aussi raide qu'un arbre, fixant la tombe de sa mère avec un regard vide. Malgré tout, Anna était désolée pour elle et aurait voulu l'aider d'une manière ou d'une autre. Mais il était clair que Fran la détestait plus que jamais.

Elle partit dès la fin de la dernière hymne. Claudine marchait avec elle, ignorant que le chagrin de son amie n'avait rien à voir avec Fran ou même Henrietta. Non, ce qui l'accablait c'était ce que la guerre avait fait de Darryl. Et elle ne parvenait pas à se confier à Claudine.

Garder ainsi la vérité pour elle la rendit si malade qu'elle fut incapable de se lever le lendemain pour travailler au restaurant. Claudine vint alors lui annoncer la dernière nouvelle : les soldats qui s'étaient lancés à la poursuite des pillards de Centralia étaient tombés dans une embuscade. Ils avaient été tués jusqu'au dernier et de nombreux corps avaient été horriblement mutilés.

— Qu'allons-nous devenir ? gémit Claudine. Ces hommes se conduisent comme des bêtes sauvages. Quand je suis venue dans ce pays, je n'imaginais pas qu'une telle chose pouvait arriver.

Pour Anna, ce fut abominable. Darryl faisait probablement partie de la bande qui avait commis cette nouvelle atrocité. Darryl... son Darryl, l'homme gentil et attentionné qu'elle avait épousé... A chaque fois qu'elle fermait les yeux, elle revoyait les corps nus et ensanglantés de ces jeunes garçons à Centralia. Elle les entendait pleurer et supplier...

Après trois jours de repos, sa fierté et sa détermination reprirent le dessus. Elle devait se ressaisir, survivre, tout simplement. Avant tout, elle devait quitter le restaurant. Il était hors de question de se soumettre un jour de plus à l'animosité de Fran.

Elle se leva, se lava et enfila la robe de coton bleu sombre qu'elle portait en arrivant de Lawrence. Les ourlets étaient encore plus élimés mais elle n'avait pas le choix. Peu de gens se promenaient dans la rue avec des vêtements neufs. L'argent était trop rare.

Toute la journée, elle chercha du travail... ce qui n'était pas chose aisée : beaucoup de femmes étaient dans la même situation et avaient besoin d'un emploi en attendant le retour de leur mari. Au moins, ces femmes s'accrochaient encore à cet espoir. Pas Anna.

A midi, elle s'arrêta chez le prêteur sur gages pour vendre son collier de perles. L'homme examina la pièce. Anna avait l'impression qu'il tripotait un bout de son cœur. Il lui proposa cinquante dollars qu'elle accepta sans discuter. Elle prit l'argent et quitta la boutique précipitamment.

Respirant profondément, elle haussa le menton et entreprit de remonter la rue. Elle avait l'impression d'être marquée, de porter une cicatrice visible de tous indiquant que son mari était un hors-la-loi et un meurtrier. Pourtant, les gens autour d'elle agissaient normalement, la saluaient amicalement, inconscients de son agonie.

A la fin de la journée, ses pieds étaient dans un triste état mais elle avait trouvé du travail. Une vieille veuve, Liz Tidewell, avait transformé sa grande maison en pension. Elle était désormais incapable d'assumer une telle charge toute seule et avait besoin d'aide.

Anna accepta aussitôt, même si la paie était moins intéressante que chez Fran, d'autant qu'elle disposerait d'une chambre gratuite dans la pension. En ces temps troublés, il était plus prudent pour une femme seule de ne pas avoir à parcourir les rues le soir après son travail. Et puis, échapper à la fureur de Fran valait tous les sacrifices du monde.

Forte et déterminée, Anna se dirigea vers le restaurant. L'heure était venue de briser la promesse qu'elle avait faite à Darryl. Elle ne devait plus rien à

Fran Rodgers. Elle la retrouva dans l'arrière-salle en train de faire les comptes de la journée.

Assise à une table éclairée par une lampe à huile, Fran lui lança ce regard noir et haineux auquel Anna était habituée.

— Ah, tu t'es enfin décidée à sortir de ton lit! Darryl aurait dû épouser quelqu'un de plus solide.

Elle se remit à lire ses papiers.

— Ne t'en fais pas pour moi, je suis bien plus solide que tu ne le crois, répliqua Anna, tout aussi froide. Tu ne me connais pas, Fran, mais peu importe maintenant. Je suis venue te dire que je quitte mon emploi ici. J'ai trouvé un autre travail.

Fran continua à feuilleter ses livres de comptes, laissant s'éterniser un silence pesant. Anna avait envie de hurler mais elle ne voulait pas entrer dans son jeu.

— Tu me dois encore quelques gages, reprit-elle. J'aimerais que tu me les paies.

Fran poussa un soupir exagéré en s'adossant à sa chaise.

— Tu vas rester à Columbia ?

— Pour le moment.

— Et Darryl ? Quand il reviendra, il viendra ici te chercher. Où pourra-t-il te trouver ? A moins que tu ne te fiches de ton propre mari qui est peut-être gravement blessé à l'heure qu'il est...

— Je serai chez Liz Tidewell.

— Tu vas vivre chez elle ?

— Oui. Elle m'offre aussi le logis. Je l'aiderai à tenir sa pension. Elle commence à devenir trop âgée. Je pense qu'il vaut mieux que je parte, Fran... que cela vaut mieux pour nous deux. Après tout ce qui est arrivé, cela ne rime à rien que je reste plus longtemps.

Un rictus déforma les traits de Fran.

— Non, je suppose que non. Je m'y attendais à moitié. En fait, je ne te gardais ici qu'à cause de Darryl. (Elle ouvrit un tiroir de son bureau.) Mais il y a peu de chances qu'il soit encore vivant...

Sa voix se brisa étrangement tandis qu'elle prononçait cette dernière phrase. Elle sortit une liasse de billets.

— Je préférerais que tu me donnes des pièces, protesta Anna. En ce moment, le papier-monnaie ne m'inspire pas trop confiance.

Surprise, Fran haussa les sourcils devant sa fermeté.

— Alors, reviens demain quand je serai passée à la banque. Je ne garde ni or ni argent ici.

— Parfait. Je passerai à onze heures.

Fran se leva.

— Tu me préviendras si tu reçois des nouvelles de Darryl ? demanda-t-elle.

Darryl Kelley est un meurtrier à la solde de Bill Anderson.

— Oui, répondit Anna. Mais je suis certaine que s'il revient à Columbia, il te rendra visite.

Fran eut un sourire victorieux.

— C'est sûr. Darryl est un ami loyal. On ne peut pas en dire autant de toi.

— Ni de toi, rétorqua Anna. Mais il est vrai que nous n'avons jamais été amies. Alors, ni toi ni moi n'avons à nous soucier de loyauté, n'est-ce pas ?

Fran plissa les paupières.

— Non, je suppose que non... Promets-moi simplement de me prévenir si Darryl t'écrit ou te contacte d'une manière ou d'une autre.

Ce fut au tour d'Anna d'éprouver un vague sentiment de victoire, si horrible que fût son secret.

— Je te préviendrai si tu me verses mes gages.

— Tu les auras.

— Parfait. Au revoir, Fran. En dépit de la façon dont tu m'as traitée, j'ai apprécié de travailler ici.
Et elle s'en fut.

Claudine aida Anna à déménager chez Liz Tidewell, sans jamais cesser de regretter le départ de son amie : elle allait terriblement lui manquer.
— Tu pourras venir me voir chaque fois que tu en auras envie, Claudine, la rassura Anna. Ceci ne change rien à notre amitié. Parfois, j'ai l'impression que tu es la seule personne douce et loyale sur cette terre.
— Oh, il ne faut pas penser des choses pareilles, Anna ! Ne laisse pas toute cette laideur te contaminer. Tu dois continuer à faire confiance aux gens, malgré tout ce que tu as vu à Centralia, et malgré la méchanceté de Fran. Bientôt, Darryl reviendra. J'en suis certaine. Tout rentrera dans l'ordre dès que ton mari sera là.
« Oh, Claudine, songea Anna, si seulement tu savais... »
Pour Claudine non plus, la vie n'avait pas été tendre. Elle avait perdu son mari pendant la révolution de 1848 en France. Elle était alors venue avec sa sœur s'installer à La Nouvelle-Orléans. Sa sœur s'était mariée et Claudine avait trouvé un compagnon qui avait été tué à son tour dans un accident. Malgré ces malheurs, Claudine n'avait pas perdu sa nature enjouée et c'était une merveilleuse cuisinière. Pourtant, même si elle était devenue sa meilleure amie, Anna ne parvenait toujours pas à lui avouer la vérité au sujet de Darryl.
— Claudine, je ne resterai pas longtemps chez Liz. Je suis fatiguée de travailler pour les autres. Je veux m'établir à mon compte. Si je mets assez d'argent de côté, je pourrai peut-être ouvrir mon

propre restaurant. J'ai beaucoup appris en travaillant pour Fran. Si j'ouvre un établissement, je te volerai à Fran et je te paierai bien plus qu'elle.

Claudine esquissa un sourire indulgent.

— Je serais ravie de cuisiner pour toi, ma chérie. Mais, comme je te l'ai dit, ton mari reviendra et tu reprendras ta vie avec lui. C'est lui qui gagnera l'argent du foyer et toi, tu resteras à la maison pour élever vos bébés.

— Non, Claudine. Je dois penser à ma survie, envisager le pire au sujet de Darryl.

Claudine clappa de la langue.

— Tu es si jeune et si belle. Il ne faut pas voir les choses en noir...

— Je ne peux pas rester assise à espérer dans le vide. Je dois faire quelque chose de ma vie, Claudine.

Anna servait du café à l'un des clients de Liz.

— Tu sais que les Fédéraux ont attrapé soixante-dix ou quatre-vingts hommes de Quantrill ? demanda celui-ci à son compagnon de table.

Anna posa lc pot sur le buffet et tendit l'oreille, se forçant à respirer profondément pour empêcher ses mains de trembler.

— Oui, on en parlait au télégraphe ce matin, répondit l'autre. Ils en ont tué quelques-uns, dont ce Bloody Bill Anderson. Avec un surnom pareil, il ne l'a pas volé.

— Il a pris une balle dans la tête, à ce qu'il paraît.

Anna essaya de maîtriser son émotion. Oh, comme elle était heureuse qu'un homme comme Bloody Bill Anderson soit mort ! Elle continua à écouter la conversation entre les deux hommes, dans l'espoir d'obtenir d'autres renseignements.

Elle les connaissait assez bien : Andrew Taft était un vendeur itinérant et Ted Corning un ancien soldat de l'Union qui boitait toujours depuis la blessure reçue à Gettysburg.

— Ils ont ramené les prisonniers à Leavenworth, disait Taft. J'espère qu'ils les pendront jusqu'au dernier. Je sais qu'il y a beaucoup de gens ici qui soutiennent les *Bushwhackers*. Qui pensent qu'ils ont eu raison d'agir comme ils l'ont fait à Centralia. Mais à mon avis, cela n'a rien à voir avec la guerre. Ce sont des crimes.

— Tout à fait d'accord. Maintenant que le Sud est au bord de la reddition, j'imagine que cela va mettre un terme à ces raids et à ces pillages. Il reste encore Quantrill mais on dit qu'il se terre quelque part plus au sud. A présent qu'il a perdu beaucoup de ses hommes, il n'osera plus se montrer.

— Espérons. Mais je ne suis pas rassuré. Certains de ces gars ne seront pas capables d'abandonner cette vie, tu sais. Tu as entendu parler de Jesse James et de son frère ? Et puis, il y a ce type qu'ils appellent Crazy Doc... Il a formé une nouvelle bande.

Crazy Doc ? Le « docteur fou » ? pensa Anna. Son estomac se révulsa. Elle n'avait aucun doute quant à la réelle identité de cet individu.

— Eh bien, peut-être que les frères James et ce Doc font partie de ceux qui sont enfermés à Leavenworth.

Les deux hommes continuaient à bavarder et Anna en profita pour quitter la salle discrètement. Elle trouva Liz Tidewell dans la cuisine en train de frotter une poêle. Elle éprouvait de la peine pour cette vieille dame dont les enfants étaient éparpillés à travers tout le pays et qui avait perdu un mari et deux fils à la guerre. Liz demeurait pourtant une femme enthousiaste et dure à la tâche avec qui Anna aimait travailler.

— Laissez-moi vous aider, madame Tidewell, dit-elle.

— Oh, ce n'est pas la peine. Je dois reconnaître que tu m'aides énormément, Anna. Sans toi, je crois que je n'y arriverais pas.

Anna rassembla tout son courage.

— Madame Tidewell, je suis atrocement gênée de vous demander cela, alors que je ne travaille pour vous que depuis deux mois. Je sais comme c'est difficile pour vous...

La femme s'arrêta de frotter pour la dévisager, un sourcil haussé.

— Tu ne vas pas déjà me quitter, quand même ?

— Non. Ce n'est pas ça... Mais il faut que je m'absente, à peu près une semaine...

— Eh bien, mon enfant, que se passe-t-il ? Tu ne comptes pas quitter Columbia, n'est-ce pas ? Les routes sont dangereuses par les temps qui courent.

— Je sais. Mais c'est important. Je dois prendre ce risque.

— Ma chérie, aurais-tu déjà oublié Centralia ?

Anna ferma les yeux.

— Non. Je n'oublierai jamais Centralia. Mais il paraît qu'on a arrêté la plupart de ces bandits. Je ne crois pas qu'une telle horreur puisse se reproduire.

— Où faut-il donc que tu ailles, mon chou ?

Anna fixa la femme droit dans les yeux.

— Pardonnez-moi, mais c'est personnel. Je vous promets de revenir le plus vite possible. J'aimerais partir cet après-midi si je trouve un train qui va dans la bonne direction.

Liz soupira lourdement.

— Bon, s'il le faut... Mais je crois que c'est dangereux. Cela a un rapport avec ton mari ?

Anna essaya de ne pas montrer la moindre émotion.

— Je préférerais vraiment ne pas en parler.

Mme Tidewell secoua la tête.

— Si c'est si important, alors pars. Et que Dieu soit avec toi, mon enfant.

— Merci. Je suis navrée de vous quitter ainsi.

— Oh, cela fait des années que je travaille seule, je tiendrai bien encore une semaine ou deux. Et puis travailler, ça évite de trop penser.

— Oui, vous avez bien raison.

Anna termina son service aussi vite que possible avant d'enlever son tablier. Elle monta dans sa chambre préparer un sac. Elle avait besoin dc réponses aux questions qui la hantaient. Même si l'idée de se retrouver face à Darryl ne l'enchantait nullement, elle ne pouvait continucr ainsi, sans savoir ce qui lui était arrivé, ce qu'il comptait faire à propos de leur mariage, ce qu'il ressentait à son égard... Avec la vie qu'il menait à présent, elle n'avait aucun moyen d'cntrer en contact avec lui.

Peut-être se trouvait-il à Leavenworth. Sinon, l'un des prisonniers pourrait sans doute lui dire s'il était mort ou vivant. L'idée d'aller là-bas et de rencontrer ces hommes lui serrait la gorge, mais il fallait qu'elle sache.

Elle se rendrait donc à Leavenworth pour découvrir ce qu'il était advenu de Darryl Kelley.

6

Le sergent frappa à la porte d'un bureau sur laquelle était clouée une plaque annonçant : *Lt Asher*.

— Oui ? répondit la voix grave du lieutenant.

— Sergent Hillary, monsieur. Il y a là une dame qui désire vous parler.

— Entrez.

Hillary ouvrit la porte et fit signe à Anna de le précéder. Il salua le lieutenant dont l'expression se modifia instantanément à la vue de cette beauté. Il rendit son salut à Hillary avant d'offrir une chaise à la jeune femme.

— Je l'ai rencontrée à la gare de Leavenworth, monsieur, expliqua le sergent. Elle cherchait un moyen de transport pour venir ici. J'ai pensé qu'elle serait plus en sécurité avec nous. J'ai essayé de la convaincre d'attendre en ville — je lui aurais rapporté le renseignement qu'elle désirait — mais elle a tenu à venir en personne.

Asher fronça les sourcils.

— Ah ? Et pourquoi donc ?

Anna déglutit, espérant qu'elle n'allait pas se trahir. Elle avait mis au point sa petite fable pendant le long voyage en train.

— Je cherche quelqu'un... parmi vos prisonniers, répondit-elle. Je m'appelle Anna Wade. Miss Anna Wade. Mon père s'est battu pour l'Union. Il est mort à Shiloh.

— Je suis navré, mademoiselle.

— Oui, heu... ce n'est pas cela qui motive ma visite ici. J'étais... présente à Centralia quand Bill Anderson et ses hommes ont attaqué la ville.

Asher échangea un regard inquiet avec Hillary.

— Vous pouvez nous laisser, sergent, fit le lieutenant. Ces vivres étaient bien à bord du train ?

— Oui, monsieur. Je vais aller vérifier si les hommes les stockent comme prévu.

— Parfait, sergent.

Les deux soldats se saluèrent à nouveau et Hillary s'en fut. Asher retourna derrière son bureau.

— Ainsi, miss Wade, vous étiez à Centralia. Cela a dû être une terrible expérience.

Anna rougit, comprenant sans peine ce à quoi il pensait. Elle décida de ne pas le détromper... si cela pouvait éveiller sa pitié et lui permettre de voir les prisonniers.

— C'était horrible, murmura-t-elle. Mon frère a été tué et une de nos proches amies gravement blessée. Je... J'ai aussi été blessée. (Elle s'éclaircit la gorge.) Quand j'ai appris que nombre de ces hommes avaient été capturés, j'ai voulu vérifier par moi-même si l'un d'entre eux avait été pris... C'est lui qui a assassiné mon frère. J'ai entendu quelqu'un l'appeler Doc. Il est possible que ce ne soit pas son vrai nom, qu'il se fasse appeler autrement...

— Doc ? Vous voulez parler de Crazy Doc ?

— Ce doit être cela, répondit-elle. Je voulais être certaine que justice serait faite. La prison ne suffit pas pour un tel homme ; il doit finir au bout d'une corde.

Asher soupira et se pencha en avant, les coudes sur son bureau.

— Je suis tout à fait d'accord. Il est clair que beaucoup de ceux que nous avons transférés ici seront pendus, je vous l'assure. Je connais ce Crazy Doc.

Le cœur d'Anna s'affola. Savait-il qu'il s'agissait de Darryl Kelley ?

— Je veux dire, reprit-il, que je sais de qui vous parlez. Nous espérions l'attraper avec les autres mais il n'était pas avec eux à ce moment-là. Un de nos prisonniers nous a dit qu'il a sa propre bande maintenant et qu'il se dirigeait vers la réserve indienne.

— La réserve indienne !

Elle le dévisagea avec stupéfaction. Si c'était vrai, Dieu seul savait quand elle reverrait Darryl. S'il venait à mourir, elle risquait même de ne jamais le savoir. Combien de temps allait-elle devoir encore attendre ? Avait-il décidé de ne plus jamais revenir ?

Soudain, elle sentit le regard du lieutenant posé sur elle. Il attendait une explication à sa surprise.

— Vous voulez dire que... vous l'avez laissé s'échapper ? Que ce meurtrier s'est enfui ?

— Miss Wade, il n'était pas avec eux. J'en suis désolé. Je comprends comme il est important pour vous qu'on le prenne. Vous ne seriez pas venue jusqu'ici, dans le cas contraire.

— Non, vous ne comprenez pas, rétorqua-t-elle avec des larmes sincères. Vous ne pouvez pas comprendre...

— Je suis navré, miss Wade, fit le lieutenant en baissant pudiquement le regard.

Elle se redressa et ravala ses larmes.

— Je veux voir les prisonniers. Je veux parler à l'homme qui vous a dit que Crazy Doc était dans la réserve indienne.

— Miss Wade, ce n'est pas une très...

— Je veux le voir, exigea-t-elle plus fermement. Je veux voir vos prisonniers pour m'assurer que Crazy Doc n'est pas parmi eux. Il pourrait très bien vous avoir menti.

— J'en doute, mademoiselle. Et leur baraquement n'est pas très reluisant... C'est sale là-dedans et ça ne sent pas bon.

— Je m'en moque. S'il vous plaît, laissez-moi les voir.

Le lieutenant se massa la nuque.

— Si vous insistez... Je viens avec vous. (Il se leva à son tour, son chapeau à la main.) Tous les prisonniers ne sont pas là. La plupart ont été transférés à Rock Hill. Il est hors de question que vous alliez là-bas et vous ne pénétrerez pas dans notre prison. Je vais demander aux gardes de les faire sortir et de les aligner dans la cour.

— Merci.

Anna s'essuya les yeux et haussa fièrement le menton en le suivant à travers la cour de la caserne. Tous les regards se braquèrent sur elle tandis qu'Asher ordonnait à deux soldats de l'accompagner. Ceux-ci lui obéirent avec joie, ravis de contempler la jolie silhouette d'Anna qui marchait devant eux. Quand ils arrivèrent à la prison, le lieutenant demanda aux gardes de faire sortir les détenus.

Le cœur d'Anna battait si fort qu'elle avait mal à la poitrine. Elle guettait les prisonniers qui émergeaient du bâtiment, se demandant à chaque fois s'il allait s'agir de Darryl. Quinze hommes en tout apparurent.

— Les autres sont déjà à Rock Hill, expliqua Asher.

La prenant par le bras, il la fit défiler devant la rangée de prisonniers. Ces hommes la toisaient avec une morgue insolente. Elle avait l'impression d'être leur proie et elle voyait dans leurs yeux une fureur démente. Ils étaient sales, quelques-uns blessés et tous auraient eu besoin de se raser. Voilà ce que Darryl était devenu...

Elle se tourna vers Asher.

— Je ne le vois pas, fit-elle en se demandant combien de temps elle allait pouvoir encore tenir, face à ces individus qui la déshabillaient du regard. Lequel connaît Crazy Doc ?

Asher la mena devant un homme avec une profonde cicatrice qui lui barrait verticalement le visage, de l'œil droit à la lèvre.

— Vous connaissez Crazy Doc ? questionna-t-elle.

Il ricana, montrant ses dents jaunes.

— Pour sûr. Il a débarqué un beau jour... il voulait se joindre à Anderson et à sa bande. (Il la détailla de la tête aux pieds.) Il était avec nous quand on a tué ces salopards de Nordistes à Centralia.

Anna ravala son dégoût et respira profondément avant de poser la question suivante :

— Savez-vous son vrai nom ?

L'homme secoua la tête.

— Personne ne le sait. Il ne l'a jamais dit. Ça lui plaisait qu'on l'appelle Doc. Il disait qu'il avait vraiment été docteur avant mais qu'une blessure à la tête lui avait fait tout oublier. Ça l'a rendu nerveux et lunatique, si vous voyez c'que j'veux dire... C'est pour ça qu'on l'a surnommé Crazy Doc. Il est vraiment fou. Complètement imprévisible.

« Ainsi, il a été blessé », songea Anna. Voilà qui expliquait en partie son comportement, mais cela ne changeait en rien la situation. Pourquoi n'était-il pas revenu vers elle ? Elle aurait essayé de l'aider. Rien ne l'avait forcé à choisir la vie qu'il menait à présent. Il se souvenait sûrement d'elle. Il l'avait bien reconnue ce jour-là à Centralia. *Imprévisible*... Dieu seul savait quelles étaient ses intentions, s'il n'allait pas réapparaître un jour pour l'obliger à le suivre. Elle avait aimé le Darryl qui était parti mais elle avait peur de l'homme qu'il était devenu. Pour l'instant, son unique chance était que personne ne semblait connaître son vrai nom. Cela permettait à la jeune femme de garder son affreux secret.

— Vous avez dit au lieutenant Asher que Crazy Doc était dans la réserve indienne. Comment pouvez-vous en être sûr ?

— Je n'en suis pas sûr. Mais c'est c'que j'crois. Il nous a quittés juste avant notre capture... il partait vers le sud avec quelques hommes, disant qu'il voulait se planquer dans la réserve le temps que les choses se tassent après Centralia.

— Vous pouvez jurer qu'il n'était pas avec vous quand vous avez été pris... et qu'il n'a pas été envoyé à Rock Hill ?

— Je jure rien du tout, ma jolie. Il était pas avec nous, c'est tout. Et puis, qu'est-ce que ça peut bien vous faire ? (Il ricana à nouveau.) Il vous a mis la main dessus pendant un raid ? Ça vous a plu et vous en r'demandez ?

— Assez, intervint Asher qui prit Anna par le bras.

Ses jambes la soutenaient à peine et elle avait la nausée. Le lieutenant la conduisit à l'écart.

— Je vous avais dit que ce serait inutile. Je savais que vous risquiez de vous faire insulter. Vous auriez dû m'écouter, miss Wade.

Comme un automate, elle le suivit à travers la cour. A présent, il était clair qu'elle n'avait plus le choix : elle était vouée à une vie de solitude, à attendre le bon plaisir d'un homme à moitié fou.

— J'aimerais retourner à Leavenworth maintenant, dit-elle. Je pourrai peut-être attraper le train de nuit pour Columbia.

— Bien sûr. Je vais faire préparer un buggy et je vous conduirai moi-même. Je suis désolé que vous n'ayez pas obtenu les réponses que vous cherchiez, mademoiselle.

« J'ai obtenu plus de réponses que vous ne le pensez », songea-t-elle.

Darryl était donc toujours vivant. Il ne faisait plus partie de sa vie depuis près de quatre ans, et pourtant elle restait liée à lui, liée par cette alliance qu'il avait jetée dans la poussière. Elle se sentait obligée de respecter cette alliance, de respecter ses vœux, et elle voulait croire qu'il avait agi ainsi à cause de sa blessure à la tête. Elle voulait croire qu'un jour il reviendrait guéri, l'aimant toujours.

Mais c'était un espoir insensé, et elle le savait.

Quatre mois passèrent. Elle était rentrée à Columbia et travaillait toujours chez Liz Tidewell. Elle avait reçu une lettre de Joline lui disant qu'elle s'était installée dans une belle vallée à l'ouest de Virginia City dans le Montana, en compagnie de l'homme qui l'avait guidée à travers ces montagnes. La région semblait dangereuse et l'entreprise terriblement risquée. Pourtant, Anna enviait sa sœur : elle, au moins, savait ce qui était arrivé à son mari et elle pouvait recommencer une nouvelle vie. Elle avait même trouvé un compagnon.

Elle répondit à Jo sans lui donner aucun détail sur Darryl. Comment lui expliquer? Elle-même avait du mal à affronter la vérité. Elle continuait à attendre un miracle mais chaque jour qui passait, plus vide que le précédent, lui faisait prendre conscience qu'il n'y aurait pas de miracle, pas de réponse à ses prières.

Je songe à quitter Columbia et tout ce qui m'est familier, écrivit-elle. *J'ai l'intention d'aller aussi loin à l'ouest que m'emmènera le Kansas-Pacific. Peut-être viendrai-je te rejoindre dans le Montana ?*

On frappa à la porte de sa chambre et elle entendit la voix de Liz :

— Anna, il y a en bas un charmant jeune homme qui voudrait vous voir.

Anna sursauta, le cœur battant. Darryl? se demanda-t-elle avec effroi. Il n'oserait pas se montrer en ville! Mais pourquoi pas? Ici, personne ne connaissait son autre identité.

— Qui est-ce? fit-elle en ouvrant la porte avec angoisse.

Liz affichait un joyeux sourire.

— Il s'appelle Kevin Foster. Il porte une plaque de marshal.

Anna sentit le rouge lui monter aux joues, ce qui fit sourire Liz de plus belle.

— Je vais préparer du thé, annonça la vieille dame.

Elle s'éclipsa et, sans réfléchir, Anna se précipita vers le miroir pour brosser ses cheveux qui tombaient en longues vagues dorées sur ses épaules aujourd'hui. Elle aurait voulu faire mieux mais elle n'avait pas le temps. Elle se pinça les joues pour les colorer, ce qui était inutile car elles étaient déjà cramoisies. « Idiote ! » se gronda-t-elle.

Kevin Foster... Comment l'avait-il retrouvée ? Question bête. Un homme comme lui savait retrouver n'importe qui. Il s'était souvenu d'elle après plus de six mois et avait eu envie de passer la voir. Même s'il n'était pas correct de se réjouir de voir un homme, elle ne pouvait ignorer le bonheur qui réchauffait son cœur à la simple idée qu'il avait pensé à elle.

Anna descendit les marches en se retenant de les dévaler à toute allure. Elle remarqua une veste en peau de mouton suspendue à un clou dans l'entrée, et elle sentit l'odeur de cuir et de grand air ainsi que celle d'une eau de toilette masculine. Elle pénétra dans le salon. Il était encore plus séduisant que dans son souvenir. Ses yeux gris croisèrent les siens. Il était rasé de près, la moustache soigneusement taillée. Son chapeau à large bord à la main, il portait une chemise blanche immaculée et une veste noire, ainsi que son colt à la ceinture. Il souriait. C'était un beau sourire, rayonnant, chaleureux.

Elle lui tendit la main.

— Marshal Foster ! Comme c'est gentil de venir me voir ! J'ai souvent pensé à vous depuis Centralia. Je me demandais comment vous alliez.

Il prit sa main, la serra doucement.

— Il en allait de même pour moi, répondit-il. Je sais qu'il n'est pas correct de rendre visite à une femme mariée, madame Kelley, mais mes intentions ne sont pas malhonnêtes. J'ai souvent pensé à vous.

Il abandonna sa main à regret.

— Eh bien, je suis heureuse que vous soyez venu. Je sais à présent que vous vous portez bien.

Elle remarqua la petite cicatrice sur sa tempe, souvenir de sa blessure.

— Et vous ? demanda-t-il. Je sais que cette journée a été terrible pour vous et je me souviens que vous avez été secouée, sans parler du fait que vous n'aviez pas reçu de nouvelles de votre mari. J'étais un peu inquiet, madame Kelley. Hum... c'est comme si après ce que nous avons vécu ensemble ce jour-là, nous étions devenus amis. Je tenais à passer vous voir pour m'assurer que tout allait bien.

Elle acquiesça d'un air grave.

— Je vous comprends. Les épreuves rapprochent. (Elle détourna les yeux pour trouver une chaise.) Mais parfois, aussi, elles séparent des gens qui étaient proches. Asseyez-vous, marshal Foster.

— Appelez-moi Kevin.

Elle le dévisagea en souriant.

— Alors, vous devez m'appeler Anna.

Il prit place sur un divan et Liz apparut avec un plateau. Elle leur sourit à tous les deux et Anna sentit la curiosité dans son regard. Elle la remercia et la vieille dame quitta la pièce.

— Voulez-vous du thé ?

Il hocha la tête.

— Je vous laisse vous débrouiller avec le sucre et la crème ?

Il opina à nouveau et entreprit de se servir.

— Que vouliez-vous dire en parlant des épreuves qui séparent des gens qui étaient proches ? questionna-t-il.

Elle se sentit rougir. Que penserait-il s'il savait la vérité ? C'était un homme honnête, un défenseur de la loi.

— La femme avec qui je travaillais au restaurant... quand elle a perdu son mari à la guerre, elle est devenue plus dure, plus amère. Puis, après Centralia... (Anna soupira et avala un peu de thé.) Vous savez que sa mère a été tuée. Mais elle se moquait de savoir comment c'était arrivé. Elle disait que ce n'était pas la faute des *Bushwhackers*, que s'ils avaient su qu'Henrietta était de Géorgie, ils ne lui auraient fait aucun mal. Elle estimait que ce qu'ils avaient fait à Centralia était parfaitement justifié. Nous nous sommes disputées à cause de ça. Je la prenais pour une amie mais elle me considérait comme une ennemie, une Yankee. Je n'ai jamais vraiment pris parti dans cette guerre, marshal Fos... Kevin. Mais Fran ne voyait pas les choses ainsi. Finalement, c'est devenu insupportable entre nous. Je suis donc partie pour venir travailler ici, chez Mme Tidewell.

Il but à son tour un peu de thé, sa grande main entourant entièrement la tasse plutôt que de la tenir par l'anse.

— Les *Bushwhackers* m'ont infligé à moi aussi des pertes cruelles. Rares sont ceux que la guerre n'a pas affectés. Je suis surpris que cette femme continue à soutenir de tels criminels après ce qu'ils ont fait à sa mère.

Anna vit la tristesse dans ses yeux mais n'osa pas l'interroger sur son passé. Elle ne se sentait pas le droit de s'immiscer dans sa vie privée. De plus, elle refusait de laisser parler ses émotions. Elle avait assez de problèmes comme cela pour s'attendrir sur un homme qu'elle ne pourrait jamais avoir.

— Fran est une vraie Sudiste. Depuis la mort de son mari, elle est presque fanatique.

Il reposa sa tasse et la fixa droit dans les yeux.

— Et votre mari ? Avez-vous eu de ses nouvelles ?

Anna baissa le nez vers sa tasse, stupéfaite de constater à quel point il lui devenait facile de mentir quand c'était nécessaire.

— Non, répondit-elle. Je n'ai aucune idée de ce qui lui est arrivé.

« Ô mon Dieu, Kevin, il était là-bas ! avait-elle envie de crier. Il était à Centralia. C'est un meurtrier et un hors-la-loi et je ne sais pas quoi faire. Je vous en prie, aidez-moi. Vous êtes marshal. Vous pourriez peut-être le retrouver. »

Voilà ce qu'elle avait envie de lui dire. Quelque chose en elle lui murmurait qu'il comprendrait mais elle ne pouvait se résoudre à avouer une telle honte.

Il poussa un soupir.

— Je suis vraiment désolé. En tout cas, avec la mort d'Anderson, les raids ont nettement diminué. Et je suis certain qu'on ne tardera pas à mettre la main sur Quantrill. Malheureusement, j'ai peur que certains autres continuent leurs exactions. L'un des pires a réussi à s'échapper... un type qu'ils appellent Doc. Je pense qu'il attend son heure dans la réserve indienne. Il doit réunir une bande et, bientôt, il recommencera à terroriser des innocents.

Anna posa très vite sa tasse, de peur de la lâcher. Elle croisa les doigts afin qu'il ne les voie pas trembler.

— Ce... serait terrible.

Il se leva.

— Eh bien, si j'en ai l'occasion, je ne le laisserai pas faire. Mais je couvre un vaste territoire. Un homme ne peut pas être dans dix endroits à la fois. C'est bien ça le problème.

Elle le contempla. Soudain, elle crut voir l'image de Darryl abattant froidement Kevin Foster dans le dos.

— Votre travail est trop dangereux, fit-elle d'une voix faible. Je prierai pour vous, Kevin.

Leurs yeux se croisèrent : ils se comprenaient.

— Je prierai moi aussi pour vous, Anna. Même si je ne suis pas très doué pour les prières.

— Je suis sûre que le Seigneur écoute un homme qui risque sa vie pour faire respecter la loi.

Embarrassé, il éclata d'un rire léger.

— Euh... peut-être bien. Je, euh... j'aimerais rester plus longtemps mais je ne suis même pas censé être à Columbia. Je devais me rendre à Independence et je me suis dit que puisque j'étais dans le Missouri, je pouvais prendre un jour ou deux pour vous rendre visite. Je devais être de retour à Topeka après-demain mais je n'y serai pas. Bah! Je trouverai une excuse...

Anna se dressa à son tour, subitement accablée de le voir partir si vite.

— Merci d'être venu, Kevin. Je suis heureuse que vous alliez bien.

A nouveau, une tendresse infinie passa dans ses yeux gris.

— Je suis heureux de vous avoir vue, moi aussi. Je regrette pour votre amie... et surtout que vous n'ayez encore reçu aucune nouvelle de votre mari. Ce doit être l'enfer pour vous.

Elle baissa les yeux.

— Oui.

Il poussa un long soupir.

— Anna...

La façon dont il avait prononcé son prénom la bouleversa. Elle mourait d'envie de se jeter dans ses bras, de sentir sa force, de l'entendre lui dire que désormais tout irait bien, qu'il allait...

Elle frissonna avant d'oser le regarder enfin.

— Je... Ça va vraiment ? demanda-t-il d'une voix douce. Je veux dire, avez-vous d'autres amis ici ?

Elle sourit pour le rassurer.

— Oui. Je vais bien. Je suis sûre que j'aurai bientôt des nouvelles de Darryl, et Mme Tidewell est merveilleuse. C'est une vraie mère pour moi.

— Je me souviens que votre père est mort à Shiloh mais vous ne m'avez rien dit à propos de votre mère.

— Elle est morte depuis bien longtemps.

— Et votre sœur qui est partie dans le Montana ?

Anna eut un petit rire.

— Joline s'est installée près de Virginia City. On dirait qu'elle se débrouille très bien et je crois qu'elle est à nouveau amoureuse.

Cette dernière phrase la fit rougir encore une fois. Il sourit avec douceur.

— Eh bien, tant mieux. (Il s'éclaircit la gorge.) Prenez soin de vous, Anna. Je ne viens pas très souvent aussi loin à l'est, mais je repasserai peut-être vous voir d'ici quelques mois.

— Merci.

Elle l'accompagna jusqu'à l'entrée où il enfila sa veste de mouton. Février n'était pas terminé et il régnait dehors un froid de canard. Il mit son chapeau puis, à nouveau, leurs regards se nouèrent. Tous deux avaient tant de choses à dire, mais cela leur était interdit.

— Au revoir, Anna. Vous êtes une femme de cœur et une femme forte. Je suis certain que vos prières seront exaucées et que vous retrouverez votre mari.

— J'espère que vous avez raison, répondit-elle. Et soyez prudent, Kevin. Je penserai à vous et je vous serai toujours reconnaissante. J'ignore ce que j'aurais fait ce jour-là sans votre aide.

— C'est bizarre, quand même, qu'on se soit retrouvés par hasard justement ce jour-là...

— Parfois, le destin choisit des voies mystérieuses. Le Seigneur vous a peut-être envoyé dans ce train à mes côtés car Il savait que j'aurais besoin de vous.

Il esquissa un sourire.

— Peut-être. (Il effleura son chapeau d'un air presque gêné.) Bon, je ne peux pas rester planté ici toute la nuit. Au revoir, alors.

— Au revoir, Kevin.

7

Avril 1865

Anna contemplait le paysage qui défilait. Les collines boisées du Missouri s'espaçaient à mesure que le train approchait de la frontière du Kansas. Nerveuse, elle tordait un mouchoir entre ses doigts, terrifiée à l'idée que se reproduise une catastrophe semblable à celle de Centralia.

Elle avait été soulagée que personne n'ait pris place à son côté ou en face d'elle, ne se sentant aucune envie d'expliquer où elle se rendait ni pourquoi. Elle aurait bien aimé, cependant, que Kevin Foster fût ici avec elle. Elle se demanda ce qu'il penserait s'il venait la voir à Columbia pour découvrir qu'elle avait disparu.

Devant elle s'étendaient à présent les immenses prairies du Kansas avec quelques fermes éparses. Kevin avait effectivement un vaste territoire à couvrir. Il était fort peu probable qu'elle le rencontre à nouveau, surtout maintenant qu'elle faisait route vers le Montana.

Le sifflet du train retentit. Ce gémissement plaintif s'accordait parfaitement à la morosité de ses pensées et à sa solitude. Jamais elle ne s'était sentie aussi désorientée, aussi perdue. Elle se rendait compte que cette impression avait pris naissance le jour où Darryl et elle avaient quitté Lawrence, quand elle avait dit adieu à son père pour ne plus jamais le revoir, et à Jo qu'elle n'avait plus vue depuis sa visite, trois ans plus tôt. La guerre avait anéanti tous ses rêves, tous ses projets.

La vieille ferme était détruite, sa famille n'existait plus, Jo était partie et Darryl était devenu un autre homme.

Un terrible chagrin l'étreignit lorsque le train s'arrêta à Lawrence. La ville avait été en partie reconstruite mais on distinguait encore çà et là des traces du raid qu'elle avait subi. De la gare, la ferme n'était pas visible, au grand soulagement d'Anna. Elle voulait se souvenir de la maison de son enfance comme elle l'avait toujours connue, et non comme un tas de cendres.

Elle se détourna de la fenêtre. Oui, se dit-elle pour la centième fois, elle avait eu raison de partir, de quitter Columbia. Là-bas, elle était à la merci du retour de Darryl, et là-bas, Kevin Foster pouvait venir la voir. Elle avait mis deux mois à se décider.

Finalement, un incident avait achevé de la convaincre. Une femme dont le mari avait avoué avoir fait partie de la bande de Quantrill avait été battue et violée dans une ruelle. Anna ne voulait plus courir le risque qu'on découvre la vérité sur son mari.

Quitter Liz et Claudine avait été le plus dur. On rencontrait rarement de si bonnes amies, mais dans le Montana, elle retrouverait Jo. Ses yeux s'embuèrent au souvenir de ses adieux avec Claudine à la gare. Elle allait terriblement lui manquer. Claudine avait pleuré et l'avait longuement étreinte comme si elle se séparait de sa propre fille. Leur rêve d'ouvrir un restaurant ensemble allait devoir attendre encore. Anna avait besoin de quitter Columbia, elle avait besoin de temps pour réfléchir. Plus d'une fois, elle avait failli avouer la vérité sur Darryl à Claudine, mais quelque chose l'en avait toujours empêchée.

Elle secoua la tête pour chasser ces mauvaises pensées. Le train redémarrait et elle se rendit compte que son estomac protestait. Elle avait sauté le repas lors d'un arrêt précédent, par mesure d'économie. Ses moyens limités l'incitaient à compter chaque sou qu'elle dépensait. Le voyage en train lui avait déjà coûté une belle somme. Elle avait renoncé à prendre la diligence comme lors de sa visite à Jo. Cette fois, elle allait beaucoup plus loin, le printemps commençait à peine et il faisait encore froid. Le train offrait une meilleure protection contre les intempéries et contre d'éventuelles attaques.

Le paysage défilait lentement, les heures s'étiraient. Anna contemplait en silence les plaines qui s'étalaient vers le sud. Loin là-bas, dans la réserve indienne, se trouvait Darryl. Était-il seulement encore vivant? Quelle existence menait-il à présent? Combien de temps allait-elle devoir attendre avant d'être fixée sur son sort, sur leur mariage? Toujours ces mêmes questions qui tournaient sans cesse dans son esprit au point de la rendre à moitié folle. Elle renversa la tête en arrière, se laissant bercer par le bruit monotone du train. Le soir tombait.

C'était sa deuxième nuit de voyage et, selon l'employé des chemins de fer, la dernière. Demain, en fin de journée, elle atteindrait le bout de la ligne, une ville nommée Abilene. De là, elle devrait poursuivre son voyage en diligence puis sans doute en simple chariot bâché jusqu'au Montana. Elle ignorait même si cela serait possible et elle se demandait comment Joline y était parvenue.

Mais voilà, Jo avait trouvé un bon guide. Et elle avait eu la chance de tomber amoureuse de cet homme. Anna sourit à l'idée de sa sœur vivant avec un rude montagnard. Oui, ce serait agréable de les retrouver dans les paysages sauvages du Montana...

Elle s'endormit enfin d'un sommeil troublé.

Elle se réveilla à l'aube pour apercevoir quelques fermes disséminées çà et là. Dans la nuit, le train avait dû traverser Topeka, la ville où était installé Kevin Foster.

Où était-il? Un homme comme lui pouvait se trouver n'importe où. Elle espérait simplement ne pas le rencontrer. Elle était incertaine de ses réactions si jamais elle le revoyait...

Le destin était si étrange parfois. Pourquoi Dieu lui avait-il fait rencontrer un homme qui l'attirait autant, sachant qu'elle ne pourrait jamais partager quoi que ce soit avec lui? Et quelle ironie d'être tombée sur Kevin le jour où elle avait découvert que Darryl était encore vivant !

Le train s'arrêta dans une minuscule ville sans nom, juste assez longtemps pour permettre aux voyageurs de se restaurer. Anna se sentait crasseuse. La fumée noire de la locomotive s'insinuait partout, recouvrant les sièges d'infimes particules de suie, envahissant le wagon chaque fois qu'un passager sortait pour respirer un peu d'air frais.

Anna chercha à se laver. En vain : il n'y avait pas de point d'eau. Elle avala un médiocre petit déjeuner, s'étouffant avec des biscuits rances et secs, et une espèce de viande dure qui ne valait même pas le prix ridicule qu'elle l'avait payée.

Ils remontèrent à bord du train. Dans quelques heures, ils arriveraient à Abilene. Le paysage devenait de plus en plus plat, les arbres rares. La prairie s'étendait à perte de vue. Les fermes s'espacèrent, les villes aussi.

Les kilomètres et le temps défilaient lentement. L'après-midi arriva peu à peu. Cela faisait des heures qu'ils n'avaient rien vu d'autre que les poteaux de la ligne télégraphique dressés le long de la voie, se dit Anna.

Elle somnolait quand soudain un bruit de verre brisé la réveilla. Une femme hurla et un homme jura. Anna bondit sur ses pieds, entendant des coups de feu. Elle regarda par la fenêtre pour apercevoir des Indiens à moitié nus galopant sur des chevaux peints, hurlant, tirant des coups de carabine et lançant des pierres contre les fenêtres du train.

— Tout le monde à terre ! cria l'employé des chemins de fer qui se ruait dans la voiture. A terre ! C'est les Cheyennes !

L'homme avait le visage en sang : il avait été frappé par un caillou.

Une autre fenêtre éclata. Anna se jeta au sol tandis que l'employé remontait l'allée en rampant.

— Ne vous inquiétez pas, messieurs dames, ils ne pourront pas arrêter le train. Ça arrive de temps en temps. Les Indiens n'aiment pas que la voie ferrée traverse leurs territoires... ils disent que ça fait peur aux bisons. En général, ils préfèrent attaquer les équipes qui posent les rails. Mais parfois, ils s'en prennent aux trains.

— Abilene est encore loin ? hurla un homme pour dominer le vacarme.

— Nous sommes à pleine vapeur, répondit l'employé alors qu'une nouvelle pierre s'écrasait non loin de lui. Nous arriverons d'ici une heure. Ne vous énervez pas et restez couchés, loin des fenêtres.

Anna était terrifiée. Elle commençait à regretter d'avoir tenté cette aventure. Déjà, elle imaginait sa chevelure blonde accrochée à la ceinture d'un guerrier indien. Elle pensa à Kevin Foster. Comment survivait-il, à chevaucher seul dans des contrées aussi dangereuses ?

Le sifflet du train retentit et le wagon bondit à une allure effrayante. La voiture vibrait comme un chariot emporté par un cheval fou. Désormais, en plus des Indiens, Anna se mit à redouter l'accident. Mais mieux valait mourir ainsi que des mains d'un guerrier cheyenne, se rassura-t-elle tant bien que mal.

Les cris de guerre et les détonations retentirent pendant encore une bonne vingtaine de minutes. Puis ce fut le silence. L'employé se redressa lentement et risqua un œil prudent à une fenêtre.

— Ils sont partis, annonça-t-il. On doit être tout près de la ville. Désolé pour le dérangement, m'sieurs dames. Au moins, ils n'ont pas détruit la voie et provoqué un déraillement.

— Vous voulez dire que ça leur arrive de le faire ? demanda une femme, proche de l'évanouissement.

— Parfois. Je ne vous l'ai pas dit parce que je ne voulais pas vous paniquer. Maintenant, nous sommes tirés d'affaire.

Anna reprit place sur son siège. La main sur le cœur, elle essaya de respirer profondément.

Ils s'arrêtèrent peu après à Abilene. Elle se leva, épousseta sa robe couverte de suie et de poussière. Elle ajusta son chapeau de paille puis quitta le train avec soulagement. Marcher lui fit du bien. Il faisait plus chaud ici, le soleil brillait et... il régnait une odeur pestilentielle. Une odeur de bétail et de fumier. Elle fit la moue en remarquant le nombre incroyable de barrières. Quelques bêtes erraient çà et là mais la plupart des enclos étaient vides.

— Bien l'bonjour, m'dame. Bienvenue à Abilene, fit un homme près d'elle.

Elle se retourna pour découvrir un individu portant un chapeau à large bord et une veste en peau de mouton, qui la détaillait avec un plaisir visible. Il arborait une barbe de plusieurs jours, un foulard autour du cou et un six-coups à la ceinture. Ses pantalons dégoûtants et complètement usés étaient enfoncés dans de hautes bottes en cuir.

— Merci, dit-elle, hésitante, ne sachant trop que penser.

Mais l'homme avait un sourire sincère et du respect dans les yeux.

— Qu'est-ce qu'une jolie dame comme vous vient faire dans une ville de vaches ?

— Une ville de vaches ?

— Vous ne sentez pas l'odeur ? Des gars comme moi aiment cette odeur... mais je reconnais que pour une dame, elle est un peu forte. J'conduis du bétail, comprenez? Maintenant que la guerre est presque terminée et que le chemin de fer arrive jusqu'ici, je suis prêt à parier qu'Abilene va devenir un des plus grands marchés à bestiaux de la région. Tous les ranchers du Texas monteront leurs bêtes ici pour les mettre dans les trains pour l'Est. (Il la détailla à nouveau.) Et vous, m'dame, vous ressemblez à quelqu'un qui aurait épousé un de ces riches ranchers ou alors un banquier. Nous avons des tas de banquiers qui s'installent à Abilene ces jours-ci, ils sont sûrs que le coin va se développer très vite.

Anna repoussa une mèche de cheveux derrière son oreille.

— Non, je ne suis la femme ni d'un rancher, ni d'un banquier. S'il vous plaît, savez-vous où je pourrais trouver une diligence pour aller vers l'ouest?

L'homme repoussa son chapeau en arrière, heureux de ce brin de causette avec une femme aussi belle. Comparée aux prostituées d'Abilene, elle possédait une classe incroyable. Mais son enthousiasme se rafraîchit quand il remarqua l'alliance à son doigt.

— Vers l'ouest? Jusqu'où, vers l'ouest?

— Je pensais rejoindre ma sœur. Elle est dans le Montana.

— Le Montana! (Enlevant son chapeau, il se gratta la tête.) M'dame, j'ignore ce qui vous pousse à aller là-bas et ça me regarde pas, mais vous risqueriez votre honneur et votre vie dans un tel voyage. Vous savez qu'on a des problèmes avec les Indiens?

— Eh bien... je ne le savais pas, mais notre train a été attaqué par des guerriers cheyennes.

— M'dame, un train c'est une chose. Une diligence, c'en est une autre. Les Indiens provoquent des tas de troubles d'ici au Colorado et au Dakota. Quand ils attaquent une diligence, personne n'y survit. En fait, il n'y a pas une seule diligence qui soit partie vers l'ouest depuis plusieurs semaines. C'est trop dangereux... un vrai suicide. Et puis, excusez-moi d' vous dire ça, m'dame, mais avec vos cheveux blonds et votre silhouette, ils seraient trop heureux de vous mettre la main dessus. S'ils ne vous tuent pas, votre sort sera bien pire encore...

Anna rougit et se détourna pour surveiller ses bagages qu'on déchargeait du train.

— Je ne voulais pas être grossier, m'dame. J' vous disais juste la vérité.

Désemparée, elle sentit les larmes lui piquer les yeux. Si elle ne pouvait continuer sa route, qu'allait-elle faire ? Rester dans cette ville sale, sauvage et puante ? L'idée de revenir sur ses pas lui était insupportable. Elle ne voulait pas retourner à Columbia. Au moins, ici, les gens ne devaient pas trop se soucier de la guerre qui faisait rage si loin à l'est. Ils menaient leur propre guerre... contre les éléments, contre les Indiens.

— Je... J'apprécie votre conseil, dit-elle à l'inconnu. Je vais réfléchir à tout cela... Y a-t-il une pension décente ou un hôtel ici ?

Elle évitait de le regarder pour qu'il ne remarque pas ses yeux brillants.

— Oui, m'dame, à l'autre bout de la ville, il y a une jolie pension tenue par un couple, Hector et Agnès White. Vous avez choisi le bon moment pour venir. Bientôt, on ne trouvera plus une chambre disponible à Abilene. D'ici deux mois, il y aura des cow-boys partout, des gars comme moi qui conduisent le bétail. Et il y aura plus de bêtes dans ces enclos que vous ne pourrez en compter. Tiens, il y a même des jours où on ne voit plus le sol.

— Eh bien, je... je vais aller chercher une chambre. Merci.

Elle se tourna pour prendre ses sacs, en coinçant deux sous les bras avant de se baisser pour soulever les deux plus gros.

— M'dame, j' vais vous porter ces sacs. Vous en faites pas. (L'inconnu ne voulait décidément pas la quitter.) J' m'appelle Ben Tucker. Et j' suis sacrément content d'aider une belle dame comme vous.

Anna était trop fatiguée pour protester et il faisait très chaud.

— Eh bien, si cela ne vous dérange pas, monsieur Tucker...

Tucker s'empara avec joie de ses trois sacs les plus lourds, ne lui en laissant qu'un seul petit.

— Réfléchissez à ce que je vous ai dit, reprit-il. Quelles que soient les raisons qui vous poussent vers le Montana, à votre place, j'attendrais un peu, m'dame. Je vous raconte pas d'histoires. Les Indiens sont vraiment de très sale humeur en ce moment et avec une jolie dame comme vous... Non, vous feriez mieux de rester à Abilene un moment, ou alors repartez d'où vous venez.

— Je ne peux pas rentrer. Si je suis venue jusqu'ici, monsieur Tucker, c'est pour aller jusqu'au bout.

— Jusqu'au bout ? Mais c'est où ça ? Et d'où venez-vous ?

— Je préfère ne pas vous le dire pour l'instant, monsieur Tucker. Je vous connais à peine.

— Je comprends.

Elle s'immobilisa pour le regarder, se demandant quel âge il pouvait avoir. Il semblait approcher de la cinquantaine. Son visage et sa peau étaient ridés par les intempéries.

— Je ne voulais pas être impolie, monsieur Tucker. Mais je suis très fatiguée et très déçue à cause des Indiens. Si je ne puis aller dans le Montana, je ne sais pas ce que je vais faire.

— Ben, c'est sûr qu'à Abilene on aurait bien besoin d'une femme de classe comme vous... (Il jeta un coup d'œil à sa main.) Et votre mari ?

Elle évita son regard.

— Mon mari... n'est pas encore rentré de la guerre.

D'une certaine manière, c'était la vérité.

— J'suis vraiment désolé, m'dame. Vous avez d' la famille dans le Montana ?

— Une sœur.

Ils remontaient une rue poussiéreuse et Anna sentait les regards des hommes posés sur elle. Elle remarqua quelques femmes outrageusement maquillées, et entendit des notes de piano qui sortaient des saloons. Chevaux et chariots arpentaient la rue qui disparaissait sous une couche de crottin. L'odeur de bétail était partout, et elle se dit qu'elle ne pourrait jamais s'y habituer. Qu'est-ce que cela devait être en été, quand les enclos étaient pleins !

Ils arrivèrent à la pension, une maison peinte en blanc avec des volets bleus, mais la poussière avait transformé le blanc en gris jusqu'à mi-hauteur. De toute évidence, les propriétaires essayaient de garder l'endroit propre, et il y avait même quelques rosiers près du porche. Mais dans une ville comme Abilene, leur tâche était impossible.

Tucker posa ses valises près de la porte.

— Je suis sûr qu'ils auront une chambre, m'dame.

— Merci beaucoup, monsieur Tucker. J'aimerais vous payer...

Elle ouvrit son sac à main mais l'homme agita une grosse main rugueuse.

— Non, m'dame ! Ce n'est pas nécessaire. Je considère que c'est un privilège d'aider une dame comme vous. Mais n'oubliez pas ce que j'ai dit. Réfléchissez bien avant de vous lancer plus loin vers l'ouest.

— Je n'oublierai pas. Merci encore.

Elle lui tendit la main mais Tucker, gêné, frotta la sienne contre son pantalon.

— Oh, j'peux pas vous serrer la main. La mienne est trop sale... Bon. Je dors près de l'écurie qu' vous avez vue à côté de la gare, au cas où vous auriez besoin d'un coup d'main.

Après un clin d'œil, il s'éloigna à longues enjambées. Il avait les jambes incroyablement arquées.

Anna se retourna, redressa les épaules et frappa à la porte où une pancarte annonçait : *Chambres à louer*.

C'est en juillet 1865 que Fran ouvrit la porte à l'arrière du restaurant à un jeune garçon. Le gamin lui tendit une lettre. Elle était adressée à Anna.

— Où as-tu eu ça, mon garçon ?

— Un homme à la sortie de la ville, il m'a donné une pièce pour vous l'apporter.

Fran examina l'écriture incertaine avec un étrange pressentiment. Soudain, elle sut sans le moindre doute de qui venait cette lettre.

— Merci, dit-elle au garçon.

Elle referma la porte très vite puis demeura immobile, le temps de reprendre son souffle et de calmer ses mains tremblantes. Puis elle déchira l'enveloppe :

Retrouve-moi dans l'appentis derrière le restaurant après la fermeture. Nous devons parler. Darryl.

8

Debout sous le porche de la pension, Anna écoutait les éclats de rire qui montaient de la ville. Abilene ne dormait jamais, surtout en été. Les hommes erraient dans les rues toute la nuit : des cow-boys qui venaient en ville pour se soûler, fréquenter les prostituées, jouer et se laisser aller après de longues semaines, parfois même des mois, passés sur la piste à affronter toutes sortes de dangers. La nuit, une femme honnête ne sortait pas. Les bagarres étaient nombreuses, les duels aussi. Il y avait des morts, parfois. Fréquemment, des énergumènes complètement ivres se mettaient à tirer en l'air, juste pour s'amuser.

Un shérif essayait bien de maintenir l'ordre mais la tâche n'était pas aisée. D'une certaine manière, on ne pouvait en vouloir aux cow-boys. Anna, en tout cas, n'avait pas peur d'eux. Elle avait découvert que la plupart lui témoignaient du respect. Pour ces hommes, une vraie dame était une perle rare qu'on devait traiter avec respect et même avec une certaine crainte.

La rumeur s'était vite répandue que le mari d'Anna Kelley avait disparu depuis plusieurs années. Beaucoup se disaient qu'il devait être mort maintenant. Après tout, quel homme sain d'esprit abandonnerait une femme comme elle ?

Les cow-boys venaient en général du Texas où la sympathie allait aux Confédérés. Anna n'avait donc pas à craindre les insultes parce que son mari avait porté l'uniforme gris. Ici, malgré les fréquentes bagarres entre Nordistes et Sudistes dans les bars, on essayait d'oublier la guerre. La menace essentielle provenait des Indiens. Des soldats, encore épuisés par la guerre de Sécession, étaient sans cesse envoyés pour renforcer les effectifs militaires de la région et surveiller les différentes pistes vers l'ouest.

Ces soldats n'arrivaient pas seuls. Ils étaient accompagnés par les ouvriers du chemin de fer et par des Sudistes qui, ayant tout perdu à cause de la guerre, venaient tenter leur chance ici. Sans compter les centaines de cow-boys. Abilene se développait à une allure vertigineuse. Les rires et les coups de feu de la nuit étaient remplacés le jour par le vacarme des marteaux et des scies, le mugissement du bétail. Anna se disait qu'ici, on pouvait vite devenir riche si on ouvrait un bon restaurant. Elle travaillait pour les White, à présent, comme elle avait travaillé pour Liz Tidewell, les aidant à tenir leur pension.

Les White étaient des gens bien qui avaient presque tout perdu pendant la guerre et qui, comme tant d'autres, étaient venus s'installer ici pour fuir les mauvais souvenirs. Sudistes, ils n'avaient ni préjugés ni haine, même si l'un de leurs fils avait été tué à Fort Sumter. Leur autre fils construisait son propre ranch non loin d'Abilene.

Anna s'était résignée à rester ici, au moins pour un temps. Les White étaient gentils et le travail ne manquait pas, ce qui lui évitait de trop se morfondre.

Mais elle ne pouvait s'empêcher de penser à l'idée de se mettre à son compte. Beaucoup d'hommes viendraient dans son établissement rien que pour la voir. Elle ne tirait aucune vanité de sa beauté mais n'était pas stupide au point de ne pas se rendre compte de l'effet qu'elle produisait.

Elle rentra pour rejoindre les White.

— Laissez-moi finir cette chemise, dit-elle à Agnès qui raccommodait.

La pension des White était l'un des rares bâtiments propres d'Abilene. Agnès ronchonnait constamment contre la poussière qui s'infiltrait partout, mais ses vêtements immaculés montraient qu'elle n'avait pas abandonné le combat.

— Oh, ce n'est pas nécessaire, mon enfant.

— Je n'ai pas sommeil, laissez-moi faire, insista Anna.

Sa nature amicale et le fait que son mari soit un Confédéré lui avaient rapidement ouvert le cœur des White qui la plaignaient sincèrement. Anna sentait qu'elle pouvait se fier à eux, et elle espérait que leur amitié n'était pas trop récente pour ce qu'elle avait en tête.

Elle lança un coup d'œil à Hector, qui lisait la Bible en fumant sa pipe. Un jour, il avait dit à Anna qu'elle lui rappelait une jeune femme que son fils décédé avait aimée autrefois. La malheureuse était morte d'une mauvaise grippe. Pour cette raison, il s'était pris d'une réelle affection pour Anna. Cela faisait longtemps que, sur leurs instances, ils s'appelaient par leur prénom.

— Hector, commença Anna en hésitant. J'ai une énorme faveur à vous demander. J'espère que vous ne me trouverez pas indélicate. Et si vous voulez refuser, je vous en prie, faites-le sans gêne.

Il haussa les sourcils.

— Comment pourrais-je te refuser quoi que ce soit, mon enfant ?

Anna sourit.

— A votre place, je n'accepterais pas trop vite.

Il reposa son livre.

— De quoi s'agit-il ?

— Je me demandais si Agnès et vous auriez la gentillesse de... me prêter de l'argent.

Hector échangea un regard surpris avec son

épouse. C'était un homme de petite taille, un peu rondouillard, pourvu d'énormes sourcils gris. Il n'était pas le moins du monde séduisant mais il était doué d'une réelle compassion.

Quant à Agnès, elle se pencha en avant, visiblement intriguée par cette requête inattendue. C'était une femme au regard lumineux. Une myriade de rides se plissaient autour de ses yeux chaque fois qu'elle souriait.

— Pour quoi faire, ma chérie ? s'enquit-elle.

Anna se tourna vers elle.

— J'ai besoin d'avoir quelque chose à moi, une affaire qui me permette de gagner ma vie. Vous avez été très bons avec moi depuis mon arrivée et j'apprécie votre amitié. Je ne pensais pas rester aussi longtemps, mais je me sens mieux à Abilene désormais... Je me suis même habituée à l'odeur !

Tous éclatèrent de rire.

— Et quelle sorte d'affaire as-tu en tête ? demanda Hector.

— Je souhaiterais ouvrir un restaurant. Je connais ce travail, je le faisais à Columbia, et je sais cuisiner et servir, vous m'avez vue à l'œuvre. Dans une ville comme Abilene, ça ne fait aucun doute qu'un bon restaurant serait une mine d'or. Évidemment, je prendrais soin de fermer avant la nuit.

Hector tira sur sa pipe.

— Tu as donc décidé de ne plus aller dans le Montana ?

— C'est trop dangereux pour l'instant. D'ici un an ou deux, ce sera peut-être différent. J'ignore comment ma sœur est installée. Il faudrait que je reçoive de ses nouvelles. J'ai télégraphié à Columbia pour leur laisser mon adresse ici de façon qu'ils fassent suivre mon courrier. De toute manière, si je décide d'y aller je suis certaine que le restaurant sera une si bonne affaire qu'il se revendra facilement... ou peut-être souhaiterez-vous le reprendre ? D'une façon ou d'une autre, je ne partirai pas avant de vous avoir remboursé tout ce que je vous devrai. Nous pouvons mettre cela par écrit si vous le désirez.

Hector se renfonça dans sa chaise, réfléchissant à sa requête.

— Nous ne sommes pas très riches, Anna. Combien te faudrait-il ?

Elle hésita. Elle détestait demander de l'argent.

— Cinq cents dollars ? Il m'en reste à peu près cinq cents aussi. Avec mille dollars, je pourrai obtenir ce qui me manque d'une banque, faire construire un établissement de bonne taille et être au travail dans deux mois au plus. Vous avez vu à quelle vitesse ils construisent ici...

Hector sourit.

— Pour sûr. Bon, ça va nous faire quelque chose de te perdre. Tu étais d'une grande aide pour Agnès. Tu sais, tu n'es pas obligée de te lancer là-dedans. Tu es bien payée ici et tu as ta propre chambre.

— Je sais. Mais je dois m'occuper de ma vie, ne plus être dépendante des autres. Dans une ville comme celle-ci, les opportunités existent, même pour une femme.

— Eh bien, j'espère que tu apprendras bientôt ce qui est arrivé à ton mari. Une belle femme comme toi ne devrait pas gâcher ses meilleures années toute seule.

— Allons, Hector, ne remue pas le couteau dans la plaie, protesta doucement Agnès.

Il vida sa pipe.

— Je pense pouvoir te prêter cette somme, Anna. Parce que c'est toi. Et aussi parce que je pense que tu as raison : un bon restaurant dans cette ville devrait très bien marcher.

— Oh, je vous remercie du fond du cœur ! s'exclama la jeune femme, folle de joie. Je suis affreusement gênée de vous demander ceci mais je ne savais pas vers qui me tourner. J'irai voir M. Eastman à la banque dès demain. Toutes mes économies sont chez lui et il a toujours été très gentil. Je ne crois pas qu'il me fera le moindre problème.

— Bien. C'est donc réglé. Je viendrai avec toi pour signer les papiers.

Des larmes embuèrent les yeux d'Anna. Les gens avaient été si bons envers elle : Claudine, Liz Tidewell, et maintenant les White. Elle souffrait tellement de leur mentir. Mais plus le temps passait, plus elle avait du mal à admettre la vérité. Son destin ne lui appartenait pas. Elle espérait un signe de Darryl mais en même temps le redoutait effroyablement. Elle était veuve d'un homme toujours vivant.

— Darryl ? Tu es là ?... C'est moi, Francine.

Le cœur battant, elle scrutait l'obscurité.

— Darryl, si c'est toi, tu peux te montrer. Anna n'est plus ici, Darryl. Laisse-moi t'aider.

Elle poussa un petit cri quand on la saisit parderrière. Une main la bâillonna sans ménagement.

— Ne crie pas. Pas un bruit, chuchota une voix rauque. C'est moi... Darryl. Personne ne doit savoir que je suis ici.

Il la libéra lentement. Fran sentit une odeur de sueur et de whisky mêlés. Elle se retourna mais il la tenait toujours, comme s'il se méfiait.

— Où est Anna ?

— Darryl ! (Elle lui toucha le visage.) Oh, Darryl,

si tu savais comme c'est bon de savoir que tu es vivant, murmura-t-elle en essayant de distinguer son visage dans l'obscurité. Darryl, mon Darryl... Dieu merci! Seigneur, Darryl, où étais-tu? Je te croyais mort. On m'a annoncé la mort de Mark il y a trois ans.

— Parfois, je souhaiterais être mort, répondit-il d'une voix rocailleuse. (Il la lâcha.) J'étais avec Mark quand il a été tué, Fran.

Elle laissa échapper un petit cri de surprise.

— Il n'a pas souffert, ajouta Darryl. Il a été tué par une balle de carabine. J'étais juste à côté de lui. Il a pris la balle en pleine tête. Moi aussi j'ai été touché à la tête, mais la balle ne m'a pas tué. Elle m'a juste esquinté la cervelle... je ne peux plus être docteur.

Il sortit une flasque de sa poche et avala une large rasade.

— Je ne peux plus contrôler mes mains et j'ai des migraines... des maux de tête atroces. Je me bourre de laudanum et de whisky.

Il se mit à faire les cent pas. Les yeux de Fran s'habituaient au clair de lune. A présent, elle distinguait son visage. Il avait beaucoup maigri et une barbe de plusieurs jours lui mangeait les joues.

— Cette chose dans ma tête me rend fou, poursuivit-il. Après ma blessure, il y a eu moment où je ne me suis plus rien rappelé.

Il but une autre gorgée de whisky.

— Mark et moi... on avait été capturés par les Yankees. Mais on a réussi à leur fausser compagnie. C'est à ce moment-là qu'il s'est fait tuer. (Soudain, il se mit à ricaner.) J'ai des hommes à moi maintenant, Fran. Certains croient peut-être que la guerre est finie mais pas moi... pas moi!

Il la fixait avec des yeux étincelants de rage.

— Je suis tout à fait d'accord avec toi, Darryl, répondit-elle. On a d'autres moyens de se venger des Yankees. (Elle le prit par les épaules.) Oh, Darryl, tu n'imagines pas comme c'est merveilleux de savoir que tu es vivant ! Je suis si heureuse...

Il s'écarta comme s'il ne l'avait pas entendue. Fran se rendait compte qu'il avait du mal à se concentrer sur la même idée trop longtemps.

— Mes hommes, lança-t-il en se remettant à marcher de long en large, ils disent que je suis fou mais c'est tant mieux. Du coup, ils ont peur de moi. Ils m'obéissent.

Fran avait du mal à comprendre tout ce qu'il disait. Son élocution avait quelque chose de bizarre, comme s'il mâchait quelque chose tout en parlant.

— Quels hommes, Darryl ?

— Les miens. Bon sang, Fran, tu as dû entendre parler des *Bushwhackers*... Quantrill et tous les autres. Il a abandonné mais pas moi.

— Oh, Darryl, tu es avec eux ! C'est fantastique !

Il enleva son chapeau pour se passer la main dans les cheveux.

— Ouais, mais ça m'étonnerait qu'Anna trouve ça fantastique ! Bon sang, il faut que je sache si elle a parlé à quelqu'un.

— Parlé ? Parlé de quoi ?

Il remit son chapeau.

— De moi. Elle m'a vu à Centralia.

Fran en eut le souffle coupé.

— Centralia ! Tu étais à Centralia ?

— Bien sûr que j'y étais. Anna ne t'a rien dit ?

— Rien, pas un mot ! Je comprends maintenant pourquoi elle était si bouleversée ! Et pourquoi elle est partie. Elle doit avoir peur que les gens découvrent qu'elle est la femme d'un hors-la-loi.

— Un hors-la-loi ? (Il ricana nerveusement sans cesser de marcher.) Ouais, c'est vrai, je suis un hors-la-loi maintenant. C'était pas tout à fait ce que j'avais prévu au début. Mais après avoir vu mes parents... ma maison — tu ne sais pas ce que j'ai vu, Fran. Et puis Mark, descendu juste à côté de moi, et cette balle qui m'a défoncé le crâne. Parfois, je préférerais mourir que d'endurer ces migraines... et je ne suis plus capable d'exercer la médecine. Alors, tout ce que je veux, c'est tuer des Yankees. Même si tous ceux avec qui j'ai commencé ont été pris, pendus, tués ou mis en prison. Même Quantrill. Il est mort, lui aussi.

— Oui, je l'ai lu dans les journaux. Les Nordistes lui ont tendu une embuscade. Alors qu'il avait décidé d'arrêter et que la guerre était terminée. Ils l'ont quand même tué.

— Bâtards ! Tous des bâtards ! Mais toi, tu me comprends, n'est-ce pas ?

— Oui. Bien sûr que je te comprends. Mais pas Anna. Elle n'a jamais été avec nous, Darryl. Elle a fait tout un plat de cette histoire de Centralia. D'après elle, ce que vous avez fait à ces soldats est odieux. Mais je ne suis pas de son avis. Ma mère a été tuée ce jour-là, Darryl. Anna était allée la chercher pour la ramener ici mais elle l'a trouvée morte. Pourtant, je n'en ai jamais voulu aux *Bushwhackers*. C'était un accident. Elle courait et elle est tombée. Elle n'avait pas compris qu'il suffisait de leur dire qu'elle était de Géorgie. Non, j'en veux aux Yankees qui ont commencé tout ça, qui ont déclenché toute cette haine.

— Ouais, ouais, tu as raison. Je suis désolé pour ta mère. Je... je crois que je me souviens d'elle. (Il enleva à nouveau son chapeau et Fran vit alors l'énorme cicatrice qui trouait sa chevelure.) Je n'aurais jamais dû épouser Anna. Elle le sait à présent. J'ai jeté mon alliance par terre quand je l'ai vue. Mais maintenant, j'ai peur qu'elle ne parle. Mes hommes, ils m'appellent Doc. Ils ne connaissent pas mon vrai nom.

— Je ne pense pas qu'elle ait parlé à qui que ce soit, Darryl. Mais la seule raison pour laquelle elle ne parlera pas, c'est qu'elle a honte. Alors qu'elle devrait être fière de toi !

Il s'immobilisa enfin et elle vint jusqu'à lui, posant les mains sur son torse.

— En apprenant la mort de Mark, j'ai eu envie de mourir, continua-t-elle. Oh, comme je hais les Yankees depuis ! Ce que vous avez fait à Centralia... ça m'a rendue folle de joie. Après cela, Anna et moi, on ne s'adressait plus la parole. Elle m'en voulait. (Elle jeta les bras autour de son cou.) Serre-moi contre toi, Darryl. Cela fait si longtemps qu'un homme ne m'a pas tenue dans ses bras.

Il l'enlaça d'un geste hésitant.

— Je suis si heureuse de te voir, murmura-t-elle en riant. J'ai lu ton message parce que Anna est partie. Cela fait si longtemps, Darryl. Je t'ai cru mort. Mais elle savait que tu étais vivant. Comment a-t-elle pu me le cacher ? (Elle leva les yeux vers lui.) Oh, Darryl, jamais tu n'aurais dû épouser cette Yankee. Elle n'en voulait qu'à ton argent. Maintenant qu'elle sait que tu as tout perdu, elle se soucie de toi comme d'une guigne.

Il aimait sentir ses seins contre sa poitrine. Il n'avait pas connu de « vraie » femme depuis très longtemps, aucune qui sentait le propre comme celle-ci.

— J'ai besoin d'une femme, Fran. J'ai besoin de savoir que quelqu'un tient à moi. Et toi, tu dois avoir besoin d'être une femme. Nous pourrions...

nous entraider, comme quand nous étions gosses. Si tu es vraiment d'accord avec ce que je fais, alors aide-moi maintenant, Fran.

— Bien sûr que je vais t'aider, répondit-elle contre ses lèvres. Je t'aime, Darryl. Je t'ai toujours aimé. Tu ne le sais pas ?

Il l'embrassa sauvagement. Elle sentait sa barbe qui lui griffait le visage mais elle s'en moquait. C'était Darryl, l'amour de sa vie. Il pouvait à nouveau lui appartenir !

Ils partageaient la même rage, la même haine. Fran fut heureuse qu'il la jette à terre, qu'il lui arrache le corsage de sa robe : c'était Darryl...

En une fraction de seconde, il la pénétra, besognant furieusement, sans une once de gentillesse, sans un seul mot d'amour. Il ne cherchait qu'à assouvir un besoin et elle entendait le satisfaire. Elle rêvait de cet instant depuis des années. Darryl était peut-être le mari d'une autre mais cela n'avait aucune importance. Anna ne le méritait pas. Anna n'était pas une épouse loyale et sincère. Elle était partie, elle l'avait abandonné. Évidemment, puisque c'était une Yankee...

Soudain, il se figea, ses mains se crispèrent sur les hanches de Fran puis il s'effondra sur elle, pantelant.

Fran resta un moment immobile avant de se pencher au-dessus de lui.

— Darryl, chuchota-t-elle en lui touchant le visage.

— Je pourrais... revenir de temps en temps. Je te ferais prévenir.

— Reviens aussi souvent que tu en auras envie. Je serai toujours là.

Elle s'allongea à son côté, la tête sur son épaule.

— Où est-elle, Fran ?

Elle serra les dents. Oh, comme elle haïssait Anna... et maintenant plus que jamais. Par Claudine, elle savait qu'Anna vivait désormais à Abilene.

— Je l'ignore, mentit-elle. Nous nous sommes disputées. Elle ne m'a pas dit où elle partait. Mais sa sœur Joline doit être au Montana. J'imagine qu'elle est allée la retrouver.

— Ce Yankee qu'elle avait pour mari a donc survécu à la guerre ?

— Non. Il a été tué à Shiloh, comme leur père.

— Tant mieux.

— Tu vas chercher Anna ?

— Oui. Je dois m'assurer qu'elle ne parlera de moi à personne. Elle pourrait même envoyer la police fouiller chez toi. C'est pourquoi je suis venu ici. (Il contempla un instant les étoiles.) Elle est encore ma femme.

Fran se redressa vivement.

— Que veux-tu dire ? Tu ne vas pas faire avec elle ce que tu viens de faire avec moi, n'est-ce pas ? Nous sommes faits l'un pour l'autre, Darryl. Nous nous appartenons. Nous avons le même passé, les mêmes souvenirs... Anna ne te comprend pas. Elle ne t'aime plus.

— Je verrai ça si je la retrouve. Il faut qu'on s'explique. Ce jour-là, à Centralia, nous n'avons pas parlé. J'étais dans un sale état. Tu sais, parfois, mon cerveau ne fonctionne pas très bien. Je fais des choses... bizarres. J'aurais peut-être dû l'emmener avec moi au lieu de lui jeter mon alliance. Je voulais qu'elle sache que je n'étais plus le Darryl Kelley qu'elle avait épousé. Qu'elle devait m'accepter ainsi ou bien m'oublier. Mais si elle m'oublie, il va falloir qu'elle se taise. Qu'elle dise que je suis mort.

— Oh, je suis certaine qu'elle sera d'accord là-dessus. Elle ne veut plus de toi, Darryl. C'est une honte, je sais... A mes yeux, c'est une trahison. (Elle l'embrassa avec passion.) Moi, je ne te trahirai jamais, Darryl. Jamais... Dis-moi que tu ne retourneras pas avec elle, que tu ne l'emmèneras pas avec toi. Promets-moi de revenir ici quand tu auras besoin d'une femme.

— Ce n'est pas facile. Ça me fait un long chemin à parcourir pour venir jusqu'ici, et puis cette région est trop civilisée pour moi. On écume la frontière, tu sais. On survit en attaquant les diligences ou les colons. Bientôt, on va dévaliser une banque. Pourquoi ne déménagerais-tu pas plus à l'ouest? Ce serait plus facile pour moi. Là-bas personne ne connaît mon visage, je pourrais venir te voir sans me cacher.

— D'accord, Darryl. Je vais essayer de trouver un restaurant à Independence... Mais c'est près de Leavenworth. Il y a des tas de soldats par là-bas.

— Ils ne me font pas peur. Maintenant que la guerre est terminée, c'est la police qui nous traque. Les soldats s'occupent des Indiens. C'est beaucoup plus facile d'échapper aux shérifs et aux marshals. En général, ils forment des patrouilles avec des civils qui savent à peine monter à cheval. Et puis, mes hommes et moi, on a quelques bonnes planques dans la réserve indienne. Les Peaux-Rouges nous cachent contre un peu de whisky et quelques dollars.

— Emmène-moi avec toi, Darryl. Tu pourrais, n'est-ce pas? Je vendrais le restaurant et je serais toujours avec toi.

Il fronça les sourcils.

— Je ne sais pas. Je vais y réfléchir... Mais tu me seras plus utile ici ou à Independence. Tu pourras entendre ce qui se dit, connaître les dernières nouvelles... Rends-moi un service, Fran.

— Tout ce que tu veux.

— Va au bureau de poste demain, voir si Anna n'a pas laissé une adresse où la joindre.

Elle ne dit rien.

— Je reviendrai demain soir, reprit Darryl. Tu me diras s'ils ont une adresse... Et apporte une couverture. On passera la nuit ensemble, dehors.

Fran poussa un cri de joie.

— Oh oui ! Je viendrai dès la fermeture... Dis-moi, est-ce que tu aimes encore Anna, Darryl ?

Il se leva et reboutonna son pantalon.

— Non. Tout a changé à présent et...

Soudain, il porta la main à son crâne avant de tituber. Fran le saisit par le bras.

— Darryl, qu'y a-t-il ?

— La douleur... elle vient toujours sans prévenir.

Il chercha frénétiquement autour de lui la flasque de whisky qu'il avait laissée par terre. La ramassant très vite, il but une longue rasade. Puis il la rangea dans sa poche. Mais il tituba de plus belle en chassant des ombres imaginaires et en grondant.

— Maudits... Yankees ! Satanés salopards...

Il se saisit la tête à deux mains et tomba à genoux.

Fran dissimula un sourire en le rejoignant. Elle posa une main sur son épaule.

— Anna est une Yankee, elle aussi, Darryl. Ne l'oublie pas.

— Non, je n'oublie pas, rugit-il, haletant. Je n'oublie pas ! Oublie pas ! Trouve-la, trouve-moi cette garce !

Puis les mots se mêlèrent dans sa bouche en un flot incohérent. Fran lui effleura le front mais il l'écarta d'un revers de main.

— Ne me touche pas ! Ne me touche pas quand je suis comme ça ! C'est dans ces moments-là que... que j'ai envie de tuer.

Il bondit sur ses pieds avant de la regarder en éclatant d'un rire dément.

— Oh, j'ai aimé cette journée à Centralia, Fran. Tu aurais dû voir ça !

Elle rit à son tour.

— J'aurais aimé y être. Mais il y aura d'autres Centralia, Darryl.

Il se pressa le front entre les mains.

— Oui. Oui, il y en aura d'autres. (Il recula.) Fais ce que je t'ai dit. Trouve-moi Anna. Je reviendrai demain soir. Je prendrai soin de toi... comme Mark l'aurait fait.

— Et moi je prendrai soin de toi, Darryl, comme Anna aurait dû le faire. Tu ne peux plus compter sur elle. Elle t'a trahi. Mais moi, je suis là. Je serai toujours là, Darryl.

9

Septembre 1865

Le restaurant connaissait un succès que même Anna n'avait osé espérer. Les journées étaient longues et harassantes, mais elle aimait son travail. Elle avait choisi un nom simple : *Chez Anna*. La pancarte à l'extérieur indiquait : *Petits déjeuners, déjeuners, soupers... Bon café... Pas d'alcool*. Des rideaux à carreaux rouges pendaient aux fenêtres et elle avait engagé une femme dont l'unique tâche était de frotter tables et parquet, besogne nécessaire à Abilene.

Elle avait acheté un énorme poêle dernier modèle que Hector avait aussitôt baptisé le

« monstre » : il possédait huit brûleurs et trois fours qui étaient tous occupés la plupart du temps.

Trois jours après l'ouverture, Anna avait été contrainte d'embaucher deux autres employées : l'une pour aider aux cuisines et l'autre en salle. Elle avait cru pouvoir se débrouiller seule mais, dès le premier jour, Hector et Agnès avaient dû venir lui donner un coup de main. Elle n'avait pas une minute à elle et dès qu'un service était terminé, il fallait préparer le suivant.

Souvent, elle ne savait même plus quel repas elle cuisinait, s'il s'agissait du petit déjeuner ou du souper. Et c'était parfait ainsi : elle n'avait pas le temps de penser à Darryl ou à sa propre solitude...

Même si l'été était terminé, le bétail continuait d'arriver par troupeaux entiers. Dehors, la ville était toujours aussi agitée, sale et bruyante, mais Chez Anna, les hommes savaient se tenir. Ils se lavaient toujours les mains et le visage avant d'entrer. La jeune femme avait fait installer un bac dehors ainsi que des serviettes. A côté du bac se trouvait une brosse rugueuse avec laquelle les cow-boys devaient décrasser leurs bottes. Une fois à l'intérieur, une pancarte près d'une table indiquait : *Déposez vos ceinturons ici. Pas d'armes dans la salle.*

Certains rechignaient et partaient mais la plupart respectaient l'interdiction. Dans le cas contraire, Hector allait immédiatement chercher le shérif et le client récalcitrant était vite ramené à la raison.

La rumeur se répandit à la vitesse d'un feu de brousse : il existait un endroit propre et tranquille où un honnête homme pouvait déguster la meilleure cuisine de la région. De plus, la tenancière valait vraiment le coup d'œil.

— C'est la plus belle chose qui porte des jupes à l'ouest du Mississippi ! disaient certains.

— Quel gâchis ! pestaient les autres.

Car la rumeur disait aussi que son mari n'était pas encore revenu de la guerre et qu'elle ignorait s'il était vivant ou mort. C'était fort dommage pour une femme si jeune et si belle, qui méritait un mari digne d'elle.

Très vite, Anna fut forcée d'embaucher encore deux autres femmes. Dès le mois d'octobre, elle avait remboursé l'intégralité des cinq cents dollars que lui avait prêtés Hector. Elle gagnait assez d'argent pour rembourser la banque plus vite que prévu et même épargner. Elle envisageait déjà de se faire construire une maison, car elle en avait assez de dormir dans une chambre de pension.

Au moins, elle savait à présent qu'elle pouvait se débrouiller toute seule. Mais elle craignait toujours la réaction des gens s'ils apprenaient qu'elle était en réalité la femme de Crazy Doc... qui, pour l'heure, se faisait très discret. En tout cas, rien ne paraissait sur son compte dans les journaux qu'elle lisait assidûment.

Décembre arriva. Les troupeaux se faisaient rares mais le restaurant ne désemplit pas trop. Anna put néanmoins fermer le lundi et le mardi pour se reposer un peu. Elle avait beaucoup maigri. Le médecin local, alerté par Hector et Agnès, lui donna un fortifiant.

— J'ai le sentiment que ce n'est pas le travail qui vous ronge, ma jeune dame, lui dit-il. Je crois plutôt que c'est l'inquiétude à propos de votre mari...

Par un froid dimanche de janvier, Sandra Sloane, l'une de ses jeunes employées, vint la trouver dans la cuisine.

— Nous avons un petit problème, Anna. Hector vous demande.

Anna s'essuya les mains sur son tablier.

— Qu'y a-t-il, Sandra ?

— Il y a un homme dehors qui dit qu'il ne peut pas se séparer de son arme. Il dit qu'il ne peut pas se le permettre, car un marshal risque toujours de tomber sur quelqu'un qui veut le tuer.

— Un marshal ?

— Oui, m'dame. Il dit qu'il s'appelle Foster. Et il porte un insigne. Hector pense qu'il a l'air correct... (La fille fronça les sourcils.) Anna, vous allez bien ? Vous êtes toute rouge.

Affolée, la jeune femme se toucha les joues, se demandant de quoi elle avait l'air. Elle avait passé toute la matinée à la cuisine. Elle avait besoin de se coiffer et sa robe était absolument quelconque.

— Je... je vais bien. (Pourquoi tremblait-elle ainsi ? C'était ridicule.) Il... se trouve que je connais le marshal. Je vais l'accueillir moi-même. Reprends ton travail, Sandra.

— Oui, m'dame.

La fille tourna les talons avec un sourire polisson. Elle n'avait jamais vu sa patronne dans un état pareil. Ce Kevin Foster devait être très spécial...

Anna respira profondément pour se calmer avant de passer dans la salle à manger. Elle ne put s'empêcher de sourire en voyant la stupeur de Kevin Foster quand il l'aperçut. Il la caressa du regard, comme il l'avait fait un an plus tôt lors de sa visite à Columbia. A nouveau, elle sentit ses joues s'enflammer.

— Kevin ! Quelle bonne surprise !

Il enleva son chapeau.

— Ainsi c'est vous, la fameuse Anna ?

Elle s'esclaffa.

— Eh bien, je ne sais pas si je suis si fameuse, mais je suis bien Anna.

Quelques hommes lançaient des regards envieux au marshal Foster.

— Eh bien, que je sois damné... euh, je veux dire, quelle merveilleuse surprise !

— Venez vous asseoir, Kevin. Et vous pouvez garder votre arme. Vous n'allez pas provoquer du chahut, n'est-ce pas ?

Les yeux gris du marshal pétillaient de plaisir.

— Je ne cherche jamais la bagarre, assura-t-il.

Elle le conduisit à une table dans un coin, près d'une fenêtre.

— Voilà, ainsi vous gardez un œil sur l'extérieur. Vous avez de la chance qu'il y ait encore de la place. En été, vous auriez dû attendre votre tour.

— Si ce qu'on m'a dit est vrai, je n'en doute pas, répondit-il en enlevant sa veste en peau de mouton.

Il la posa sur le dossier de sa chaise avant de contempler la salle autour de lui.

— C'est vraiment bien, Anna. Bon sang, j'ai entendu parler de votre restaurant depuis Topeka jusqu'à la réserve indienne !

Le cœur d'Anna battit plus vite. La réserve indienne ! Savait-il quelque chose sur Crazy Doc ?

— Les hommes disent que c'est la meilleure cuisine de la région, poursuivait-il. Ils disent aussi que la propriétaire est la plus jolie femme du Kansas. Je dois admettre que je suis d'accord avec eux là-dessus. J'ai pensé à vous en entendant parler du restaurant mais je ne le croyais pas vraiment...

Le compliment la fit sourire.

— Eh bien oui, c'est moi. Et j'ignore si ma cuisine est si bonne que ça. Dieu seul sait ce que ces hommes mangent quand ils sont sur la piste. En arrivant ici, ils sont plus affamés que des ours et n'importe quoi doit leur paraître un vrai délice.

— Cela m'étonnerait. A mon avis, ce doit être

aussi bon qu'ils le disent. (Il avait remarqué sa maigreur.) Vous travaillez beaucoup, n'est-ce pas ?

— Il y a du travail. Mais je gagne bien ma vie et j'ai besoin d'être occupée. (Elle lui tendit un menu.) Choisissez et ainsi vous pourrez me dire si la rumeur est fondée ou pas.

Il frôla ses doigts en prenant la carte.

— Anna, je suis heureux de votre succès et j'admire la façon dont vous vous en sortez toute seule... Mais, si vous me permettez d'être indiscret, que faites-vous à Abilcne ?

— A vrai dire, je suis là un peu par accident. J'avais décidé de rejoindre ma sœur dans le Montana mais je dois être un peu peureuse. Tout le monde ici m'assurait que c'était un vrai suicide de traverser le pays indien. Alors, je me suis dit que je tenais trop à mon scalp.

Il rit mais ses yeux trahissaient une réelle inquiétude.

— C'est une très sage décision. On a eu raison de vous dissuader. Et ce n'est pas simplement votre scalp qu'ils... (Il s'interrompit.) En tout cas, vous avez bien fait de rester. Ainsi, votre sœur survit toujours au Montana ?

— Oui, j'ai reçu une lettre il n'y a pas si longtemps. Jo me l'a écrite l'hiver dernier. Elle vit avec un trappeur dans une cabane au fond des bois. Elle dit que les hivers là-bas sont très froids et qu'apparemment plusieurs souris du voisinage se sentaient aussi frigorifiées qu'elle. Elles ont décidé d'hiberner dans sa cabane et Jo a finalement renoncé à les chasser. Elle dit qu'elles lui tiennent compagnie pendant les longues nuits d'hiver. L'une d'elles est si gentille que Jo lui a donné un nom.

Ils rirent ensemble. Soudain, Kevin retrouva un air grave.

— Puis-je vous demander si vous avez reçu des nouvelles de votre mari ?

Le cœur d'Anna se serra. Elle comprenait ce qu'il voulait dire, ce qu'il espérait entendre.

« Non, Kevin, songea-t-elle, je ne peux pas commencer à vous voir. J'en suis malheureuse parce que lors des rares moments que nous avons passés ensemble, j'ai vu quel homme merveilleux vous êtes... et à quel point vous êtes seul. »

— J'ai bien peur que rien n'ait changé. Je ne sais toujours pas ce qui lui est arrivé.

— Combien de temps allez-vous continuer ainsi, Anna ?

Elle contempla son tablier.

— Je l'ignore... Mais je ne puis en parler maintenant. J'ai du travail qui m'attend à la cuisine. (Elle lui sourit.) Je vous suggère le bœuf aux piments avec des pommes de terre bouillies et ma spécialité : le maïs frit.

Il lui rendit le menu.

— Je vous fais confiance. Et j'aimerais du café noir et brûlant.

— Oui, monsieur. Vous aurez droit à une double portion. Et je vous offre le dessert : de la tarte aux pommes chaude.

— Hum, ça semble délicieux.

Elle allait tourner les talons quand il lui saisit le poignet. Le contact de sa main éveilla en elle d'anciens désirs refoulés...

— Anna... (Elle se retourna et il la lâcha aussitôt.) Pourrions-nous parler ? Je veux dire, je reste à Abilene pour la journée. Pourrais-je vous reconduire chez vous après la fermeture ? Je ne peux pas simplement manger et partir comme ça. Je... Je voulais revenir vous voir à Columbia mais j'ai passé beaucoup de temps dans la réserve indienne à traquer des bandits. Après, je suis passé à Topeka pour rendre visite à mon frère et à ma sœur. Et finalement, je n'ai pas eu l'occasion de retourner à Columbia. Mais j'ai pensé à vous. Beaucoup.

Elle éprouva soudain une ridicule envie de pleurer. Nerveuse, elle sourit pour refouler ses larmes.

— Vous me flattez. Je pense qu'il n'y aurait aucun mal à ce que vous me raccompagniez. Je suis comme vous, j'aimerais bien parler moi aussi. Je veux dire, après ce que nous avons vécu à Centralia... cela créé des liens, n'est-ce pas ?

— Oui, sûrement. Merci, Anna. A quelle heure fermez-vous ?

— A huit heures, avant que l'enfer ne se déchaîne en ville.

Il éclata de rire.

— Vraiment ?

— A cette époque de l'année, ce n'est pas trop terrible mais en été... (Elle leva les yeux au ciel.) Parfois, on doit plonger pour éviter les balles perdues. Oui, il y a des moments où c'est assez animé ici mais je commence à m'y habituer. Et puis, toute cette agitation m'aide à ne pas penser à des choses qui me rendraient folle si j'étais sans rien faire. Je commence même à m'accoutumer aux mouches et à l'odeur !

Une nouvelle fois, il éclata de rire.

Fébrile, Anna se tourna vers la serveuse :

— Sandra, occupe-toi le mieux possible du marshal Foster. Et apporte-lui une bonne tasse de café tout de suite.

La fille sourit.

— Oui, m'dame.

Anna bourra le poêle de façon qu'il reste chaud toute la nuit. Elle se brossa rapidement les cheveux avant de s'envelopper dans un châle épais. L'hiver n'était pas trop rude encore. Une fine couche de neige recouvrait la ville. La nuit était froide mais il n'y avait pas de vent.

Elle regagna la salle à manger où Kevin l'attendait. Ils sortirent ensemble et la jeune femme verrouilla la porte.

— Je vis dans une pension à l'autre bout de la ville, mais je vais bientôt me faire construire ma propre maison.

Il fronça les sourcils.

— Vous marchez tous les soirs dans ces rues pour rentrer?

— La plupart des hommes me connaissent. Je crois qu'ils me respectent. Ils sont un peu sauvages mais ils ont bon cœur, au fond. Après une certaine heure, il leur faut simplement leur dose de whisky et... euh... voir des femmes qui ne me ressemblent pas. (Heureusement, dans cette obscurité, il ne la voyait pas rougir.) D'ailleurs, Hector White, l'homme chez qui je loge, me raccompagne le plus souvent. C'est un homme bon... il m'a prêté de l'argent pour que je puisse ouvrir le restaurant.

— Où est-il ce soir?

Elle haussa les épaules.

— C'est lui qui vous a accueilli tout à l'heure. Je lui ai dit qu'il pouvait rentrer. Avec un marshal, je ne crois pas risquer grand-chose.

Il sourit.

— Je vois que vous comprenez bien ces hommes qui arrivent ici après des mois passés sur la piste. Mais méfiez-vous quand même, Anna. Il y en a toujours qui ne respectent rien. Après un si long voyage, un homme ne distingue pas toujours le bien du mal, surtout quand il tombe sur une femme aussi jolie que vous.

— Eh bien, merci pour ce nouveau compliment. Mais, pour vous dire la vérité, j'ai un petit revolver dans mon sac.

Ce détail amusa beaucoup le marshal.

— J'ai l'impression que vous n'avez besoin ni d'Hector ni de moi. Et moi qui me croyais utile !

Elle s'esclaffa à son tour.

— Vous l'êtes. Revolver ou pas, je me sens plus détendue avec vous !

Ils marchèrent quelques instants en silence. Au loin, on percevait vaguement quelques rires et de la musique. Un hibou ulula. Soudain, Kevin se tourna vers elle. Dans les ténèbres, il semblait encore plus grand.

Il soupira profondément.

— Anna, je me demande ce que vous comptez faire...

— Faire ?

— De votre vie. Vous êtes encore si jeune. Vous ne pouvez continuer ainsi, sans savoir ce qui est arrivé à votre mari. Si vous le désirez, je pourrais faire des recherches dans les archives pour vous...

— Non ! Je... j'en ai déjà fait, dit-elle vivement.

Kevin Foster était un marshal, un homme intelligent. Elle ne pourrait supporter qu'il découvre la vérité sur Darryl.

— Il n'y a pas d'archives, reprit-elle. J'ai tout essayé. Je... dois simplement attendre encore un peu. Hector dit que je devrais le déclarer mort officiellement. Mais que se passera-t-il s'il réapparaît ? Non, je dois attendre encore.

Il la saisit par les épaules. Un frisson de désir la parcourut.

— Je vous comprends. Mais cela fait si longtemps à présent. Vous gâchez les meilleures années de votre vie, Anna.

— Attendre son mari n'est pas un gâchis. Je n'ai pas le choix, Kevin.

Il percevait sa douleur. Gentiment, il lui serra les épaules.

— Anna, je vais continuer à venir vous voir... pas très souvent, n'ayez crainte. Je... je ne vous harcèlerai pas. Mais je dois admettre que j'ai été incapable de ne pas penser à vous, de ne pas m'inquiéter à votre sujet. Je n'en ai peut-être pas le droit mais, au moins, nous sommes amis désormais, n'est-ce pas ?

Elle baissa les yeux pour fuir son regard qui la troublait trop.

— Oui. J'ai beaucoup pensé à vous, moi aussi. J'étais heureuse de vous voir aujourd'hui, de voir que vous alliez bien. Je me demande souvent si vous êtes blessé ou pire...

— Je comprends votre situation, Anna. Je vous demande juste la permission de... eh bien, de passer vous voir de temps à autre, de vous raccompagner chez vous quand je suis à Abilene. Je veux simplement rester en contact avec vous jusqu'à ce que vous soyez fixée sur le sort de votre mari. Mais si vous préférez...

— Non, je... je suis d'accord. (Elle le dévisagea enfin.) Ce serait ridicule de nier que nous éprouvons tous les deux quelque chose de... spécial. Et, tant que cela ne va pas plus loin, je ne crois pas que nous fassions quoi que ce soit de mal. Une femme peut bien avoir un homme pour ami, n'est-ce pas ?

Il sourit.

— Bien sûr.

Il la lâcha et ils se remirent à marcher.

— Cette guerre a vraiment fait trop de dégâts, ajouta-t-il d'un air sombre.

Le cœur d'Anna se serra. A nouveau, elle se demanda quelle tragédie personnelle il avait vécue.

— Oui, répondit-elle. J'ignore si je retrouverai jamais une vie normale.

— Bien sûr que si. Les choses finissent toujours par s'arranger. (Un silence.) Je serai parti assez longtemps après ce soir. Il me faut rentrer à Topeka. Je dois assister à quelques jugements, témoigner... J'ai vraiment failli attraper ces bandes de hors-la-loi recherchées par les autorités fédérales. L'une est menée par Bill Sharp, l'autre par ce Crazy Doc.

Un vertige s'empara d'Anna.

— Jusqu'à présent, ils sont parvenus à m'échapper, continua-t-il. C'est vraiment frustrant. Ces types sont tous des voleurs, des violeurs et des assassins. Du Kansas au Missouri, personne n'est à l'abri de leurs raids. Mais je les aurai. Tôt ou tard, je les aurai.

Elle luttait pour ne pas s'effondrer sur place.

— Je... je l'espère, Kevin. Je prie simplement pour que vous ne soyez pas blessé.

— Oh, je sais veiller sur moi.

— Avez-vous tué beaucoup d'hommes ?

Il serra les dents.

— J'en ai tué, mais ça n'est jamais facile. C'est ce qu'il y a de plus dur dans ce métier...

Elle préféra changer de sujet :

— Vous disiez que vous aviez un frère à Topeka ?

— Oui, et une sœur aussi. Elle n'a que dix-sept ans mais elle est dans une chaise roulante. Infirme... à cause des *Bushwhackers*.

Anna eut l'impression que le sang se glaçait dans ses veines. Sa propre sœur ! Rendue infirme par des hommes comme son mari !

— Je suis... vraiment désolée.

Il poussa un soupir.

— A chaque fois que je suis fatigué, que j'ai envie de tout laisser tomber, je pense à Christine et cela me donne la force de continuer.

Ils marchèrent en silence pendant quelques minutes. Anna était horrifiée par ce qu'elle venait d'apprendre.

— Voilà, j'habite ici, dit-elle en s'arrêtant devant la maison.

Lui prenant le bras, il l'aida à gravir les marches du porche.

— Merci de m'avoir laissé vous raccompagner, Anna. Je regrette que nous n'ayons pas davantage de temps mais je suis heureux de vous avoir revue. C'est bizarre, nous ne cessons de nous rencontrer accidentellement. Je ne peux m'empêcher de penser que cela signifie quelque chose. J'avoue que je souhaiterais qu'il y ait plus entre nous mais je respecte votre situation. Être votre ami me suffit.

Elle croisa son regard.

— Merci. Si... si cela n'est pas trop audacieux de ma part... il m'arrive moi aussi de souhaiter la même chose. Vous êtes quelqu'un de bien, Kevin. Et je n'oublierai jamais ce que vous avez fait pour moi à Centralia.

Il lui saisit les bras.

— Anna...

Elle s'écarta.

— Je ferais mieux de rentrer.

Elle ouvrit la porte et franchit le seuil avant de se retourner.

— Dieu soit avec vous, Kevin. Je prierai pour votre sauvegarde.

Il eut un sourire résigné puis hocha la tête.

— Merci. Alors, nous nous reverrons dans quelques mois ?

Elle acquiesça.

— J'aurai peut-être des nouvelles.
— Peut-être.
Leurs yeux se croisèrent un instant avant qu'il ne se détourne pour s'enfoncer dans l'obscurité.

10

La lettre était de Claudine. Anna l'ouvrit très vite.

Chère Anna,

Je ne sais pas ce qui est arrivé à Francine, mais elle a vendu le restaurant et a tout bonnement disparu. Je suis restée près d'un mois sans emploi. Les nouveaux propriétaires avaient leur propre cuisinière. Depuis, je travaille dans un hôtel. L'adresse est sur l'enveloppe.

Francine n'a donné aucune explication. Elle a quitté la ville. Peut-être est-elle rentrée chez elle dans le Sud ? En tout cas, cela ne l'a pas gênée le moins du monde de m'abandonner ainsi du jour au lendemain. Elle m'a à peine dit au revoir. Elle n'a même pas emporté tous ses vêtements et elle a laissé ses meubles en disant à la propriétaire de la pension qu'elle pouvait les garder ou les vendre. Par curiosité, je me suis renseignée auprès du directeur de la banque : elle a retiré toutes ses économies.

Elle devenait si méchante ces derniers temps que je ne la regrette pas trop. Je suis prête à accepter ton offre et à venir travailler pour toi. Je l'aurais fait plus tôt mais Fran n'arrêtait pas de me supplier de ne pas la laisser. Et puis, pouf ! Elle est partie comme ça ! Elle s'est bien moquée de moi. Elle m'a traitée exactement comme elle t'a traitée.

J'aurais aimé pouvoir t'annoncer que nous avons reçu des nouvelles de ton mari mais, malheureusement, ce n'est pas le cas. Veux-tu que je laisse ton adresse aux nouveaux propriétaires au cas où il reviendrait ?

Je reste toujours ton amie et j'espère que tu as encore besoin d'une cuisinière.

Je t'embrasse.

Claudine.

Il était évident que Claudine était déçue et seule. Anna lui répondit sur-le-champ. Son amie lui manquait et l'idée qu'elle la rejoigne l'enthousiasmait. C'était d'ailleurs ce qu'elle avait toujours voulu depuis le jour où elle avait ouvert le restaurant. Elle lui assura donc qu'elle pouvait venir à Abilene le plus tôt possible.

Cela fait, elle se mit à réfléchir. Ce départ subit de Francine était vraiment étrange... Petit à petit s'insinua en elle la pénible impression que Darryl était derrière tout cela. S'il était entré en contact avec Fran, il devait maintenant savoir où la joindre. Pourquoi n'était-il pas venu la voir ? Comptait-il la laisser dans l'incertitude pour le restant de ses jours ? Revivre avec lui serait au-dessus de ses forces. Mais ils devaient se revoir et parler.

Donne mon adresse aux nouveaux propriétaires, écrivit-elle. *J'ai besoin de savoir ce qui est arrivé à mon mari*.

Un coup retentit alors à la porte.

— C'est moi, Agnès, annonça sa logeuse. Anna, nous avons une mauvaise nouvelle...

La jeune femme fronça les sourcils et se précipita pour ouvrir la porte.

— Qu'y a-t-il ?

— C'est ce marshal, Kevin Foster. Hector vient de le lire dans le journal. Il a été blessé... au cours d'une fusillade pendant une attaque de banque.

Folle d'angoisse, Anna dévala les marches et pénétra dans le bureau d'Hector.

— Hector, qu'est-il arrivé à Kevin ?

Sans plus attendre, il lui tendit le journal.

— Ils disent qu'il a été gravement blessé au cours d'une fusillade à Topeka. Il se trouvait près de la banque quand elle a été dévalisée. Les bandits s'enfuyaient. Ils l'ont eu par surprise mais il a quand même réussi à en tuer un et à en blesser un autre. D'après les témoins, le blessé serait Crazy Doc. C'est sa bande qui a fait le coup. Ils ont tué une jeune cliente.

Anna eut l'impression d'avoir perdu l'usage de ses jambes. Elle se laissa tomber sur la chaise la plus proche.

— Mon Dieu, murmura-t-elle en enfouissant le visage entre ses mains.

Inquiet, Hector contourna son bureau pour venir la réconforter.

— Cet homme compte donc tellement pour toi ? Bien sûr, je savais que vous étiez amis, Anna, mais je ne m'imaginais pas que cette nouvelle te bouleverserait à ce point.

Comment lui expliquer ? Il ne s'agissait pas uniquement de Kevin. Kevin ! Le pauvre ! Était-il gravement atteint ? Mais ce n'était pas seulement lui... C'était Darryl ! Darryl qui avait dévalisé cette banque et tiré sur Kevin Foster ! Et ils avaient aussi tué une jeune femme !

— Hector, vous voulez bien me rendre un service et voir si Sandra et Berle peuvent tenir le restaurant, peut-être avec votre aide ? Si c'est impossible, fermez quelques jours. De toute manière, c'est la morte-saison.

— Tu vas à Topeka ?

Elle leva les yeux vers lui.

— Oui. Je dois aller voir Kevin et lui montrer que je tiens à lui. J'espère simplement arriver à temps.

— Ce n'est peut-être pas aussi grave que l'écrit ce reporter, intervint Agnès. Les journalistes exagèrent toujours.

— J'espère que vous avez raison, Agnès, répondit Anna d'une voix incertaine.

Réprimant une folle envie de hurler, elle se leva, les jambes tremblantes. Kevin risquait de mourir, tué par son propre mari. Non, par un homme qui n'était plus son mari. Darryl avait été blessé lui aussi mais elle avait assez pleuré pour lui, pour l'homme qu'il était autrefois. Elle ne verserait plus une larme pour le criminel qu'il était devenu.

— Tiens bon, Doc, tiens bon! supplia Fran.

Il hurla de douleur tandis qu'un de ses hommes, suivant ses propres instructions, tentait de retirer la balle logée sous les côtes. De façon à pouvoir lui expliquer la marche à suivre, Darryl avait refusé de s'anesthésier au laudanum. On lui avait lié chevilles et poignets pour l'empêcher de se débattre pendant l'opération.

Fran épongeait le sang avec des mains tremblantes. Depuis qu'elle avait choisi de tout vendre pour suivre Darryl, la vie avait été dure. Mais le jeu en valait la chandelle. Elle avait donné tout son argent à Darryl pour acheter vivres et munitions. Les deux premiers mois avaient été paisibles. Ils avaient vécu dans une cabane au fond des bois tandis que Darryl préparait l'attaque de la banque de Topeka. Fran cuisinait pour ses huit hommes, tous d'anciens Confédérés que la guerre avait couverts de cicatrices.

Comme eux, Fran l'appelait Crazy Doc. Il ne voulait pas qu'on l'appelle autrement, disant que son ancien nom appartenait au passé. Les autres ignoraient sa véritable identité.

Par moments, Fran avait un peu peur de lui. Mais après tout, se disait-elle, ce n'était pas sa faute. C'était la guerre qui l'avait transformé. Ses migraines l'obligeaient à boire et il était la proie de crises terribles. Parfois il se mettait en colère sans raison, s'en prenant à ses hommes, tirant à tort et à travers, brisant tout ce qui lui tombait sous la main. Mais elle était décidée à rester avec lui. Elle avait trouvé un moyen de combattre pour la cause, et surtout, elle était avec le seul homme qu'elle ait jamais aimé.

La séance de charcutage dura une bonne demi-heure, ponctuée par les hurlements de Darryl. Quand ce fut enfin terminé, il resta haletant, la respiration sifflante.

— Bon Dieu... ils m'ont... tiré dessus ! Où est Nick ?

— Il est mort, Doc. Tu ne te rappelles pas ?

Fran tendit un bandage à Jerry Baskins qui s'épongea le front en contemplant la balle qu'il venait de retirer. Il la jeta dans un seau rempli d'eau rougie.

— Doc oublie parfois les choses, expliqua-t-il à Fran en secouant la tête. A cause de cette blessure au crâne.

— Ouais, ben j'oublierai pas qu' tu m'as tailladé le ventre, répliqua Darryl.

— C'est toi qui m' l'as demandé, Doc. Bon sang, on veut pas perdre not' chef. Tu as d' la chance. Elle est allée loin mais elle a rien touché d'important.

— C'est toi qui l' dis... (Il grimaça de douleur.) Combien... on a ?

Jerry et Fran lui passaient délicatement le bandage autour du torse.

— A peu près huit mille dollars, d'après Mink.

— Bien... Avec ça, on peut aller au Mexique, vivre comme des rois un bon moment, hein ? Se faire un peu oublier. (Il regarda Fran.) Ça te plairait, Fran ?

— Tout ce que tu veux, Doc.

Darryl ferma les yeux.

— Mais... j' reviendrai. Quand ce s'ra plus calme. Je r'viendrai trouver ce salopard qui m'a tiré dessus... et qui a tué Nick. On sait qui c'est ?

— Mink est r'tourné en ville pour se renseigner, dit Jerry. Il rapportera les journaux, on saura qui c'est.

— Tu vas le tuer, Doc ? demanda Fran.

— Ça fait pas un pli... Il portait une plaque de marshal. Sûrement un Yankee.

Ils finirent de le panser puis Jerry emporta le seau. Fran se pencha pour embrasser Darryl.

— Doc, avant qu'on parte pour le Mexique, pourquoi tu dirais pas à tes hommes de faire courir le bruit que tu es mort ? Si la police te croit mort, on voyagera beaucoup plus tranquillement. Ils ne nous traqueront plus.

— Ils traqueront l'argent.

— Sans doute. Mais si le marshal te croit mort, il sera moins sur ses gardes. Tu pourras revenir le tuer sans qu'il se doute de rien. Et si tu lances d'autres attaques, ils ne sauront pas qui est responsable. On pourrait même arrêter pour de bon. Aller nous installer sous un autre nom quelque part dans le Sud...

Il croisa les yeux sombres de Fran. Celle-ci n'était pas jolie, pas comme Anna. Mais elle était bonne pour lui.

— J'ai toujours une femme.

— Anna ne compte plus depuis cette première nuit où tu m'as fait l'amour. Tu sais que tu ne pourras jamais retourner avec elle, Doc. C'est une petite poupée délicate qui n'acceptera pas que tu sois un rebelle. Jamais elle n'abandonnera tout pour te suivre comme je l'ai fait. J'ai tout sacrifié pour toi, Doc, lui rappela-t-elle comme elle le faisait très souvent. Elle se fiche de ton sort. Elle a quitté Columbia sans laisser d'adresse, elle a fui pour que tu ne puisses pas la retrouver. Si on dit que tu es mort, elle finira par l'apprendre. Elle pourra refaire sa vie et nous aurons la nôtre.

Plus que tout, Fran craignait qu'il ne tente de revoir Anna.

— Tout a changé, tellement changé, murmura-t-il. Avant... elle était bonne. Mais au fond... elle n'a jamais compris notre combat, hein, Fran ?

— Non. Et si, par le plus grand des hasards, tu la retrouvais, elle te trahirait. Elle te dénoncerait. Tu ne peux plus lui faire confiance. Si elle te croit mort, elle t'oubliera. Cela vaudrait mieux pour toi. Tu serais plus en sécurité.

— Et si... elle se remariait ?

Fran dissimula un sourire.

— Et alors ? Quelle importance ?

A nouveau, le visage de Darryl changea d'expression.

— Ce marshal, je reviendrai le tuer...

— Tu le tueras, oui... et si on te croit mort, personne ne pourra t'accuser... à moins que tu ne l'affrontes en pleine rue devant des témoins.

Il grimaça de douleur.

— Il ne me verra... pas. Ce chien... ne saura jamais qui l'a frappé. Il a tué Nick. Nick était... mon ami. (Il ferma les yeux.) Dis à Jerry et aux autres... de faire courir le bruit que je suis mort... que je n'ai pas survécu à mes blessures.

Fran poussa un soupir de soulagement.

— Nous irons vers le sud... en deux groupes, continua-t-il. On se retrouvera au Rio Grande à Brownsville. Et on vivra comme des rois pendant un bout d' temps. On laissera ces... bâtards croire... qu'ils en ont fini avec nous. Ils s'imaginent que la guerre est terminée. Mais pas pour moi... pas pour moi. On... reviendra. Anna... elle ne vaut rien, hein ?

— Non, Doc, elle ne vaut rien. Elle n'est pas digne de toi.

Elle lui caressa le front tandis qu'il recommençait à s'agiter et à tenir des propos incohérents.

Un peu plus tard, Jerry revint.

— Comment va-t-il ?

— Il est fatigué.

Jerry s'approcha de la paillasse et se pencha vers son chef.

— Mink dit que c'est un certain marshal Kevin Foster qui t'a tiré dessus. Tu l'as eu, toi aussi, mais il va s'en tirer.

Darryl rouvrit brusquement les paupières.

— Kevin Foster, hein ?

— Ça fait sept ans qu'il est marshal. Il paraît que sa famille a été attaquée par des *Bushwhackers* en 58.

— Ça veut dire que c'est un Nordiste.

— On dirait bien. Et il est fort, très fort. Les gens parlent de lui comme d'une sorte de héros. Ils n'ont que son nom à la bouche.

Darryl ricana.

— Ma première balle l'a peut-être raté... mais la deuxième l'aura pour de bon. Kevin Foster... J'oublierai pas ce nom. (Il se tourna vers Fran avec difficulté.) Dis-leur... ce que je t'ai dit. Puis tu iras avec Jerry en ville... chercher des vivres.

— Bien sûr, Doc.

Elle l'embrassa encore une fois puis remonta les couvertures autour de son cou. Avant d'aller en ville, elle écrirait une lettre... à Anna Kelley. Il fallait bien apprendre la mort de son mari à cette chère Anna.

— Une visite pour vous, marshal.

Kevin se tourna vers le vieux docteur qui lui avait enlevé la balle du bras et pansé la joue et l'oreille gauche dont il avait perdu un petit morceau. Cette deuxième blessure l'avait jeté à terre, inconscient. Voilà pourquoi on l'avait un instant cru mort d'une balle dans la tête. A vrai dire, il était encore un peu secoué : quelques centimètres à droite et il y passait pour de bon.

— Qui est-ce ?

— Une très jolie dame. Vous voulez la voir ?

Kevin sourit.

— Je ne refuse jamais ce genre de visite.

Il terminait à peine de boutonner sa chemise quand Anna apparut dans la pièce. Une lueur de ravissement passa dans les yeux de Kevin.

— Anna ! Que faites-vous ici ?

Elle l'examina, soulagée de le voir debout. Soudain, elle se mit à rougir furieusement.

— Je... j'ai appris ce qui vous est arrivé. D'après les journaux, votre blessure était très grave. Alors j'ai pensé... je me suis dit que cela vous ferait peut-être du bien de savoir que des gens tiennent à vous... et je ne voulais pas que vous mouriez sans... (Elle s'interrompit avant de sourire timidement.) Oh, je suis ridicule...

Il la rejoignit et lui serra doucement la main.

— Vous n'êtes pas du tout ridicule. Je suis touché et ravi que vous soyez venue. C'est très gentil à vous. Cela a dû être difficile... avec le restaurant et tout. (Il lui serra à nouveau la main.) Les journaux exagèrent toujours, vous savez.

Elle rit nerveusement mais au fond d'elle-même, son cœur bondissait de joie. Il était vivant !

— Oui, Agnès m'a dit la même chose. Elle avait raison.

— Hé ! regardez un peu ça.

Il tourna la tête pour lui montrer le vilain sillon sur sa joue.

— C'est à cause de cela qu'ils m'ont cru mort. J'ai été inconscient un moment et certains ont vraiment cru que c'était terminé pour moi.

Elle ne put s'empêcher de tendre la main pour effleurer sa joue blessée.

— Oh, Kevin, un peu plus et...

— Bah ! ce n'est qu'une égratignure. Par contre, l'autre balle que j'ai prise dans le bras va m'empêcher de dormir quelques jours. Mais c'est le bras gauche. Je peux encore tirer... (Leurs regards se croisèrent.) Bon sang, ça fait du bien de vous voir ici !

Il scruta ses yeux, y lisant l'amour qu'elle ne pouvait exprimer.

— Je suis heureux que vous soyez venue, répéta-t-il. Seigneur, je suis mort de faim ! Il y a quelques bons restaurants à Topeka. Vous voulez bien manger avec moi ?

— Oui. Mais je ferais mieux de prendre le prochain train pour Abilene. J'ai demandé à Sandra et Berle de s'occuper du restaurant. Je ne savais pas combien de temps durerait mon absence. Mais si vous allez bien, il vaut mieux que je retourne là-bas.

Il enfila sa veste.

— Vous pourriez rester un jour ou deux. J'aimerais vous présenter mon frère et ma sœur. Christine vit avec Rob et son épouse, Marie.

Anna repensa aux hommes qui avaient mutilé sa sœur et tué ses parents... des hommes comme Darryl...

— Je ne pense pas que le moment soit bien choisi, Kevin.

— Pourquoi pas ? Vous êtes une amie. Ils seraient très contents de vous rencontrer. J'ai déjà parlé de vous à Rob.

Elle secoua la tête.

— Je ne préfère pas. Je ne me sentirais pas à l'aise. Je ne devrais même pas être ici mais je n'ai pas pu m'empêcher de venir. Je voulais vous voir, voir par moi-même comment vous alliez. Non, je pense que le dîner suffira.

— Comme vous voudrez.

Remarquant les larmes qui embuaient ses yeux, il tendit la main vers sa joue et elle ne put résister plus longtemps. S'abandonnant contre sa poitrine, elle laissa venir les larmes silencieuses. Elle sentit ses bras l'envelopper et ce fut comme si elle s'enroulait dans une chaude couverture après avoir passé des années sous une pluie glacée. Oh, comme c'était bon de savourer son étreinte...

— Toutes ces larmes rien que pour moi, la taquina-t-il. Quel honneur !

— Je suis désolée, dit-elle en s'écartant avant de tirer un mouchoir de son sac. C'est idiot, n'est-ce pas ? C'est si bizarre d'être ainsi avec quelqu'un que je connais à peine. Je ne dois pas avoir les nerfs très solides en ce moment.

— Ne vous en faites pas, Anna. Je comprends.

— J'imagine ce que vous pensez de moi... à me laisser aller ainsi comme une gamine. C'est ridicule.

— Vous n'avez rien d'une gamine. Vous êtes une femme forte, courageuse et indépendante qui, malgré l'enfer qu'elle traverse depuis des années, tient toujours le coup. Mon Dieu, Anna, si quelqu'un a le droit de pleurer et d'être bouleversé, c'est bien vous... Et maintenant, allons manger !

— Les gens vont nous voir. Ils... parleront.

— Qu'ils parlent ! Je suis content que vous soyez ici et je ne vous laisserai pas partir sans que nous ayons au moins partagé un repas. D'accord ?

Elle sourit en s'essuyant les yeux.

— D'accord. Laissez-moi simplement m'arranger un peu. Je dois être horrible.

— Vous n'êtes pas horrible, vous êtes magnifique. Vous êtes la femme la plus magnifique que j'aie jamais rencontrée.

Elle le dévisagea, les yeux à nouveau brillants de larmes.

— Je suis si contente que vous alliez bien, Kevin.

« Et que mon mari ne vous ait pas tué », ajouta-t-elle pour elle-même.

— Et moi je suis content que vous soyez venue vous en assurer. Ne vous inquiétez pas. J'ai l'impression que ma balle a causé bien plus de dommages que celles de Crazy Doc. A l'heure qu'il est, il est peut-être même déjà mort.

Elle se détourna avec l'impression qu'un couteau lui triturait le ventre. Ce cauchemar ne finirait-il donc jamais ?

— Comment savez-vous que c'était Crazy Doc ?

— Je l'avais déjà vu à Centralia... Il était juste en face de nous. Quelqu'un l'a appelé Doc. Mais vous ne vous en souvenez sans doute pas. J'ai vu son visage, sa cicatrice, c'était bien lui. Cet homme est un monstre, un fou dangereux.

« Il ne l'était pas avant, songea-t-elle. Il était gentil. Il soignait les gens... »

— Eh bien, j'espère que vous l'attraperez.

— Mais assez parlé de ça, allons manger. Il ne faudra pas marcher trop vite. Je ne tiens pas encore très bien sur mes jambes. J'ai perdu beaucoup de sang et j'ai gardé le lit ces deux derniers jours.

— Appuyez-vous sur moi si vous en avez besoin, dit-elle en lui prenant le bras.

Ils sortirent ensemble.

Une idée torturait Anna : elle devrait cacher ou détruire toutes ses photos de Darryl dès son retour à Abilene. Kevin connaissait son visage.

11

Avril 1866

Anna essuya la sueur qui perlait sur son front et acheva de disposer les meubles du salon de sa nouvelle maison. Il y avait foule au restaurant : le bétail et les cow-boys étaient venus tôt cette année. Le printemps était très doux. La maison d'Anna était terminée et elle utilisait son rare temps libre à la décorer.

Elle était fière de son succès. Le restaurant était entièrement remboursé et elle n'avait aucun problème pour régler les traites de la maison. Celle-ci était petite, mais fraîche et bien conçue.

Les mains sur les hanches, elle contempla le plancher de bois sombre et les jolis tapis de brocart qui le recouvraient. Un poêle à bois ventripotent était installé dans un coin. Le sofa de velours doré et le fauteuil assorti s'accordaient parfaitement aux rideaux verts qui pendaient aux deux fenêtres de la pièce. De l'autre côté du hall d'entrée, se trouvaient la cuisine et la salle à manger. A l'arrière de la maison, il y avait sa chambre avec un réduit qui servait de cabinet de toilette.

Les pièces n'étaient pas grandes mais Anna s'y sentait bien. Elle avait même une véranda sur laquelle était disposé un banc. Elle espérait y passer quelques douces soirées d'été...

Un chariot qui s'arrêtait devant chez elle interrompit ses pensées. Elle regarda par la fenêtre et n'eut aucun mal à reconnaître la silhouette replète. Claudine ! Elle se rua vers la porte tandis que le conducteur l'appelait.

— Je vous amène une visiteuse, madame Kelley. Elle était perdue à la gare.

Claudine descendait déjà du chariot et les deux femmes s'étreignirent.

— Oh, Anna ! Comme je suis contente de te voir ! Ça va, dis, ça va ? (Elle la tint à bout de bras pour l'examiner.) Jésus Marie Joseph, tu es maigre comme un clou !

Anna secoua la tête, écrasant une larme.

— Claudine, je suis si contente !

— Tu es plus maigre qu'un rail de chemin de fer. Ce n'est pas bien. Tu passes ton temps à faire la cuisine et toi, tu ne manges pas ! (Claudine lui saisit les deux mains.) Mais ne t'inquiète pas, je vais te remplumer. Je suis venue pour t'aider, Anna. Je cuisinerai pour toi au restaurant de façon que tu puisses te reposer. Voilà, tu m'as proposé de venir et je suis venue. Rien ne me retenait plus au Missouri. Il n'y a plus que haine et chagrin là-bas. (Elle leva les mains, paumes vers le ciel.) Alors me voilà !

— Oh, Claudine, c'est si bon de te revoir, de savoir qu'il me reste encore une amie comme toi !

Le sourire de Claudine se ternit.

— Oui. Cette Francine n'était pas une amie, ni pour toi ni pour moi. Mais j'ai reçu de ses nouvelles, Anna. Elle a envoyé une lettre pour toi.

Anna fronça les sourcils.

— Pour moi ?

— Oui. Entrons, elle est quelque part dans mes bagages.

Anna se tourna vers le conducteur du chariot. Il s'agissait de Luke Cooper, un rancher des environs. Il avait déjà déchargé les bagages de Claudine.

— Merci, Luke. C'est adorable.

— Vous voulez que je les porte à l'intérieur ?

— Si ça ne vous dérange pas trop.

L'homme hocha la tête et s'empara des plus gros sacs. Anna et Claudine se chargèrent du reste.

— Comment trouves-tu la maison, Claudine ? Elle est petite mais elle est à moi. Et j'ai fini de payer le restaurant.

— Oh, tu es une sacrée femme, Anna... si intelligente et si forte. C'est une très jolie maison. Je suis heureuse pour toi. Tu as su t'en sortir.

Luke opina avec un clin d'œil. Il salua les deux femmes puis s'éclipsa. Anna conduisit son amie au salon.

— Je vais mettre de l'eau à chauffer pour le thé, annonça-t-elle.

Pendant que l'eau chauffait, elle fit visiter la maison à Claudine. Celle-ci ne cessait de s'extasier. Puis elles revinrent au salon.

— Anna, ma chérie, je ne suis pas venue pour te déranger. Si tu pouvais m'aider à trouver une chambre en ville, ce serait parfait.

— Oh, Claudine, tu ne me déranges pas. Je suis si heureuse de te voir. Et je le serais encore plus si tu séjournais ici mais je n'ai qu'une chambre. Je ne pense pas qu'Hector ait loué mon ancienne chambre. Nous irons lui parler tout à l'heure. La pension est la grande maison à deux étages juste à côté de la mienne.

— Oh, alors nous serons tout près l'une de l'autre ! s'écria Claudine, enthousiaste. Tant mieux.

A nouveau, les deux femmes se dévisagèrent.

— Cela fait combien de temps, Claudine ? Voyons... J'ai quitté Columbia il y a plus d'un an déjà.

— Ah, le temps s'envole ! Je suis en train de devenir une vieille femme. Et toi, mon enfant, tu ne rajeunis pas non plus. Ça me brise le cœur de te voir seule ainsi... Une femme si belle, une femme que n'importe quel homme serait fier d'épouser. Il est temps que tu t'installes et que tu aies des bébés.

Anna poussa un long soupir.

— Tu connais ma situation, Claudine. (Elle hésita.) En fait, j'ai... rencontré un homme. Cela s'est passé à Centralia pendant ces horribles événements. Je crois que je t'en ai parlé dans une de mes lettres... le marshal Foster.

— Ah oui, je m'en souviens. D'après ce que tu disais, il avait l'air d'un homme très bien. Il est peut-être temps que tu songes à divorcer de Darryl Kelley ou bien à le faire déclarer officiellement mort.

— Je ne sais pas si c'est possible. Il faudrait que je prenne conseil auprès d'un avocat.

— En tout cas, il est temps que tu fasses quelque chose, Anna.

En proie à un sinistre pressentiment, la jeune femme se souvint de la lettre de Fran.

— Où est la lettre, Claudine ?

Celle-ci fouilla dans son sac et lui tendit une enveloppe.

— Je l'ai depuis deux semaines. J'ai pensé te l'envoyer mais, je ne sais trop pourquoi, j'ai préféré te l'apporter. J'avais l'impression qu'il valait mieux que je sois avec toi au moment où tu la lirais. Pardonne-moi de t'avoir fait attendre.

— Ce n'est pas grave.

Tandis qu'Anna commençait à lire, Claudine la vit pâlir peu à peu. Elle acheva sa lecture puis relut entièrement la lettre. Claudine se mordit la joue : son amie semblait se dessécher devant elle. Finalement, Anna replia la lettre et la rangea soigneusement dans son enveloppe mais ses mains tremblaient.

— Qu'y a-t-il, ma chérie ? A-t-elle vu ton mari ?

— Tu pourrais t'occuper du thé, Claudine ? J'aimerais rester seule une minute.

— Comme tu veux, dit celle-ci en quittant la pièce à regret.

Dès qu'elle eut disparu, Anna laissa échapper un sanglot. Darryl et Fran ! D'une certaine manière, elle s'en était doutée sans jamais oser se l'avouer. Darryl avait ajouté une dernière cruauté à la liste de ses méfaits. Et maintenant, il était mort dans les bras de cette femme.

Quelle lettre horrible ! Comme pour s'assurer que ce n'était pas un cauchemar, elle la parcourut encore une fois.

Nous étions seuls. Nous avons partagé quelque chose que tu n'as jamais partagé avec lui. Je sais que tu l'as vu à Centralia. Il me l'a dit. Mais pas toi. Tu avais honte. Moi, je n'ai pas honte. Je suis fière de lui. Darryl savait qu'il ne pouvait pas compter sur toi. Je suis devenue son seul réconfort. Pour toi, ce n'était qu'un hors-la-loi ; pour moi, c'était un courageux Sudiste qui accomplissait son devoir et tentait de venger sa famille. Eh oui, il avait perdu sa famille et sa maison, et il avait reçu une blessure à la tête qui lui donnait de terribles migraines et l'obligeait à boire beaucoup. Mais tu ne te souciais pas de lui.

A présent, Darryl est mort. Au début, je me disais que tu ne méritais même pas de l'apprendre. Mais je suppose que cela vaut mieux ainsi. Maintenant, tu peux te refaire une jolie petite vie, te trouver un autre homme pour remplacer ce héros que tu méprisais.

Au cas où tu ne t'en serais pas rendu compte, Darryl était celui qu'on appelait Crazy Doc. Il a dévalisé cette banque à Topeka. Il a tiré sur ce marshal yankee et il a reçu une balle, lui aussi. Il est mort des suites de cette blessure. Ses amis et moi l'avons enterré quelque part dans le Missouri.

Voilà, Anna. Tu n'entendras plus parler de moi. J'aimais Darryl. Ou plutôt, je l'ai aimé pendant le bref laps de temps où je l'ai eu pour moi. J'ai été une vraie femme pour lui... la femme que tu aurais dû être. Maintenant, il est mort et mon cœur est plus amer que jamais parce que j'ai perdu les deux hommes que j'aimais. Je pars avec les amis de Darryl. Je ne te dirai pas où, car tu me trahirais probablement.

Ce sont mes adieux, Anna. Tu as ta vie à mener et j'ai la mienne. Tu peux oublier Darryl. Il est mort et la guerre est terminée pour lui. Mais, pour certains d'entre nous, elle ne l'est pas. Sache aussi qu'il ne voulait plus entendre parler de toi, qu'il te méprisait et qu'il me faisait l'amour tous les jours.

Le regard vide, Anna demeura de longues minutes à fixer la lettre sans la voir. Elle avait envie de pleurer mais en était étrangement incapable. Elle ne ressentait qu'une impression de vide et d'absolue trahison. Un froissement d'étoffe lui fit lever la tête.

Un plateau dans les mains, Claudine la contemplait depuis le seuil avec inquiétude.

— Je... j'ai trouvé les tasses, expliqua-t-elle, hésitante. Tu veux boire le thé ou tu préfères rester encore un peu seule ?

Anna se leva et gagna la fenêtre pour regarder au-dehors.

— Reste, si tu veux. J'ai quelque chose à te dire, Claudine... (Une boule douloureuse lui contractait la gorge.) Mais tu dois me donner ta parole que tu ne répéteras à personne ce que je vais t'avouer. A personne !

Elle se retourna et Claudine fut consternée par la dureté de ses yeux, le teint gris de sa peau.

— Tu promets ? insista-t-elle. Personne ne doit savoir... et surtout pas Kevin Foster.

— Oui, tu as ma parole, ma chérie. Viens. Prends un peu de thé, d'abord.

Anna revint s'asseoir. Elle avait les jambes en coton. Sans prendre la peine de le sucrer, elle but une gorgée du liquide brûlant.

— Darryl est mort, annonça-t-elle.

Son amie hocha la tête, les sourcils froncés.

— C'est bien ce que je pensais. Elle savait où il était, n'est-ce pas ? Il est venu la voir et elle est partie avec lui.

Anna croisa son regard.

— Tu avais deviné ?

— Oui. Elle avait tellement changé.

La jeune femme ferma les paupières.

— Ce que tu ignores, Claudine, c'est que je savais moi aussi qu'il était vivant. Je l'avais vu... à Centralia.

Claudine écarquilla les yeux et Anna lui raconta alors tout. Enfin, elle pouvait partager son secret avec quelqu'un. C'était un immense soulagement. Claudine l'écoutait avec compassion, poussant parfois de petites exclamations d'horreur ou de surprise.

— Je suis désolée, dit-elle finalement. Quelle brute, ce Darryl ! C'est terrible, ce qu'il est devenu.

— Je crois qu'il ne comprenait pas vraiment ce qu'il faisait.

— Tu n'as pas à avoir honte, ma chérie. Ce n'est pas ta faute.

— Je ne peux pas m'en empêcher. Au début, j'avais peur d'être arrêtée ou battue si les gens apprenaient la vérité. Et maintenant que Darryl est mort, je ne vois aucune raison de le dire à Kevin ou à qui que ce soit. Autant que possible, j'aimerais que le nom de Kelley reste synonyme de fierté. J'aimerais garder le souvenir... (Ses yeux s'embuèrent, sa voix se brisa.) J'aimerais me souvenir de Darryl comme il était... avant qu'il ne parte à la guerre. C'était un homme bon, Claudine... séduisant, doux et bien éduqué. D'une certaine façon, il n'est pas entièrement responsable de ce qu'il est devenu. A présent, il est mort et tout est fini.

Elle avala rapidement un peu de thé et s'essuya les yeux.

— Je ne sais pas encore comment j'annoncerai sa mort à Kevin mais j'inventerai une histoire, continua-t-elle. Je ne veux pas qu'il sache la vérité, Claudine. Tu ne dois jamais en parler à personne.

— Si ce Kevin Foster est bien l'homme que tu crois, la vérité ne changera pas ses sentiments pour toi, Anna.

— Je ne veux pas courir ce risque. J'ai perdu de nombreuses années, j'ai perdu un mari et une vie heureuse. J'ignore ce qui se passera entre Kevin et moi, mais je ne veux pas mettre en danger le petit espoir de bonheur qu'il me reste. C'est un marshal, Claudine. Il y a quelques années, des *Bushwhackers* ont tué ses parents et rendu sa sœur infirme. Je ne peux pas lui avouer que mon mari était comme ces hommes. Sans parler du fait que c'est sans doute Kevin qui a tué Darryl. Non, je ne peux pas. (Elle se mordit la lèvre.) Oh, Claudine, est-ce mal d'éprouver quelque chose pour l'homme qui a peut-être tué Darryl ?

Son amie secoua la tête.

— Non, Anna. Et tu ne sais pas avec certitude si c'est lui qui l'a tué. Ils ont été nombreux à tirer ce jour-là. De toute manière, il était en état de légitime défense. Non, il n'y a rien de mal à l'aimer. Je comprends ta peur, mon enfant. Si ton mari était encore en vie, je te conseillerais d'en parler à M. Foster. Mais maintenant qu'il est mort, je ne vois pas l'intérêt de lui révéler la vérité. A quoi bon ? C'est fini. Il est temps d'oublier le passé.

Anna hocha la tête.

— Oui, il est temps.

— Ma pauvre enfant... (Elle poussa un soupir.) Je suis contente d'être ici. Tu dois prendre quelques jours de repos, Anna. J'aiderai au restaurant.

— Oui, je... je vais m'arrêter un jour ou deux... pour sauver les apparences. Mais c'est dur pour moi d'être en deuil, Claudine. Je suis déjà en deuil depuis cinq ans, depuis le jour où Darryl est parti à la guerre. Cela fait bien longtemps maintenant.

— Vas-tu prévenir le marshal que ton mari est mort ?

Le regard à nouveau fixé sur la lettre, Anna soupira.

— Non. Ce serait indécent. Il doit venir dans quelques semaines. Je le lui dirai à ce moment-là.

— Tu devrais le lui apprendre tout de suite, ma chérie. Ne crois-tu pas qu'il a le droit de savoir ? Si son cœur t'attend, n'est-il pas cruel de le faire patienter plus que nécessaire ?

Anna s'essuya à nouveau les yeux.

— Peut-être. Mais je ne peux quand même pas me précipiter pour lui envoyer un télégramme... comme si j'étais contente de ce qui arrive. Je ne veux pas donner une fausse impression. Je ne suis pas heureuse, Claudine. C'est bien pire que si Darryl était mort à la guerre. Car je sais quel homme il était devenu, quels crimes il a commis.

— Je sais. Mais tu dois quand même l'annoncer à ce marshal. Peut-être dans deux ou trois jours ?

Sans répondre, la jeune femme ferma les yeux.

— Anna, insista son amie, tu t'inquiètes trop de ce que les autres penseront et pas assez de ce qui est bon pour toi. Ton tour est arrivé. Tu as souffert trop longtemps. Il est temps que tu regardes devant toi, que tu profites des années de jeunesse qui te restent. Peu importe ce que croient les gens. Tu as été une épouse loyale et dévouée. Tu as fidèlement attendu ton mari. Et tu n'es pas responsable de ce qui lui est arrivé. Ce n'est pas parce qu'il était ton mari que tu devais obligatoirement approuver tout ce qu'il faisait ou bien partir avec lui comme Francine. Il y a le bien et le mal, Anna. Il a choisi le mal. Tu n'aurais jamais pu l'accompagner sur cette voie. Dieu t'a montré un autre chemin pour t'en sortir. Et aujourd'hui, Il t'offre une nouvelle chance.

Anna parvint à sourire faiblement.

— Merci, Claudine. Cela t'ennuie si je vais m'allonger un moment ? Je me sens très faible.

— Aucun problème. Je peux me débrouiller seule. Je vais aller à cette pension et je me présenterai de ta part. Comment s'appelle cet homme ?

— Hector, mais il est probablement au restaurant. Sa femme s'appelle Agnès. Agnès White. Elle t'aidera. Dis-lui simplement que je viens d'apprendre la mort de Darryl mais que tu ne connais pas les détails. Je lui expliquerai plus tard.

Elle se leva et gagna le couloir d'un pas incertain. Claudine la soutint.

— Ne t'inquiète de rien. Repose-toi aussi longtemps qu'il le faudra, Anna. Et fais ce que je te dis... préviens ton ami le plus tôt possible.

12

Surprise et ravie, Claudine écarquilla les yeux. L'homme qui se tenait dans l'entrée était très grand et fort séduisant. Les yeux d'un gris tendre, la mâchoire carrée, les pommettes hautes, il avait la peau tannée par le soleil. Retirant vivement son chapeau, il rejeta en arrière une boucle brune qui lui barrait le front.

— Je viens voir Anna, expliqua-t-il d'une voix grave. J'ai reçu un message disant qu'elle n'allait pas bien. Je suis Kevin Foster.

Claudine jeta un coup d'œil à son insigne.

— Ah, je m'en suis doutée dès que j'ai ouvert la porte. Entrez ! Je suis heureuse de vous voir !

Il n'eut d'autre choix que de lui obéir, car déjà elle le tirait par le bras.

— Je suis très heureuse de vous voir, répéta-t-elle avec excitation. C'est moi qui vous ai envoyé ce message. (Elle lui tendit la main.) Je suis Claudine Marquis. Une amie d'Anna. Nous nous sommes connues à Columbia, nous travaillions dans le même restaurant. Je n'avais plus d'emploi et Anna m'a écrit que je pouvais venir travailler ici chez elle. Et me voilà. Je suis bien contente d'être là en cette période de deuil.

Il fronça les sourcils.

— De deuil ? Le télégramme ne parlait pas de cela.

— Je sais, monsieur. Mais Anna est malade depuis qu'elle a appris la mort de son mari.

Dans son regard, elle crut déceler une petite lueur de soulagement.

— Quand a-t-elle appris cette nouvelle ?

— Il y a trois jours. Vous êtes venu vite, monsieur. Elle m'avait interdit de vous prévenir. Elle voulait attendre votre prochaine visite pour vous l'annoncer. Mais juste après avoir appris la nouvelle, elle s'est couchée et, depuis, elle semble incapable de se lever. Elle est très faible et elle ne mange pratiquement rien. Ce sont ses nerfs, monsieur. Elle a traversé de nombreuses épreuves ces dernières années. Je me suis dit que si elle vous voyait, cela lui ferait peut-être du bien. Elle m'a parlé de vous avec beaucoup d'affection et je crois que vous êtes, hum... bons amis ?

Il hocha la tête.

— Oui. Et vous avez eu raison de me prévenir. (Il détailla la maison autour de lui.) Elle s'est bien débrouillée. C'est très joli.

— C'est une femme qui sait travailler dur. Une femme bien, monsieur.

Kevin sourit, indulgent.

— Je suis parfaitement conscient des qualités d'Anna, madame Marquis. C'est bien « madame » ?

— Oui, mais mon mari a été tué pendant la révolution de 1848 en France. Ma sœur et moi avons alors décidé... Oh, mais je suis trop bavarde. Vous êtes ici pour Anna. Venez, je vais vous conduire...

Il la suivit jusqu'à la porte de la chambre puis Claudine s'effaça pour le laisser entrer. Il referma derrière lui. Partout il y avait des fleurs, des cadeaux d'amis ou de clients du restaurant qui tenaient à témoigner leur sympathie.

Anna dormait. Il étudia un instant son visage émacié. De vilains cernes soulignaient ses yeux.

Silencieusement, il approcha une chaise du lit et s'y installa. Il préférait ne pas la réveiller : elle avait besoin de dormir.

Anna entendait les coups de feu. Elle voyait les corps nus tomber. Elle entendait le rire, le rire si familier... Darryl ? Non, ce n'était pas possible.

L'homme qu'elle avait aimé ne pouvait être un meurtrier. Alors, elle le vit. Il tombait, il tombait dans un trou noir profond comme la nuit. Elle tendit le bras pour essayer de lui saisir la main. Oui ! Voilà ! Elle le tenait. Elle pouvait le sortir de là, le ramener à la lumière... Elle s'accrocha désespérément à cette main.

— Darryl ! cria-t-elle.

Mais sa voix n'était qu'un murmure et elle se réveilla en sursaut.

— Ce n'est pas Darryl, Anna, fit un timbre grave tandis qu'une main pressait doucement la sienne. C'est moi, Kevin.

Désorientée, elle cligna des paupières. C'était un rêve. Rien qu'un rêve.

— Il... tombait, dit-elle. J'essayais...

Soudain, elle se rendit compte qu'elle se trouvait dans sa propre chambre à coucher avec Kevin Foster.

— Kevin ! Que faites-vous ici ?

— J'ai dû vous poser la même question il y a un mois à peu près quand vous vous êtes précipitée à mon chevet parce que j'étais blessé. Votre amie Claudine m'a envoyé un télégramme disant que vous étiez malade. Que se passe-t-il ?

Elle ferma les yeux et son bras retomba mollement sur le couvre-lit.

— Je ne sais pas. J'ai... j'ai appris pour Darryl et je suis venue ici juste pour me reposer un instant. Et depuis, je n'arrive plus à me lever.

— Vous êtes en train de payer toutes ces années d'inquiétude et de dur labeur. Il est temps de vous tourner vers le futur, Anna. Cette insupportable attente est enfin terminée. Je suis navré pour votre mari mais au moins, maintenant, vous savez.

Elle croisa son regard.
— Oui.
Mon Dieu, c'était peut-être lui qui l'avait tué !
Il lui pressa la main.
— Anna, je n'ai jamais été marié mais je peux comprendre ce que vous ressentez. J'ai, euh... moi aussi été amoureux et elle est morte.
La jeune femme le dévisagea avec surprise.
— Vous ne m'en aviez jamais parlé.
Il haussa les épaules en souriant d'un air embarrassé.
— Cela ne me semblait pas très judicieux. C'est un peu trop intime.
— Oui, bien sûr. Je suis désolée.
— J'étais très jeune, à peine vingt-deux ans. Mélanie en avait dix-huit. Nous allions nous marier. C'était en 1857. Elle a quitté Topeka pour aller voir des parents dans l'Illinois et... elle est tombée malade. (Il s'éclaircit la gorge.) Ils l'ont enterrée là-bas. Comme vous, j'ai eu cette impression de vide. Comme vous, je crois que cela aurait été plus facile si j'avais été avec elle ou même si j'avais pu me recueillir sur sa tombe. Mais elle est partie pour ne jamais revenir. Alors, je vous comprends. (Il la fixa droit dans les yeux.) Tous les deux, nous avons des passés qu'il vaudrait mieux oublier. Mais je ne crois pas qu'on puisse réellement oublier. « Accepter » serait plus juste. Nous devons accepter ce qui s'est passé et continuer à vivre. Vous savez déjà que vous comptez énormément pour moi. Je dois repartir après-demain mais j'aimerais rester à vos côtés jusque-là. Pour essayer de vous aider.
— Votre simple présence m'aide beaucoup. Mais Claudine n'aurait pas dû vous faire venir. Vous êtes un homme très occupé.

— Jamais trop pour vous... (Il esquissa un sourire.) Bon, la première chose à faire, c'est d'appeler Claudine, qu'elle vous aide à vous laver et à vous habiller. Vous allez sortir de ce lit et faire fonctionner vos muscles. Ce n'est pas bon de les laisser trop longtemps sans activité. Vous ne le saviez pas?

Elle parvint à lui rendre son sourire.

— Vous êtes en train de vous moquer de moi.

— Non, c'est la vérité. (Il se pencha en avant, les coudes sur les genoux, et Anna eut l'impression que sa présence emplissait entièrement la chambre.) Dès que vous serez debout, je vous emmène à la cuisine. Claudine nous a préparé quelque chose. Je veux que vous mangiez à table... et vous mangerez, c'est un ordre. Vous êtes beaucoup trop maigre. J'ai l'impression de tenir la main d'un squelette... Vous n'êtes plus seule, Anna. Vous avez beaucoup d'amis, ici, à Abilene. Regardez toutes ces fleurs. Vous êtes quelqu'un d'admirable, vous savez.

Une larme glissa sur la joue de la jeune femme.

— Je n'en suis pas si sûre.

« Je vous mens, Kevin, songeait-elle. Je vous en prie, ne me haïssez pas pour cela. Je ne veux pas risquer de vous perdre. »

— Vous avez eu plus que votre part de souffrances, Anna. Maintenant, c'est terminé. Il faut revenir à la vie, à la lumière. Vous êtes encore jeune.

Il se pencha pour l'embrasser sur le front. Son odeur masculine bouleversa Anna. Malgré elle, elle l'enlaça, incapable de retenir plus longtemps ses sanglots.

— Oh, Kevin, serrez-moi... Serrez-moi contre vous et ne me lâchez pas.

Il la prit dans ses bras, lui caressant les cheveux tandis qu'elle pleurait à chaudes larmes.

— Allez-y, laissez sortir la peine, murmura-t-il d'une voix douce contre son oreille.

L'été était brûlant et sec mais la chaleur ne gênait pas Anna. Elle était amoureuse, même si les mots n'avaient pas encore été prononcés. Kevin s'était débrouillé pour venir la voir au moins un week-end par mois depuis avril. Parfois, elle se demandait si elle serait parvenue à reprendre le dessus sans son aide. Il l'avait fait manger et l'avait secouée, il l'avait laissée pleurer, l'avait soutenue, encouragée...

Le restaurant marchait mieux que jamais. Elle devait ouvrir beaucoup plus tard maintenant, de façon à satisfaire davantage de clients. Claudine travaillait à plein temps et elle avait embauché deux serveuses supplémentaires. Sa maison était entièrement payée. Oui, elle s'en était sortie. Elle pouvait aimer à nouveau.

Elle n'avait plus aucun doute sur ses sentiments à l'égard de Kevin Foster. Au cours de chacune de ses visites, ils parlaient pendant des heures. A chaque fois qu'il repartait, elle s'inquiétait pour sa sécurité. Et elle guettait son retour avec impatience.

Justement, il revenait aujourd'hui. C'était le mois de septembre 1866, exactement deux ans après les événements de Centralia. L'horreur de cette journée la hanterait à jamais, mais elle avait eu aussi la chance ce jour-là de rencontrer un homme exceptionnel...

A l'aide d'un peigne en perles, elle releva sa chevelure d'un côté puis s'empara de son chapeau de paille orné d'un ruban du même rose que sa robe en coton. Elle se regarda dans la glace et vit une femme différente. Était-ce la même qui avait été l'épouse de Crazy Doc ? Plus le temps passait sans avouer la vérité à Kevin, plus il lui semblait impossible de le faire.

Non, elle avait été l'épouse du docteur Darryl Kelley qui avait été tué à la guerre et c'était tout. Le reste ne comptait pas. Le reste était une erreur.

Sa sœur Joline avait retrouvé l'amour et tout recommencé. Elle pouvait y parvenir, elle aussi. Ne pas perdre Kevin, voilà tout ce qui comptait à présent.

On frappa à la porte et son cœur manqua un battement. Elle se précipita pour ouvrir. Il était là, superbe dans une chemise blanche et une veste noire. Son beau visage s'éclaira quand il la vit.

— Salut, Anna.

— Bonjour, Kevin. Vous avez un buggy ?

— J'en ai loué un. Il fait un peu frais mais on peut quand même sortir.

Elle sourit.

— J'ai préparé un panier. Je vais le chercher.

Elle courut dans la cuisine prendre le pique-nique. Quelques secondes plus tard, munie de sa cape, elle retrouvait Kevin.

— C'est Claudine qui s'occupe du restaurant aujourd'hui. Mais il faudra que je repasse plus tard les aider. J'essaierai d'avoir mon après-midi demain, si vous pouvez rester...

Kevin posa le panier à l'arrière du buggy puis l'aida à monter.

— Je devrais pouvoir. (Il grimpa à son tour et saisit les rênes.) Il paraît que Bill Sharp et sa bande sont dans le Kansas. Je vais me lancer sur leur piste. Il se peut que je reste absent un peu plus longtemps cette fois-ci. Je dois les retrouver, il y a déjà eu une attaque de train.

Une sourde appréhension saisit Anna tandis qu'il claquait les rênes au-dessus de la jument rouanne.

— Oh, Kevin, je suis morte de peur à chaque fois. Vous ne pourriez pas faire un métier moins dangereux ?

— Sans doute, mais j'aime celui-là. Il y a des gens qui veulent faire de moi une sorte de notable... un gouverneur adjoint, quelque chose comme ça. Mais ça ne m'intéresse pas... à moins que j'aie une famille... des responsabilités. Alors, j'y songerai peut-être. On verra. (Il se tourna vers elle.) Où allons-nous ?

Les joues d'Anna se colorèrent. Ils sortaient seuls ensemble. Jusque-là, leur relation était restée platonique : elle avait évité de demeurer trop longtemps seule avec lui. Mais il était temps — et ils l'avaient compris tous les deux lors de la dernière visite de Kevin — de savoir la nature réelle de leurs sentiments.

— Il y a un bel endroit près d'une crique à deux kilomètres de la ville, répondit-elle. Hector m'en a parlé. Il dit que c'est joli et tranquille. C'est au nord, loin des enclos et du bétail.

Kevin opina.

— Je sais où c'est. J'y suis passé en partant la dernière fois.

Il lui adressa un clin d'œil enjoué et elle rougit de plus belle en lui prenant le bras.

Une heure plus tard, assis dans l'herbe après un délicieux repas, Anna servit deux verres de vin. Kevin leva le sien.

— A nous, dit-il.

Une étincelle dansa dans les yeux d'Anna.

— A nous, répondit-elle.

Ils burent chacun une longue gorgée puis Kevin posa son verre et lui enleva le sien avant de s'approcher, la forçant gentiment à s'allonger sur la couverture.

— Kevin...

Elle ne put en dire davantage. Leurs bouches s'unirent dans un baiser passionné. Le cœur de la jeune femme se mit à cogner. Depuis combien de temps n'avait-elle pas été embrassée ainsi ? Des années.

Il abandonna sa bouche pour explorer délicatement sa gorge. Elle poussa un petit cri d'extase quand sa main monta le long de son ventre et vint se poser sur son sein.

— Anna, fit-il d'une voix rauque, je vous aime. Vous le savez désormais.

Il l'embrassa à nouveau, plus sauvagement, pesant sur elle de tout son poids. Ses doigts s'enfoncèrent dans sa chevelure blonde, dégrafant le chapeau tandis que son baiser se faisait fougueux. Puis il embrassa son cou et son oreille.

— Moi aussi, je vous aime, Kevin, murmura-t-elle dans un souffle, vibrant à chacun de ses gestes. Mais... j'ai tellement peur.

Il se redressa un peu, effleurant son nez et ses yeux du bout des lèvres.

— Il ne faut pas. Vous ne pouvez passer le restant de votre vie à avoir peur, Anna. Vous ne pouvez vous refuser d'aimer.

Sa main massait légèrement son ventre, comme s'il désirait toucher d'autres endroits plus secrets. Ses yeux gris n'étaient que promesses d'amour et de désir.

— Vous êtes si belle, Anna. Et vous êtes une femme si forte, si admirable.

« Mais vous ne savez pas, Kevin, pensa-t-elle. Vous ne savez pas ! »

— Je ne peux m'empêcher de penser qu'il est encore trop tôt.

— Trop tôt ! Anna, vous avez perdu tant

d'années. Je... je suis fatigué d'entendre parler d'amitié entre nous. Vous savez qu'il s'agit de bien plus que cela, et depuis très longtemps.

— Que voulez-vous dire, Kevin ?

— Simplement que je vous trouve merveilleuse et que je veux vous épouser. (Elle sursauta.) Pas tout de suite, bien sûr. Je sais que vous avez besoin d'un peu de temps. Mais je sais aussi que vous m'aimez... Cette fois, je risque d'être absent trois ou quatre mois, Anna, peut-être même davantage. Il ne s'agit pas seulement du gang Sharp. Il y a aussi des troubles avec les Indiens.

Il soupira longuement avant de l'embrasser avec délicatesse.

— Je veux juste savoir si vous m'aimez assez pour m'épouser, reprit-il. Je veux être sûr que vous allez y réfléchir pendant mon absence. A mon retour, j'aimerais vous présenter à ma famille. Mon travail est dangereux, je le sais, mais je suis prêt à envisager sérieusement d'en changer. Je ne veux pas que vous viviez dans la peur en permanence. Voilà, Anna. J'ai trente et un ans et vous vingt-quatre. Si nous voulons nous mettre en accord avec nos sentiments, nous devons le faire très bientôt. Je veux une famille avant d'être un vieillard.

Elle hésita un instant puis elle plongea dans ses yeux gris, des yeux pleins d'amour, d'attente et de tendresse. Voilà un homme qui pouvait faire d'elle une vraie femme à nouveau, qui l'aimait comme Darryl l'avait aimée autrefois. Mais cet homme était plus fort que Darryl, il savait reconnaître le bien et le mal.

— Oh, Kevin, je vous aime tant. Vous savez que je souhaite vous épouser. Mais il me faut encore un peu de temps. (Du bout des doigts, elle caressa sa mâchoire.) J'ai si peur. Que deviendrais-je si je vous perdais ?

— Cela changerait-il quelque chose, Anna, si nous étions mariés ? Auriez-vous plus de peine simplement parce que je serais devenu votre époux ?

Elle se jeta dans ses bras.

— Vous avez raison. Mon cœur vous appartient déjà. Je vous aime tellement.

« Je ne peux pas vous perdre, je ne peux pas ! Je ne peux pas vous avouer la vérité et voir l'horreur dans vos yeux. Je ne peux pas risquer de vous perdre. »

Il l'embrassa dans le cou avant de remonter vers sa bouche tout en la serrant contre lui.

Le baiser devint vite intenable. Il mourait d'envie de la déshabiller pour la faire sienne ici et maintenant. Elle était vulnérable et offerte, il le sentait. Elle avait trop longtemps été privée d'un homme.

— Kevin, murmura-t-elle en s'accrochant à lui.

Il fit un terrible effort pour se séparer d'elle.

— Je ferais mieux de vous ramener en ville avant de faire quelque chose que vous ne me pardonneriez jamais.

— Il n'y aurait rien à pardonner, dit-elle d'une voix faible. Je vous aime, Kevin.

Il baisa sa chevelure.

— Anna, vous avez assez souffert dans cette vie. Je sais ce que j'avais besoin de savoir... Je vais accomplir mon travail puis je reviendrai vers vous. Vous pouvez être sûre que je serai prudent. J'ai quelqu'un vers qui revenir, maintenant.

Elle s'écarta.

— Je ne voulais pas...

— Tout va bien, Anna. Nous nous aimons et nous nous désirons. C'est tout à fait normal, non ? ajouta-t-il avec un sourire. Mais nous attendrons que je revienne.

Il la fixait droit dans les yeux et il vit sa peur.

— J'ai aimé un autre homme, dit-elle alors. Lui aussi, il est parti en promettant de revenir. Mais il n'est jamais revenu.

Il la saisit par les épaules.

— Je reviendrai. (Il l'embrassa passionnément.) Je reviendrai. Et je ne vous laisserai pas vous morfondre. Vous aurez toujours de mes nouvelles. Vous avez ma parole.

Elle baissa les yeux.

— Il avait promis, lui aussi.

— Arrêtez, Anna. Le passé est derrière nous. Ce sera différent. Dites-moi que vous le croyez. Dites-moi que vous avez confiance en moi et que vous me croyez.

Une larme glissa lentement sur la joue de la jeune femme qui hocha la tête.

— Je vous crois.

Il esquissa un sourire.

— Un jour prochain, vous répéterez cela devant un prêtre.

Il l'embrassa et elle enfonça les doigts dans son épaisse chevelure brune, follement heureuse de se sentir femme à nouveau, d'être dans les bras de Kevin Foster, de savoir qu'il l'aimait et voulait l'épouser.

Une nouvelle vie les attendait.

13

— Je n'aime pas ça, grommela Kevin. Tout à coup, on dirait qu'ils ont envie qu'on les trouve.

Devant lui, s'ouvrait un ravin profondément encaissé entre deux parois abruptes couvertes d'arbres. Une légère couche de neige recouvrait le sol, rendant les traces encore plus visibles. Kevin scruta les alentours, humant l'air comme un loup. Depuis quatre mois, cette piste ne les avait conduits qu'à des ranchs brûlés et à des cadavres. Jusqu'à présent, ils étaient toujours arrivés trop tard. Pendant deux semaines, ils avaient même complètement perdu la trace de Sharp et de ses hommes. Puis une banque avait été pillée dans une petite ville au nord de l'Arkansas et la traque avait repris.

— Tu crois à une embuscade ? demanda Jim, son adjoint.

Il faisait froid en ce mois de mars et son haleine formait de la buée.

— Je ne sais pas. Ce n'est pas normal. J'ai l'impression qu'ils en ont assez de fuir. Ils ont...

Un coup de feu retentit alors, suivi d'un cri. Un autre de ses adjoints tomba de son cheval qui rua et partit au galop, traînant derrière lui son cavalier dont la botte était restée coincée dans l'étrier.

— Mettez-vous à l'abri ! hurla Kevin.

Les bandits étaient derrière eux. Ils n'avaient pas le choix : ils devaient s'engager dans le ravin pour se cacher et riposter. Une grêle de balles s'abattait sur eux. Kevin entendit un autre cri et vit une tache de sang apparaître sur l'épaule gauche de Jim. Mais son ami demeura en selle.

— Tiens bon, Jim ! cria Kevin.

Il se dirigea vers un amas de rochers près du lit à sec d'une petite rivière, attrapant sa carabine à répétition avant même que sa monture ne s'arrête. Il sauta de selle et aida Jim à descendre à son tour. Heureusement, la rivière avait formé une sorte de tranchée naturelle. Un hennissement déchirant s'éleva et Kevin comprit que les hors-la-loi tiraient sur les chevaux pour les priver de tout moyen de fuir. Sa monture s'écroula d'un bloc près de lui, une balle en pleine tête.

Jim grogna quand Kevin le tira dans le fossé. Celui-ci sentit une douleur lui mordre l'épaule mais il l'ignora.

A présent, tout le problème était de savoir comment ils allaient sortir de ce trou. Il n'en avait pas la moindre idée.

Soudain, un silence impressionnant régna. Kevin regarda Jim qui respirait difficilement en se tenant l'épaule.

— C'est grave ?

L'adjoint fléchit le bras et grimaça de douleur.

— Pas assez pour m'empêcher de tirer sur ces bâtards ! Si tu peux me faire un bandage, ça devrait aller. Et toi ?

— Ça ira. Une égratignure.

Kevin jeta un œil par-dessus son cheval mort et ne vit personne. Il détacha ses sacoches.

— Regarde là-dedans. Je vais les surveiller un moment. Tu crois que Dan est mort ?

— J'en suis à peu près sûr.

— Je me demande ce qui est arrivé à Joe. Je ne peux pas l'appeler. S'il se cache, il se trahirait en nous répondant.

Se tortillant, Jim parvint à s'extraire de sa veste.

— La balle a traversé l'épaule. Ça va faire mal mais ce n'est pas trop grave, je crois.

Kevin continuait de scruter les arbres au-dessus du ravin.

— Les ordures ! gronda-t-il. Il va faire drôlement froid cette nuit. Et pas question d'allumer un feu. On ne peut pas rester coincés là-dedans comme des rats pris au piège, Jim. Il faut qu'on trouve quelque chose.

« J'ai donné ma parole à Anna, songea-t-il. J'ai promis. Je ne peux pas la laisser seule, pas après tout ce qu'elle a vécu... »

Il se tourna pour bander rapidement et le mieux possible l'épaule de Jim.

— La blessure est juste au-dessus de l'articulation, commenta-t-il. Pas facile à maintenir.

— Ne t'inquiète pas. Fais de ton mieux.

Kevin noua le bandage et aida l'adjoint à remettre sa veste.

— Heureusement qu'on a trouvé ce fossé, fit Jim. Sinon, on aurait été troués comme des passoires. Combien crois-tu qu'ils sont ?

— D'après les traces, je dirais huit.

— Hé, vous, en bas ! cria une voix au-dessus d'eux. Vous feriez mieux de vous rendre ! Vous avez pas une chance !

Kevin regarda par-dessus son cheval en prenant soin de bien rester à l'abri.

— C'est toi, Sharp ?

— Ouais, c'est moi. Qui est le fils de chienne qui me courait après ?

— Le marshal fédéral Kevin Foster. Si tu me tues, tu n'as pas fini de courir comme un lapin... Ils lanceront l'armée à tes trousses.

L'homme rugit de rire.

— Après tout ce que j'ai fait, tu t'imagines que je vais avoir peur de tuer un marshal ? Je ne suis pas difficile, Foster. Je tue tout ce qui me gêne. Femme, enfant, soldat, marshal... ça ne fait aucune différence pour moi ! D'ailleurs, j' dois bien ça à la mémoire de Crazy Doc. Paraît que c'est toi qui l'as descendu.

— Et c'est également moi qui vais te tuer, Sharp, rétorqua Kevin.

Une salve de coups de feu lui répondit, l'obligeant à plonger à l'abri. Il sentait les secousses dans le cadavre de sa monture que les balles frappaient à une cadence hallucinante. Il risqua un regard et aperçut deux hommes plus proches que les autres derrière des arbres.

— Dis tes prières, Foster ! hurla Sharp. Mais je te donne le choix. Tu sors maintenant et on en finit très vite avec toi, ou alors tu pourris dans ton trou. Pour moi, c'est du pareil au même. On a tout not' temps. Y a personne à des kilomètres à la ronde.

Kevin s'accroupit et visa soigneusement. Sa douleur à l'épaule empirait mais il se força à l'ignorer. Il attendit qu'un des deux hommes qu'il avait repérés quitte l'abri de son arbre. A l'instant où le premier bougea, il tira. L'homme cria et s'effondra. Kevin sourit.

— Ils ne sont plus que sept, annonça-t-il à Jim.

— Bien joué. (Jim dégaina son pistolet.) Je n'ai pas eu le temps de prendre ma carabine mais je ferai de mon mieux s'ils approchent.

Kevin examina leur fossé, ramassant un peu de terre qu'il effrita dans sa main. Dans cette région, il faisait froid mais pas suffisamment pour que le sol gèle.

— Tu crois que tu serais capable de creuser pendant que je les occupe ? demanda-t-il à Jim.

Son ami fronça les sourcils.

— Qu'as-tu en tête ?

— A mon avis, ils vont attendre la nuit pour attaquer, quand on ne pourra pas les voir approcher. Pour le moment, s'ils tentent quelque chose, c'est trop risqué. Mais dans l'obscurité, ils pourront venir nous déloger. (Il regarda Jim.) Sauf que nous ne serons plus là. Si tu peux creuser un petit tunnel de quelques mètres dans cette butte, dès que le soleil sera tombé on rampera là-dedans et on sortira de ce trou sans qu'ils s'en aperçoivent.

— On ne pourra jamais s'enfuir, Kevin. On n'a plus de chevaux.

— Je n'ai pas l'intention de fuir. Je ne partirai pas d'ici sans avoir eu Sharp et ses hommes, morts ou vifs. On peut réussir, Jim, si on arrive à les surprendre. Tu es avec moi ?

Nerveux, l'adjoint esquissa une grimace.

— J'ai le choix ?

Les deux hommes échangèrent un sourire. Kevin scruta à nouveau les alentours de leur minuscule sanctuaire.

— Tes deux autres adjoints sont morts, Foster ! cria alors Sharp. Vous deux, en bas, vous ne vous en sortirez pas. Vous voulez mourir lentement ? Ça me va ! Je vais même adorer ça.

Plusieurs bandits s'esclaffèrent.

Quelques secondes plus tard, Kevin surprit un mouvement et visa. Il attendit. L'homme se dressa pour épauler sa carabine en direction du fossé. Kevin se dit qu'il devait être ivre pour commettre une telle imprudence. Il tira, abattant sa deuxième victime.

— Si tu veux nous laisser pourrir ici, Sharp, tu ferais bien de surveiller tes gars. Ou alors, il n'en restera plus un seul pour venir admirer nos cadavres.

— Fils de chienne !

— Ils ne sont plus que six, annonça Kevin à Jim qui grimaçait de douleur en griffant la terre froide et boueuse de ses mains nues.

— Continue comme ça et on n'aura pas besoin de ce trou.

— Le problème, c'est que je ne suis pas sûr du nombre.

— Alors, il vaut mieux que je creuse, hein ? Tire-leur toujours dessus de temps en temps... pour qu'ils ne se doutent pas qu'on a un autre plan en tête.

Kevin tira quelques cartouches à intervalles irréguliers tandis que Bill Sharp ricanait, lui lançait des obscénités et l'incitait à gâcher encore davantage de munitions.

— Tu ne verras plus un seul de mes hommes aujourd'hui, Foster ! Tes heures sont comptées. Récite tes prières, mon grand... Crois-moi, on va pas te tuer tout de suite. Un homme qui me cause tellement de problèmes mérite une mort lente. Nous ferons de toi un exemple pour tous ceux qui voudraient se lancer à mes trousses. Tu m'entends, Foster ? Tu vas crever comme un chien !

Pendant des heures, ces cris se poursuivirent, parfois entrecoupés de coups de feu et de ricanements. Le cheval de Kevin était criblé de plombs. Il regretterait son fidèle animal, qui était avec lui depuis cinq ans...

Tout au long de l'après-midi, Kevin et Jim creusèrent à tour de rôle. Jim travaillait jusqu'à ce que la douleur dans son épaule devienne intenable. Puis c'était au tour de Kevin.

— Le soleil va se coucher, annonça enfin l'adjoint. Il y a eu des nuages toute la journée. Ce sera une nuit sombre.

Kevin s'extirpa de l'étroit tunnel. Ils n'avaient pratiquement plus de place dans le fossé, à cause de la terre qu'ils avaient extraite.

— Tant mieux, fit-il en nettoyant ses mains boueuses. Plus il fera sombre, mieux ce sera pour nous. Je crois que le tunnel est assez long pour qu'on puisse sortir sans être repérés. Il ne reste plus qu'à creuser vers le haut.

— Bon sang, j'ai hâte de quitter ce trou. Je ne me suis jamais senti aussi mal de toute ma vie. Coincé ici, frigorifié et couvert de boue... Et j'ai mal à l'épaule.

— Oui, moi aussi, répliqua Kevin. Je ne vais pas pouvoir utiliser une carabine pendant quelques semaines.

Jim hocha la tête et déboucha la gourde qu'il brandit vers son ami.

— A nous, fit-il.

Kevin repensa au pique-nique, aux verres de vin. *A nous*, avait-il dit. Il fallait qu'il se sorte de là. Il fallait qu'il retrouve Anna...

— C'est fini maintenant, marshal, ton heure est venue ! claironna Bill Sharp. Faites le tour et passez derrière le fossé, chuchota-t-il à deux de ses hommes. Il ne faut pas qu'ils vous voient. Attendez d'être derrière pour allumer les torches.

Les hommes acquiescèrent et s'enfoncèrent dans l'obscurité.

— Kevin Foster va me supplier ! reprit Sharp à voix haute d'un ton moqueur. Il va perdre ses doigts et ses orteils un par un et je lui couperai aussi le reste. (Ses acolytes ricanèrent.) Après ça, les autres y réfléchiront à deux fois avant d'envoyer quelqu'un à mes trousses.

Les deux hommes traversèrent la rivière à bonne distance du fossé. Ils ne voyaient pas grand-chose dans l'obscurité. Une fois sur l'autre rive, ils allumèrent leurs torches et s'approchèrent.

— Sortez, marshal, fit l'un d'eux. C'est votre dernière chance.

Ils attendirent un instant avant de lancer des feuilles et des branches mortes dans la cache. Puis ils jetèrent leurs torches de façon à mettre le feu aux débris.

Pendant ce temps-là, Sharp et les autres s'approchaient du cadavre de cheval qui bloquait l'entrée du fossé, leurs armes pointées.

— Ouch! Bon sang! grogna un des deux hommes qui avaient contourné la tranchée.

— Qu'y a-t-il? fit son compère en le rejoignant.

— Je ne sais pas. Il y a une sorte de trou ici. Je suis tombé d'dans. Aide-moi.

L'instant d'après, les deux bandits étaient assommés, l'un par une pierre, l'autre par la crosse du fusil de Kevin.

— Allons-y, chuchota celui-ci.

Dans l'obscurité, Kevin et Jim entamèrent un large cercle pour passer derrière Sharp et ses acolytes qui attendaient à l'entrée du fossé.

— Ça ne sera plus long, disait Sharp. Ils ne vont pas supporter longtemps ce feu et cette fumée...

— Haut lcs mains! Lâchcz vos armes! ordonna Kevin derrière eux.

— Qu'est-ce...

Un des hors-la-loi voulut s'enfuir. Le revolver de Jim l'arrêta net. Sharp et les deux autres tentèrent de se mettre à couvert. Kevin ouvrit le feu à deux reprises, atteignant chaque fois sa cible. Puis il se lança à la poursuite de Sharp. Celui-ci se figea en entendant le déclic de la carabine qu'on armait.

— Rends-toi, Sharp, ou tu es un homme mort! gronda Kevin. Rien ne me ferait plus plaisir que d'appuyer sur cette détente, tu sais? La seule chose qui m'en empêche, c'est l'idée de te voir au bout d'une corde devant les citoyens de Topeka et tous ces gens dont tu as détruit la vie.

Sharp savait qu'il n'avait aucune chance de s'enfuir. Il jeta son arme.

— Crazy Doc aurait dû mieux viser ce jour-là, marmonna-t-il.

14

— Anna, regarde le journal ! fit Hector en se précipitant dans la cuisine du restaurant. Et il y a un télégramme pour toi.

Le cœur battant, la jeune femme abandonna son pétrin et s'essuya les mains sur son tablier. Elle avait peur pour Kevin. Cela faisait plusieurs semaines qu'elle n'avait pas reçu de nouvelles, plusieurs mois qu'elle ne l'avait pas vu.

Elle lut le gros titre d'abord : LE FAMEUX BANDIT SHARP CAPTURÉ PAR LE MARSHAL FOSTER.

En sous-titre : *Foster, blessé pendant la fusillade, ramène Bill Sharp.*

— Oh, Hector, ils disent qu'il a été blessé ! s'exclama-t-elle, inquiète.

Elle ouvrit aussitôt le télégramme. Il était de Kevin : *Vais bien. Dois attendre procès. Viendrai ce mois-ci. Restez à Abilene. Veux pas que Sharp ou ses hommes vous voient.*

Elle poussa un soupir de soulagement.

— Merci, mon Dieu, fit-elle à haute voix.

— Il va bien ? demanda Claudine qui les avait rejoints.

— Oui.

Anna reprit le journal et lut le reste de l'article.

— Ils disent que deux des adjoints de Kevin ont été tués et un autre blessé. Ils ont été pris dans une embuscade. « Le marshal Foster et son adjoint, Jim Lister, ont creusé un tunnel pour s'échapper à la nuit tombée du fossé dans lequel ils s'étaient réfugiés. Quand les bandits ont essayé d'enfumer le fossé, Foster et Lister les ont surpris par-derrière. Des huit criminels, seuls trois ont survécu. Ils vont passer en procès et seront pendus devant la population qui fêtera l'événement. Cet épisode devrait mettre un terme aux raids qui ont dévasté le Kansas depuis la fin de la guerre. Après la mort... (Anna hésita, lançant un regard à Claudine, avant de respirer un bon coup.) Après la mort du tristement célèbre Crazy Doc, la capture de Bill Sharp marque la fin d'une époque sanglante et, nous l'espérons, met un terme aux haines qui subsistent depuis la guerre de Sécession. »

Elle arrêta sa lecture, les larmes aux yeux.

— Allons, Anna, pourquoi ces larmes ? demanda Hector en posant une main sur son épaule. Ton marshal va bien et il ne devrait plus tarder à venir te voir. Tu ferais mieux de commencer à préparer ton mariage. (Il lui tapota l'épaule.) Je suis heureux que tout se soit arrangé. Bon, je retourne au travail. Il y a des clients à servir.

Il s'en fut, tandis que Claudine s'approchait.

— Anna...

— Ça ira, Claudine, ça ira, assura la jeune femme.

Son amie hésita puis lui prit le journal des mains pour parcourir la page.

— Hé, ton Kevin Foster est vraiment quelqu'un ! Voilà un autre article sur lui. Il paraît que des gens signent une pétition pour qu'il devienne gouverneur adjoint du Kansas. Qu'en penses-tu ?

A son tour, Anna lut l'article.

— Oh, Claudine, ce serait merveilleux ! Il m'a dit qu'il abandonnerait son travail s'il se mariait et s'il fondait une famille. Ce serait merveilleux, répéta-t-elle. Nous aurions une vie paisible à Topeka. Je n'aurais plus de souci à me faire pour lui.

— Oui, ce serait merveilleux, ma chérie. J'espère que c'est ce qui se passera. Tu mérites une vraie vie de famille. Vous méritez tous les deux le bonheur.

Mai 1867

Anna farina la pâte à tarte pour la troisième fois. Elle avait du mal à se concentrer sur ce qu'elle faisait : Kevin devait arriver d'un moment à l'autre. Le procès de Bill Sharp n'avait duré que deux semaines ; il avait été pendu quatre jours plus tôt. Tout le monde ne parlait que de cela à Abilene et dans la région.

Elle s'essuya le front d'un revers de bras, y laissant une grande traînée de farine. Soudain, elle sentit une présence. Lorsqu'elle leva les yeux, elle vit une ombre sur le seuil derrière la porte en verre dépoli. Elle sursauta avant de reconnaître la silhouette de Kevin. Abandonnant son travail, elle se précipita pour lui ouvrir.

— Kevin !

L'instant d'après, elle était dans ses bras, riant à travers ses larmes.

— Kevin, j'ai failli devenir folle à t'attendre !

— Je suis venu dès que j'ai pu.

Il la tenait à plusieurs centimètres du sol tandis qu'elle embrassait sa joue rasée de frais. Il ne tarda pas à trouver sa bouche. Ils échangèrent un baiser qui en disait long sur le besoin qu'ils avaient l'un de l'autre.

Il rompit enfin leur étreinte pour enfouir son visage dans le cou d'Anna.

— Seigneur, comme c'est bon, murmura-t-il. Je suis passé par-derrière parce que je voulais te faire la surprise. Je n'arrive pas à parcourir un mètre ces derniers temps sans qu'on m'arrête pour me féliciter. Il m'aurait fallu une demi-heure pour traverser la salle à manger.

— Oh, Kevin, tu vas vraiment bien ? Où as-tu été blessé ?

Ni l'un ni l'autre ne s'en rendait compte mais ils se tutoyaient à présent.

— Ce n'était pas grand-chose. Tu sais bien comme les journaux exagèrent.

Il la reposa doucement à terre et elle en profita pour mieux le regarder. Il avait de la farine sur le visage et sur sa veste.

— Oh, Kevin, je t'ai mis de la farine partout ! Je dois avoir une tête horrible et sentir la cuisine !

— J'adore ton odeur. Et tu ne peux pas faire autrement que d'être superbement belle. (Il la dévisagea soudain avec gravité.) Tu es toujours d'accord pour m'épouser, n'est-ce pas ?

Elle esquissa un sourire.

— Tu sais bien que oui... si tu veux toujours de moi.

— Ce baiser ne t'a pas convaincue ?

Il l'embrassa à nouveau, longuement. Posant les mains sur ses hanches, il la pressa contre lui. Un feu liquide parcourut le ventre d'Anna tandis qu'elle sentait son membre dur. Il abandonna sa bouche pour embrasser son visage, ses cheveux.

— Je ne peux plus attendre, Anna. Marions-nous tout de suite.

— Tout de suite ? Mais... il y a des choses à préparer, des... (Un autre baiser l'interrompit.) Je n'ai même pas encore rencontré ta famille...

— On pourra s'en occuper quand nous serons mari et femme. Ma famille ne fera pas de manières. Je suis un grand garçon maintenant. Je sais que tu leur plairas, de toute façon. (Un nouveau baiser.) Pourquoi pas demain ?

— Oh, Kevin, tu ne me laisses pas le temps de réfléchir...

— Tu n'as pas besoin de réfléchir. Je veux que tu retrouves un peu de cette insouciance que ces années d'attente ont gâchée. Tu sais mieux que quiconque à quel point le temps est précieux, Anna.

Épouse-moi demain. J'ai une permission de deux semaines. Nous nous marions, nous passons deux ou trois jours chez toi, puis nous irons à Topeka rendre visite à ma famille. Après cela, tu pourras t'occuper du restaurant et du reste.

— Cela semble si facile, à t'entendre.

Il l'attira contre lui.

— C'est facile... Tu sais, quand j'étais dans ce fossé, je n'étais pas du tout sûr de revenir et j'ai regretté de ne pas t'avoir déjà épousée. J'avais peur de ne plus jamais pouvoir te prendre dans mes bras, j'avais peur de ne pas tenir la promesse que je t'avais faite. Alors je me suis juré que si je revenais, je t'épouserais sans tarder.

Elle l'enlaça.

— Et ton travail ?

— Je suis engagé jusqu'à décembre. Mais le pire est passé, Anna. Il n'y a plus beaucoup de criminels en liberté. Les gens me demandent de me présenter pour le poste de gouverneur adjoint et j'y songe sérieusement. Il faudra que je trouve des soutiens financiers pour la campagne électorale mais ce devrait être possible.

Elle leva les yeux vers lui.

— J'ai les revenus du restaurant et pas mal d'économies à la banque.

— Il n'est pas question que tu travailles pour moi.

— Ce sera *notre* argent, Kevin Foster. J'ai travaillé dur pour le gagner et je ne vois pas de meilleure récompense que de l'utiliser pour que tu cesses de risquer ta vie. Je pourrais vendre ma maison ou la louer à Claudine. Cela nous ferait encore plus d'argent. Nous pourrions nous installer à Topeka. Claudine et Hector tiendraient le restaurant. S'il te plaît, Kevin, laisse-moi t'aider.

Il sourit, lui caressant les cheveux.

— D'accord. Dieu sait qu'un marshal ne gagne pas grand-chose au regard des risques qu'il prend. Mais cela va changer, je crois que j'ai une bonne chance d'être élu gouverneur adjoint. Cette histoire m'a fait de la publicité et les gens ont envie de quelqu'un qui soit capable d'assurer leur sécurité.

Elle sursauta.

— Dans ce cas, même si tu n'es plus marshal, tu continueras à courir des risques ?

Il soupira.

— Anna, il faut voir les choses en face. Même si je démissionne, pendant quelques années, il y aura encore des tas de types qui souhaiteront me voir mort. C'est ainsi, je ne peux rien y changer. Cela ne doit pas nous empêcher de nous marier. Je préfère tout partager avec toi, ne serait-ce que pendant quelques jours, plutôt que vous vivions chacun de notre côté. Je veux que tu sois ma femme, Anna. Rien ne doit nous arrêter. Tu t'es trop longtemps privée de bonheur.

Tout en parlant, il la caressait langoureusement. Autant que ses mots, ses caresses achevèrent de la convaincre.

— D'accord, dit-elle. Mais je préférerais après-demain. Cela me donnera le temps d'acheter une robe et de faire quelques préparatifs. (Elle le dévisagea.) Un pasteur itinérant était là ce matin et il a célébré une messe. Il est parti vers l'est. Je te laisse le chercher pendant que je m'occupe du reste. Avec Claudine, nous allons décorer le restaurant, pousser les tables. Après-demain, c'est dimanche. Je ne vois rien de mieux que de me marier par un beau dimanche de mai avec les oiseaux qui chantent et les fleurs qui s'épanouissent.

— Et le bétail qui meugle et les cow-boys qui sifflent...

Elle éclata de rire.

Leurs regards se croisèrent. Kevin redevint soudain grave.

— Je serai bon pour toi, Anna. Tu es restée seule trop longtemps. La vie va te sourire à nouveau.

Ils ne résistèrent pas à un autre baiser.

Anna se sentait aussi nerveuse qu'à son premier mariage. Dans un sens, celui-ci avait plus de signification que le premier car elle n'avait que seize ans quand elle avait épousé Darryl.

Hector arrêta le cabriolet devant l'entrée du restaurant et le cœur d'Anna se mit à battre à se rompre. La ville entière semblait être venue assister à ses noces avec Kevin Foster. Les gens souriaient et enlevaient leur chapeau, des cris et des encouragements fusaient. Devant le spectacle qu'elle offrait, les hommes ne pouvaient réprimer une pointe d'envie à l'égard du marshal Foster.

Ses cheveux étaient remontés sur les côtés et maintenus par une guirlande de fleurs sauvages. Quelques boucles dorées retombaient sur son cou. Le décolleté de sa robe ivoire révélait juste de quoi affoler l'imagination. Les manches courtes étaient garnies de dentelles qui flottaient autour de ses coudes, et le corsage très ajusté à la taille s'enfonçait dans une large jupe de tulle et de soie blanche brodée de rubans violets. La longue traîne, qu'Anna manipulait délicatement, était ornée de rubans violets. La jeune femme avait eu de la chance : c'était l'unique robe de mariée qu'elle avait pu trouver et celle-ci lui allait à la perfection.

Hector lui prit le bras pour l'aider à gravir le porche. A l'intérieur, un piano entama la *Marche nuptiale*. Anna pénétra dans la salle tandis que la foule s'écartait pour la laisser passer. Elle aperçut

Claudine qui pleurait de joie. Il y avait des fleurs partout.

Puis elle vit Kevin qui la dévorait d'un regard adorateur. Il était magnifique avec son ample chemise blanche et ce mince lacet noir en guise de cravate. Il portait une queue-de-pie aux revers de velours. Ses yeux gris étincelaient d'amour.

Kevin se demandait s'il avait jamais existé sur cette terre une créature plus belle qu'Annabelle Lynn Barker Kelley. Il se considérait comme l'homme le plus chanceux de l'univers.

Hector conduisit la mariée à son promis. Kevin et Anna ne pouvaient dénouer leurs regards, à peine conscients de la présence des invités. Le pasteur itinérant leva sa bible, le piano se tut et un silence impressionnant régna.

Puis vint le moment pour Anna de prononcer ses vœux. Elle sentit sa gorge se serrer. Jamais elle n'aurait cru qu'il lui serait accordé une seconde chance. Les larmes aux yeux, elle ravala sa salive tandis que Kevin lui serrait la main comme s'il avait compris ce qu'elle ressentait.

Elle acheva de réciter la formule consacrée puis ce fut au tour de Kevin. Il le fit avec une telle ardeur qu'elle eut envie de se jeter à son cou. Chacun glissa un anneau d'or au doigt de l'autre et le pasteur les déclara mari et femme. Dans la même seconde, Kevin l'enlaça pour lui donner un délicieux baiser alors qu'un concert d'applaudissements se déchaînait autour d'eux. L'enthousiasme se communiqua à tous ceux qui n'avaient pas pu entrer. Bientôt, ce fut toute la ville qui explosa de joie. Certains se précipitèrent dans le saloon le plus proche pour fêter l'événement à leur manière, à grand renfort de rires et de coups de feu en l'air.

Les trois heures qui suivirent comptèrent parmi

les plus longues de l'existence de Kevin et d'Anna. Patiemment, ils acceptèrent les vœux d'une centaine de personnes. Ils ne cessaient de se lancer des regards éperdus, impatients de se retrouver enfin seuls. Anna était partagée entre le désir et l'appréhension. Cela faisait si longtemps qu'elle n'avait pas connu un homme. Et si elle ne le satisfaisait pas ? Et si elle ne pouvait lui donner l'enfant qu'il désirait ? Après tout, avec Darryl, elle n'était jamais tombée enceinte...

Soudain, alors que Claudine lui souhaitait pour la centième fois tout le bonheur du monde, elle sentit une présence derrière elle.

— Et si nous nous éclipsions, madame Foster ? lui chuchota Kevin à l'oreille.

Elle se retourna, un sourire aux lèvres.

— Quand vous voudrez, monsieur Foster.

En un clin d'œil, il la souleva dans ses bras. Ce fut une ovation générale. Il traversa rapidement la salle mais Anna eut le temps de surprendre quelques remarques qui la firent rougir jusqu'aux oreilles. Kevin la déposa dans le cabriolet et lança les chevaux au galop vers la maison de la jeune femme.

Une fois arrivés, il la porta à nouveau dans ses bras.

— Vous êtes très belle, madame Foster.

Elle sourit. Quel bonheur d'être appelée ainsi !

— Et vous êtes très séduisant, monsieur Foster.

Avant de franchir le seuil, il l'embrassa passionnément. Timide, elle interrompit le baiser pour poser la tête sur son épaule.

— Tout va bien se passer, Anna. Je t'aime tellement...

— Je t'aime aussi, murmura-t-elle.

Il la porta à l'intérieur.

15

Anna perdit la notion du temps. La nuit devint un torrent de caresses, de baisers, de passion enflammée... le réveil de tout ce qui en elle était femme.

Dès l'instant où il la porta à l'intérieur de la maison, il fut le maître de son cœur et de son corps. Ses baisers, ses caresses balayèrent toute inhibition. Il commença par la déposer sur son lit, dans la chambre, s'agenouillant auprès d'elle pour l'embrasser tendrement sur la bouche avant de descendre le long de sa gorge vers ses seins, tandis que ses mains écartaient la robe.

Ses lèvres et sa langue la rendaient folle. Elle ressentait un désir presque douloureux. Gémissant son nom, elle enfonça les doigts dans sa chevelure, le serrant contre elle, savourant les délicieuses sensations qu'il savait éveiller.

— Seigneur, grogna-t-il en déposant mille petits baisers sur sa gorge. Je ne voulais pas aller aussi vite.

— Continue, je t'en prie, répondit-elle d'une voix rauque.

A nouveau il l'embrassa, agaçant ses mamelons avec son pouce. Puis sa main s'insinua sous la robe pour explorer des endroits plus secrets. Alors le monde parut disparaître autour de la jeune femme qui se retrouva dénudée en un clin d'œil.

Audacieuse, elle l'observa se déshabiller à son tour. Son cœur se serra à la vue des nombreuses cicatrices. Certaines avaient sans doute été faites par Darryl... Non ! Elle repoussa cette idée horrible. Elle ne devait pas penser à lui. Pas maintenant ! Et ce n'était pas Darryl. C'était Crazy Doc, un étranger. Elle ne devait pas lui permettre de gâcher ce moment magique...

Les préliminaires ne durèrent pas. La prochaine fois, ils prendraient leur temps, se promit-il, il lui ferait découvrir la délicieuse torture de la lenteur. Pour le moment, ils voulaient simplement ne faire qu'un. Elle poussa un gémissement étranglé quand il couvrit un de ses seins avec sa bouche tandis que ses doigts fouillaient son intimité.

Elle l'appela d'une voix faible, et pourtant irrésistible. Alors il glissa au-dessus d'elle, étudiant son beau visage, ses yeux fermés, les fleurs qui tombaient de sa chevelure, les seins offerts. Et il s'enfonça délicatement en elle...

La saisissant sous les hanches, il se mit à bouger tandis que les doigts d'Anna remontaient le long de ses bras musclés. Elle réagissait en parfaite harmonie et, à son grand désarroi, il se sentit céder au plaisir beaucoup trop tôt.

Il baisa ses yeux.

— Ne bouge pas, chuchota-t-il.

Elle ouvrit les paupières et il l'embrassa tendrement. Il parcourut de la langue sa gorge, puis ses seins.

— Tu es si belle, Anna, si belle... J'essaierai d'être un bon mari pour toi.

Elle caressa ses cheveux.

— Je le sais. Et moi, j'essaierai d'être la femme dont tu rêvais.

Il restait en elle et, déjà, elle sentait son désir renaître. Leurs regards se nouèrent et il sourit.

— Je crois que nous pouvons reprendre ce que nous venons de commencer, annonça-t-il.

Elle s'empourpra.

— Je ne voulais pas qu'on en arrive là si vite. J'espère que vous n'avez aucun doute sur ma moralité, monsieur Foster.

Il éclata de rire.

— Quand une femme est avec son mari, elle n'a aucun besoin de moralité. Promets-moi que tu te montreras toujours immorale et impudique quand nous serons au lit ensemble.

Elle retint son souffle car il avait recommencé à bouger, très lentement cette fois-ci.

— Je te le promets, murmura-t-elle, les yeux voilés de désir.

Il la tenait par les hanches et bougeait. Puis ce fut l'extase. Elle eut l'impression que son corps fondait sous un soleil trop brûlant. S'accrochant à lui, elle hurla son nom encore et encore. Finalement, elle le sentit s'abandonner en gémissant. Elle fut heureuse de savoir qu'il éprouvait autant de plaisir qu'elle.

Il s'allongea à son côté, tirant un drap pour les recouvrir tous les deux. Elle se blottit dans le creux de son épaule.

— Le soleil n'est pas encore couché, murmura-t-il. Ça va être une nuit longue et délicieuse.

Elle lui caressa le bras et la poitrine avant de se dresser pour embrasser son torse.

— J'aimerais qu'elle ne s'arrête jamais.

— J'attendais ça depuis notre première rencontre. Quand je t'ai vue chez Liz Tidewell, j'ai souffert le martyre de ne pouvoir te toucher, de partir sans savoir si je pourrais te toucher un jour.

— Pour moi aussi, c'était abominable de te voir partir sans savoir si je te reverrais.

— Je ne voulais pas me montrer aussi impatient, Anna.

Elle sourit et l'embrassa à nouveau.

— Je ne te reproche rien.

Il ébouriffa sa chevelure avant de soupirer.

— La journée a été longue. Reposons-nous un peu. On pourrait peut-être se laver et manger, tout à l'heure ? Et après, mon amour, on reviendra dans ce lit. Je ne pourrai jamais me rassasier de toi.

Lui caressant l'épaule, il la souleva pour qu'elle s'installe sur lui et ce fut ainsi qu'ils s'endormirent quelques secondes plus tard. Mais, comme il l'avait dit, la nuit serait longue, et ils avaient des choses bien plus importantes à faire que dormir. Tous deux avaient beaucoup de temps à rattraper...

Darryl sortit de la chambre à coucher en titubant. Fran, qui raccommodait une de ses chemises, leva les yeux. Il eut un méchant rictus en voyant ses larmes. Il avala une nouvelle rasade de whisky et s'affala sur une chaise devant elle.

— Me r'garde pas comme ça.

— J'ai tout abandonné pour toi. Et tu couches avec cette putain !

— C'est pas une putain. Elle n'a pas connu d'autre homme que moi. Je l'ai achetée, un point c'est tout. Si son père voulait la vendre, qu'est-ce que ça peut te faire ? Je ne l'aime pas. J'ai simplement besoin d'un peu de changement. Un homme dans mon état a besoin de savoir qu'il reste toujours un homme. (Il se tourna vers la chambre à coucher.) Lana ! Sors de là et fais-nous à manger ! (Il regarda Fran.) Bon sang, t'as gagné une domestique dans l'affaire. Tu pourras lui botter les fesses autant que tu en auras envie. Tu devrais être contente. Je t'avais bien dit qu'on vivrait comme des rois, hein ?

Une jeune Mexicaine sortit de la chambre en boutonnant sa robe de coton déchirée. Les yeux emplis de terreur, elle évita de regarder Darryl en se précipitant dans la cuisine.

— Doc, prends-moi au lit avec toi ce soir, supplia Fran.

Il haussa les épaules sans répondre. Il ne le lui disait pas mais il en avait assez d'elle : physiquement, elle ne supportait pas la comparaison avec Lana... ni même avec Anna, sa chère épouse...

— Quand allons-nous rentrer, Doc ? reprit Fran en lui empruntant sa bouteille de whisky pour boire au goulot. On n'a plus trop d'argent. Et dans le coin, il n'y a pas grand-chose à voler. Et puis, j'en ai assez du Mexique. Je veux rentrer chez moi.

— On a assez d'argent pour tenir encore un an.

— Un an !

— Oui, un an ! hurla-t-il. Tu me contredis ?

Elle se raidit en lui rendant la bouteille.

— Non. Mais as-tu oublié ce marshal que tu voulais tuer ? As-tu oublié qu'il vit encore, que sa balle te fait toujours souffrir et que tu es obligé de boire plus à cause de cette ordure ?

Il fronça les sourcils.

— Je n'ai pas oublié. (Il se massa le crâne.) Kevin Tucker. Tu vois ? Je m'en souviens.

— C'est Foster. Kevin Foster.

— Ouais, quelle différence ? Il va payer, ne t'inquiète pas pour ça.

— Quand ? Cela fait déjà une année entière qu'on est partis.

— Faut que je réfléchisse, que je fasse des plans. Bon sang, tout l' monde me croit mort là-bas. On peut avoir la belle vie aussi longtemps que ça nous plaira.

— Jusqu'à ce qu'il n'y ait plus d'argent.

Il fronça les sourcils.

— Tu me casses vraiment les pieds, ces derniers temps ! Si tu veux rentrer, alors rentre. Mais lâche-moi un peu.

Les yeux de Fran s'embuèrent.

— Je ne sais pas où aller, Doc. Les Yankees nous

ont dépouillés de tout. Le vieux Sud n'existe plus. Mark est mort, ma mère est morte...

— Anna n'est pas morte, fit-il alors avec un vague regret.

Fran sursauta. Elle n'aimait pas l'entendre parler d'Anna.

— Elle devrait l'être. Elle t'a trahi. Tu te rappelles ? Cette mijaurée t'a abandonné. Elle est partie, mais moi je suis restée. C'est moi qui t'ai été fidèle et loyale, pas Anna. Elle doit probablement se vautrer dans le lit d'un autre homme maintenant.

Il ricana.

— J'aimerais bien voir sa tête si j'allais la trouver ! Je devrais aller la chercher pour la ramener ici et lui montrer qu'elle est toujours ma femme. Cette petite saleté... elle ferait la dégoûtée, sûrement. Je me souviens comment elle m'a regardé à Centralia.

— Où veux-tu la trouver ? Elle a disparu sans laisser d'adresse.

Mais Doc semblait séduit par sa nouvelle idée. Il avala une rasade d'alcool et expliqua :

— Voilà ce qu'on va faire. On va rester ici encore un peu. Ce marshal Foster, il doit se la couler douce en me croyant mort. En croyant que la guerre est terminée. (Il ricana.) Mais bientôt, on va lui montrer à quel point il se trompe. Je m'occuperai de lui. Peut-être même qu'on attaquera à nouveau cette banque de Topeka. Ils ne doivent pas s'y attendre. Et puis, on ira brûler quelques fermes du côté de Lawrence. Ces gens m'ont chassé de leur ville : je leur dois un petit souvenir. Et si par chance, je retrouve Anna, je lui montrerai ce qui arrive à une femme qui trahit son mari.

— Tu veux la tuer ? s'enquit Fran, vaguement méfiante.

— Peut-être. Mais d'abord, je lui montrerai qu'elle est encore ma femme.

— Tu devrais l'éviter ou la tuer, Doc. L'un ou l'autre. Sinon, elle est capable de t'attirer des ennuis, de te dénoncer.

— Peut-être bien...

Il soupira et son expression se transforma radicalement : il arbora un air presque angélique.

— Fran, tu peux m'aider si tu veux, reprit-il gentiment. Il me faudra des hommes. Il faudra que tu t'occupes d'eux comme tu t'occupes de Jerry et de Mink. C'est pour la cause, tu comprends ? Ils en auront besoin.

Fran serra les dents mais soutint son regard.

— Je le ferai, Darryl, à condition que tu n'oublies pas que je n'aime que toi. Je ne t'abandonnerai jamais.

Il lui adressa un clin d'œil.

— Je le sais. Tu coucheras avec moi ce soir. Jerry n'aura qu'à prendre Lana.

Elle sourit.

— Merci, Doc. Tu ne le regretteras pas.

16

Anna lissa sa robe bleue. Le corsage cintré accentuait la rondeur de sa poitrine et la minceur de sa taille. De la dentelle blanche ornait le décolleté fort discret ainsi que les poignets. Elle portait un chapeau de paille décoré d'un ruban bleu.

La chaleur était étouffante. Elle s'épongea le front avec son mouchoir.

— Kevin, je vais ressembler à une motte de beurre fondue.

Il lui sourit tendrement.

— Allons, Anna, tu ne vas pas rencontrer le roi et la reine d'Angleterre. C'est juste mon frère et ma sœur.

— Je sais... mais ils ne m'ont jamais vue et nous sommes déjà mariés. Tu es sûr que je suis convenable ?

Se tournant vers lui, elle remarqua l'éclat particulier de son regard. Une agréable sensation de chaleur l'envahit au souvenir de l'intimité qu'ils avaient partagée ces trois derniers jours, et elle sut précisément à quoi il pensait en cet instant.

Il l'embrassa sur la joue.

— Anna, même un sac de patates aurait l'air d'une robe de gala sur toi. Et tu le sais. Arrête de t'inquiéter.

Elle soupira, s'abandonnant à la contemplation de son beau visage. Elle avait toujours du mal à croire qu'il était vraiment son mari. Assis à son côté dans le wagon, il portait un simple jean bleu, une chemise en coton avec un gilet et des bottes de cuir. Sans omettre son pistolet dont il ne se séparait jamais.

— Je serai contente quand tu ne devras plus porter ceci, lança-t-elle.

Il suivit son regard.

— Oh, je ne sais pas. Je crois que je me sentirais tout nu.

— Ton métier te plaît, n'est-ce pas ?

Il repoussa son chapeau en arrière en se tortillant sur le siège : il n'y avait jamais assez de place pour ses longues jambes dans ces wagons.

— Eh bien, j'imagine que c'est surtout l'idée de courir après des hommes qui ressemblent à ceux qui ont blessé ma sœur. J'ai ça dans le sang.

Il discerna l'inquiétude qui la rongeait. Il lui prit la main.

— Je dois admettre que ce ne sera pas facile de rendre mon insigne, ajouta-t-il. Mais je le ferai, pour toi...

Elle le scruta attentivement.

— Je veux que tu sois heureux, Kevin.

— Tant que je serai avec toi, je serai heureux. (Le train ralentit. Des coups de sifflet retentirent.) On arrive à Topeka.

Le cœur d'Anna s'affola lorsqu'elle aperçut la foule qui attendait sur le quai.

— Voilà mon frère ! annonça Kevin penché à la fenêtre en lui montrant un homme assis sur un chariot au bout du quai. Il a dû recevoir mon message.

Il ressemblait beaucoup à Kevin mais quand il enleva son chapeau pour s'éponger le front, Anna remarqua que sa chevelure était beaucoup moins fournie.

— Rob a huit ans de plus que moi, tandis que Christine n'a que dix-sept ans. Mes parents l'ont eue très tard. C'était le bébé qu'on n'attendait plus... tu sais, celui qui arrive quand on croit ne plus pouvoir avoir d'enfants. (Un silence.) Nous prendrons une chambre d'hôtel plus tard. Rob voudra qu'on reste chez eux mais je préfère que nous soyons seuls, pas toi ?

— Kevin ! protesta-t-elle en piquant un fard.

Il éclata de rire alors que le train s'arrêtait. Il se leva et s'empara de leurs bagages.

— Allons-y, madame Foster !

Dès qu'ils sortirent du wagon, Rob sauta à terre pour les rejoindre. Les deux hommes se serrèrent la main et s'étreignirent un instant. Au premier regard, Anna comprit que Robert Foster était un homme aussi droit que Kevin. Visiblement impressionné par elle, il s'extasia sur sa beauté et sur la chance de son frère. La prenant par la taille, il la conduisit jusqu'au chariot. Il l'aida à s'installer sur le siège tandis que Kevin s'occupait des bagages.

— Anna, si une femme peut faire abandonner son arme à mon frère, je lui en serai éternellement reconnaissant, déclara Rob. J'ai trop souvent dû aller le chercher chez le docteur. Notre famille a assez souffert comme cela. Il doit cesser de traquer les pires criminels de la région.

— Je suis bien de votre avis, répondit-elle. Et il ferait un excellent gouverneur adjoint, vous ne trouvez pas ?

Kevin grimpa à son côté sur le siège en bois.

— Arrêtez de comploter derrière mon dos tous les deux. Mon mandat ne se termine qu'en décembre. Dans six mois.

— A mon humble avis, c'est six mois de trop, rétorqua Rob avant de clapper de la langue à l'adresse des chevaux.

A Topeka, constata Anna, tout le monde semblait connaître Kevin. Les gens souriaient en le saluant. Certains le félicitaient même pour son mariage. Il était visiblement très apprécié et la jeune femme n'eut plus aucun doute : il pourrait facilement gagner ces élections.

— Nous aurions voulu venir au mariage, Anna, disait Rob. Mais c'est impossible de voyager avec Christine. Elle a besoin de beaucoup de soins et ce n'est pas facile de trouver quelqu'un pour s'occuper d'elle. Avec Marie — c'est ma femme — on fait en sorte que l'un d'entre nous soit toujours à la maison. Heureusement, notre fille aînée commence à être assez grande pour nous aider.

— Je suis vraiment désolée pour votre sœur, répondit-elle.

Rob secoua la tête.

— Cela a été terrible. Nos parents avaient une petite ferme à l'est d'ici. Les *Bushwhackers* sont venus une nuit. Je n'étais pas là. J'étais déjà marié et je vivais à Topeka, où j'ai un magasin. Ils ont mis le feu à la maison. Puis ils ont tiré sur Christine quand elle est sortie pour échapper aux flammes. Kevin a réussi à en abattre plusieurs avant qu'ils ne s'enfuient avec les chevaux et le bétail. Mais c'était trop tard pour sauver papa et maman. Ils sont morts dans l'incendie.

Anna posa une main sur le bras de Kevin : son mari ne lui avait jamais raconté ces détails. Le dos raide, il fixait la piste devant lui sans rien dire.

— Voilà mon magasin, annonça Rob.

A l'évidence, il était d'un naturel plus loquace que son frère.

— Je suis déjà venue ici, il y a un peu plus d'un an quand...

Elle hésita. Elle avait failli dire : « Quand Darryl a tiré sur Kevin. »

— Quand Kevin a été blessé lors de cette attaque de banque, ajouta-t-elle.

— Oui, Kevin me l'avait dit. Marie et moi, nous savions qu'il était déjà fou amoureux. (Il se pencha.) Pas vrai, frangin ?

Kevin sourit en les contemplant tous les deux, mais Anna perçut sa tension. Le souvenir de ce raid était encore très pénible pour lui. Il acquiesça.

— Je suis tombé amoureux d'elle dès l'instant où je l'ai vue, il y a deux ans et demi... cela fera trois ans en septembre. (Il prit la main d'Anna en lui adressant un clin d'œil.) Arrête-nous à l'hôtel, Rob. Je veux réserver une chambre pour ce soir.

— Mais, Kevin, ce n'est pas nécessaire ! Nous avons de la place à la maison.

— Rob, nous ne sommes mariés que depuis trois

jours. Je veux pouvoir rester un peu seul avec mon épouse, tu saisis ?

Rob éclata de rire alors que les joues de la jeune femme se coloraient.

— Cela doit faire trop longtemps que je suis marié... D'accord pour l'hôtel.

Quelques secondes plus tard, il immobilisa l'attelage et Kevin pressa la main d'Anna.

— Attends-moi là. Je réserve une chambre. J'en ai pour deux minutes.

Elle le suivit des yeux tandis que des passants le saluaient. Avec un soupir, elle se tourna vers Rob.

— Cela le trouble encore, n'est-ce pas ? La mort de vos parents...

Rob redevint grave.

— Oui. Je crois que c'est encore pire pour lui parce qu'il était présent. Pendant un temps, il était vraiment fou de rage. Il a pris son Colt et l'insigne de marshal adjoint et il s'est mis à traquer ces bandits. Il a accompli un si bon travail que, très vite, on l'a nommé marshal. Je crois qu'il se reproche de ne pas avoir pu aider Christine et nos parents. (Il marqua une pause.) Il aime son métier, Anna. Je ne suis pas absolument certain qu'il sera heureux de faire autre chose mais il le fera pour vous. Tant qu'il vous aura, tout ira bien. Mais, vous savez, ce genre de travail, on a cela dans le sang.

— Ce sont exactement les mots que Kevin a employés. Je sais qu'il faut des hommes comme lui, pour faire régner la loi et l'ordre. J'ai simplement peur pour lui. Mais je veux qu'il soit heureux...

Rob lui tapota la main.

— Comme je l'ai dit, tant qu'il vous aura, il sera heureux. Je connais Kevin. Il a l'air dur, surtout quand il affronte ces criminels, mais au fond c'est un tendre. Par-dessus tout, il désire un foyer et une famille, et s'il doit rendre sa plaque pour cela, il la rendra.

A cet instant, Kevin sortit de l'hôtel, l'air enjoué.

— J'ai réservé la meilleure chambre, annonça-t-il en prenant sa femme par la taille. Rob, tu n'as pas idée d'un endroit où construire une maison? On aimerait s'installer à Topeka.

— Eh bien, il y a cette petite colline près de chez nous... Il y a de l'herbe, une très belle vue et quelques peupliers. Le terrain m'appartient, alors cela ne vous coûtera rien.

— Oh, non... protesta Anna. Je tiens à...

— Pas question, la coupa Rob. Ce sera notre cadeau de mariage. Je voulais cultiver cette terre mais le magasin marche très bien et je n'ai pas le temps de m'en occuper... Il paraît que vous possédez un restaurant et une maison à Abilene, Anna?

— Oui. Comme mon... (A nouveau, une douleur sourde lui noua le ventre.) Comme mon premier mari ne revenait pas, je me suis dit qu'il fallait que je m'en sorte seule. J'avais travaillé dans un restaurant à Columbia. C'était facile de réussir à Abilene avec tous ces cow-boys affamés. A présent, je pense louer ma maison mais je veux garder le restaurant. Cela nous permettra de voir venir jusqu'à ce que Kevin soit élu.

Rob secoua la tête d'un air admiratif.

— Mon frère, c'est une sacrée femme que tu as trouvée. Indépendante, dure au travail et, en plus, elle t'apporte une dot!

Kevin éclata de rire.

— Je ne l'ai pas épousée pour sa dot. En fait, j'aimerais qu'elle vende ce restaurant mais elle a travaillé si dur pour l'avoir que je ne peux lui en vouloir d'y être attachée. Quand nous aurons une famille, peut-être changera-t-elle d'avis... (Il adressa un nouveau clin d'œil à Anna.) Mais je suis d'accord avec toi, c'est une sacrée femme. Je ne t'avais pas menti à son sujet, n'est-ce pas ?

— Oh non, et tu étais même en dessous de la vérité ! Je t'envie.

— Rob, vieux frère, tu as une épouse merveilleuse et tu le sais. J'ignore comment Marie fait pour te supporter mais je suis content qu'elle y parvienne.

Rob gloussa.

— Oui, c'est une femme épatante. Dieu sait que ça n'a pas toujours été facile d'élever quatre enfants et de veiller sur Christine. Elle a adopté Christine comme sa propre fille.

— Je serai heureuse de vous aider lorsque nous serons installés, intervint Anna. Je pourrai au moins vous soulager de temps à autre, Marie et vous. Vous pourrez sortir, faire des courses, des promenades... Vous devez avoir besoin de vacances. Si vous désirez partir quelques jours, je serai contente de veiller sur Christine et les enfants.

Reconnaisant, Kevin la pressa contre lui.

— Eh bien, c'est très gentil à vous, Anna, répondit Rob. Mais d'abord, Kevin et vous devez vous installer. Vous avez encore des tas de choses à régler...

Peu après, ils arrivaient devant une maison à deux étages bâtie en dehors de la ville. Rob s'arrêta près du porche où une jolie jeune fille aux longs cheveux sombres était assise dans un fauteuil roulant.

— Marie, les voilà ! cria-t-elle.

Une femme d'âge mûr apparut à la porte, tout sourires. Elle s'essuya les mains sur son tablier et courut vers le chariot, suivie par quatre enfants.

Marie étreignit Kevin avant de se tourner vers Anna qu'il lui présenta.

— Oh, Kevin, elle est si belle ! s'exclama la femme avec un large sourire.

La serrant dans ses bras, elle lui souhaita la bienvenue dans la famille. En un rien de temps, Marie parvint à dissiper la nervosité d'Anna. A trente-cinq ans, sa silhouette n'était plus aussi fine qu'autrefois : elle avait donné naissance à six enfants dont deux reposaient à présent au cimetière. Ses rides témoignaient que la vie n'avait pas toujours été facile mais ses yeux bleus brillaient d'une infinie bonté. Ses cheveux noirs, tirés en chignon, étaient parsemés de fils gris.

La prenant par le bras, Kevin conduisit son épouse vers Christine. La jeune fille sourit gaiement tandis qu'il se penchait pour l'embrasser. Anna remarqua qu'elle ne pouvait même pas lever les bras pour l'étreindre à son tour. Une boule douloureuse lui noua la gorge : la pauvre était encore plus gravement atteinte qu'elle ne l'avait imaginé. A cause de bandits sans foi ni loi, cette magnifique jeune fille n'avait même pas pu apprécier les plaisirs les plus simples de la vie.

Kevin s'écarta pour la présenter. Anna s'approcha, légèrement mal à l'aise de ne pouvoir lui serrer la main.

— Marie a raison, Kevin, dit Christine. Ta femme est très jolie. Je suis contente que vous vous soyez mariés. (Elle se tourna vers Anna.) Vous allez lui faire rendre son insigne, n'est-ce pas ? J'ai si peur pour lui.

— Je vais essayer, répondit Anna.

Malgré un brave sourire, Christine avait les yeux brillants de larmes.

— Quand il se fait blesser, je me sens toujours un peu responsable. Il traque ces gens à cause de moi et je ne cesse de lui dire que ce n'est pas la peine.

Kevin la souleva dans ses bras.

— Je le fais pour que cela n'arrive pas à d'autres que toi, rectifia-t-il en la portant dans la maison, tandis que les quatre enfants encerclaient Anna.

Il y avait Nora, treize ans, Ben, dix ans, Paul, six ans et la plus petite, Nancy.

— C'est mon bébé, expliqua Marie en la prenant dans ses bras. Elle a deux ans.

La maison était remplie d'odeurs délicieuses et Marie s'excusa aussitôt : elle devait retourner à la cuisine.

— J'ai préparé un dîner, annonça-t-elle. J'espère qu'il sera bon ! ajouta-t-elle en riant. Kevin nous a dit que vous êtes une merveilleuse cuisinière et que vous avez même votre propre restaurant à Abilene ! Je vous admire, Anna. Avoir réussi ainsi toute seule, par vos propres moyens. Il faut être courageuse pour s'installer dans une ville comme Abilene.

— Oh, je ne suis pas si courageuse. En fait, j'avais décidé de rejoindre ma sœur dans le Montana mais j'ai eu peur de m'aventurer plus loin à cause des Indiens. Je me suis donc retrouvée à Abilene un peu par accident. (Elle contempla son mari qui portait toujours Christine.) Mais j'en suis heureuse, car cela m'a permis de revoir Kevin.

— Et nous en sommes heureux, nous aussi. Mettez-vous à l'aise, je vais finir le repas.

— Puis-je vous aider ?

Marie commença par refuser mais Nora attrapa la jeune femme par la manche.

— Oh, maman, laisse-la venir dans la cuisine avec nous... qu'on puisse parler !

Visiblement, l'adolescente l'adorait déjà. Elle l'entraîna vers la cuisine...

Un peu plus tard, à travers la fenêtre, Anna vit

Kevin qui se promenait dans le jardin en compagnie de Christine. Il la déposa avec précaution sur un banc avant de s'asseoir à son côté.

La gorge de la jeune femme se serra.

— Maintenant que je vois Christine, je comprends mieux les raisons qui poussent Kevin à faire ce métier, dit-elle à Marie.

Celle-ci lança un coup d'œil par la fenêtre et sourit tristement.

— Oui. Christine était le bébé de la famille, la petite sœur gâtée par ses deux frères. Après l'attaque, ça a été plus dur pour Kevin parce qu'il était là et qu'il avait tout vu. Il s'en est toujours voulu de n'avoir rien empêché. Il a tort, bien sûr, il ne pouvait rien faire. Ils étaient trop nombreux. On a essayé de lui dire qu'il valait probablement mieux que Christine ait reçu cette balle, sans cela les pillards l'auraient emmenée avec eux et Dieu sait ce qu'elle aurait enduré. Mais Kevin continue à se le reprocher. Cela va être difficile pour lui quand elle va mourir.

Anna la dévisagea avec surprise.

— Mourir?

Les lèvres pincées, Marie ravala ses larmes.

— Kevin ne vous a rien dit? Le docteur pense qu'elle en a pour un an ou deux, tout au plus. (Elle se mit à couper du pain.) D'abord, seules ses jambes étaient paralysées. Mais, petit à petit, son état a empiré. Comme vous l'avez constaté, elle ne peut plus bouger les bras. La balle est toujours en elle. Le docteur dit que s'il essayait de l'enlever, il la tuerait. Les nerfs ont été touchés de telle façon que ses muscles perdent l'un après l'autre leur tonicité. Bientôt, ce sera au tour des muscles qui lui permettent de respirer. Alors...

Elle se détourna.

— Christine le sait-elle ? demanda Anna, glacée.

— Nous ne lui avons rien dit. Mais je pense qu'elle sait. Vous avez vu comme elle est maigre. Elle a de plus en plus de mal à manger. C'est difficile pour elle d'avaler.

Anna était à son tour au bord des larmes. « Mon mari était un *Bushwhacker*, un meurtrier, songea-t-elle. Un homme capable de commettre une telle horreur... »

— C'est terrible, murmura-t-elle. Quelle chose atroce ! Et ce doit être dur pour vous aussi.

— Oh, c'est une fille délicieuse qui a pris tout cela avec un courage incroyable. Elle ne se plaint jamais. Je crois que Christine est en paix avec Dieu et se sent prête à Le rejoindre. Quand cela arrivera, nous ne devrons pas être tristes. Nous devrons être contents pour elle. Elle sera soulagée de cette abominable agonie, si lente et si cruelle. (Marie se tourna vers Anna et posa une main sur son bras.) Parfois, je me surprends à prier pour qu'Il la rappelle à Lui très vite, afin de mettre un terme à ses souffrances. Je prie pour qu'elle meure paisiblement avant que ses poumons ne refusent de fonctionner. Ce serait une mort si horrible... Croyez-vous que ce soit mal de prier pour la mort de quelqu'un ?

Anna pensa à Darryl. Il y avait eu des moments où elle aussi avait prié pour qu'il fût mort.

— Non, répondit-elle. Je ne crois pas que ce soit mal.

Marie poussa un long soupir.

— Allons, assez de tristesse. Aujourd'hui est un jour de bonheur. Vous êtes ici et c'est merveilleux pour Kevin et pour nous tous. (Elle se détourna.) Nora, la table est mise ?

— Oui, maman.

— Alors, tout le monde à table !

Très vite, toute la famille se trouva réunie autour d'un copieux repas. La discussion roula sur différents sujets : la construction d'une maison à Topeka, le restaurant d'Anna à Abilene. Celle-ci observait Kevin qui aidait Christine à manger : chaque bouchée coûtait à la jeune fille un effort pénible et à chaque fois, Anna craignait qu'elle ne s'étouffe. Mais Christine vint à bout de son assiette, ce qui l'épuisa. Kevin la porta dans sa chambre.

Anna aida à débarrasser la table et à faire la vaisselle. Soudain, Kevin vint l'enlacer par-derrière.

— Et si on allait faire un petit tour ? lui demanda-t-il à l'oreille.

Elle éclata de rire.

— Kevin, nous n'avons pas encore fini la vaisselle.

— Oh, je vous en prie, allez-y, intervint Marie. Nora terminera avec moi.

La jeune femme essaya de protester mais Kevin, le bras passé autour de sa taille, l'entraîna dehors.

— Allons voir l'endroit où nous allons construire notre maison, ma chérie.

Il la conduisit sur une butte qui s'élevait à quelques centaines de mètres de la demeure de son frère. Un immense peuplier se dressait à son sommet. Dès qu'ils furent sous son feuillage, Kevin l'attira contre lui pour l'embrasser avec passion. Il y avait du désespoir dans ce baiser. Elle eut soudain la surprise de le sentir trembler.

— Elle ne connaîtra jamais ceci, Anna, dit-il d'une voix brisée. Elle ne connaîtra jamais l'amour, n'aura jamais d'enfants... (Il se détourna pour s'essuyer les yeux.) Seigneur, en voilà une façon de se comporter devant sa jeune épouse !

Anna posa une main sur son épaule.

— Kevin, tu dois cesser de te faire des reproches. C'est ridicule. Marie a raison, cela aurait été encore pire s'ils l'avaient enlevée.

Il rejeta la tête en arrière et respira profondément.

— Je sais. Marie t'a-t-elle expliqué qu'elle meurt à petit feu ?

— Oui. Pourquoi ne m'as-tu pas dit que c'était aussi grave ? Je croyais que seules ses jambes étaient touchées.

Il haussa les épaules en l'attirant contre lui.

— Je ne sais pas. C'était... difficile pour moi d'en parler. Je préférais laisser Marie t'expliquer. C'est quelqu'un de bien. Rob a une belle famille, n'est-ce pas ?

— Oui. Je me sens très bien avec eux. (Elle le serra dans ses bras.) J'espère pouvoir te donner beaucoup d'enfants, moi aussi, Kevin.

— L'essentiel, c'est que nous soyons ensemble... Je dois admettre que, en voyant Christine, j'ai du mal à envisager de rendre mon insigne. Mais ce serait injuste de te faire supporter une vie pareille. Et puis, les hommes qui lui ont fait ça sont morts pour la plupart.

« Des hommes comme Darryl Kelley », songea-t-elle.

— Je suis vraiment désolée, Kevin. Je ne sais pas quoi dire...

— Il n'y a rien à dire. Et moi, je suis désolé d'être aussi triste.

Elle le serra encore une fois avant de contempler le paysage qui s'offrait à eux : Topeka niché dans une vallée d'un côté et des prairies doucement vallonnées de l'autre.

— C'est très joli, ici, Kevin. Ton frère a raison. Ce sera un endroit merveilleux pour bâtir notre maison et nous serons près de Christine. (Elle le dévisagea à nouveau.) Mais ça me gêne que ton frère nous offre ce terrain.

Il sourit.

— Ça me gêne aussi. Mais je connais Rob et il sera vexé si nous essayons de lui donner quelque chose en échange. Il m'en a déjà parlé trois ou quatre fois aujourd'hui. Il tient vraiment à nous l'offrir, Anna.

Elle secoua la tête, attendrie.

— C'est un homme merveilleux. D'ailleurs, vous êtes tous les deux merveilleux. Vos parents ont fait un travail magnifique avec leurs enfants.

Il se raidit et elle sut qu'il repensait à la mort de ses parents.

— Nous retournerons à Abilene dans quelques jours pour nous occuper de tes affaires là-bas, annonça-t-il. Avant de partir, nous irons voir un charpentier. Nous resterons à Abilene jusqu'à ce que notre maison soit terminée. Je devrai encore m'absenter deux ou trois fois d'ici à décembre. A cette époque, la maison sera finie et nous nous y installerons.

— Kevin, j'ai peur à l'idée que tu partes encore...

Il prit son visage entre ses mains.

— Cela ne me plaît pas non plus. Mais chaque fois que je reviendrai, nous rattraperons le temps perdu.

Il lui fit un clin d'œil accompagné d'un large sourire, puis il s'empara de sa bouche pour un long et délicieux baiser. Tous deux attendaient la nuit avec impatience et l'intimité de leur chambre d'hôtel. Ils n'étaient nullement repus l'un de l'autre.

Il l'attira contre lui en gémissant.

— Seigneur, comme je t'aime, Anna!

— Je t'aime, moi aussi, murmura-t-elle en sentant une exquise chaleur se répandre dans son ventre.

Tout ce qu'elle avait découvert aujourd'hui, son chagrin et sa souffrance, l'amour qu'il vouait à sa sœur, la rendait encore plus amoureuse de lui. Et aussi plus déterminée que jamais à ne pas lui avouer la vérité à propos de Darryl.

17

Décembre 1867

La maison possédait deux étages avec un toit en pente et tout le monde à Topeka admirait la nouvelle demeure de M. et Mme Foster, avec son lierre grimpant et la terrasse qui occupait toute la largeur du rez-de-chaussée.

Anna connaissait enfin le bonheur que le destin lui avait refusé avec Darryl : elle était enceinte. Elle avait une vraie maison, un mari aimant, et un bébé grandissait dans son ventre. Pour la première fois de sa vie, elle était comblée.

Pendant les quatre premiers mois de leur mariage, elle avait continué à vivre à Abilene, dirigeant le restaurant en guettant dans l'anxiété le retour de Kevin qui écumait les plaines du Kansas à la poursuite de bandits. Elle ne l'avait vu qu'une ou deux fois par mois et ils avaient consacré l'essentiel de leur temps à faire l'amour.

A présent, elle n'avait plus que deux semaines à attendre avant qu'il rende définitivement son insigne. D'ailleurs, Kevin était tout aussi impatient de rester à ses côtés. Bientôt, il commencerait la campagne pour se faire élire gouverneur adjoint. Une vie merveilleuse s'ouvrait devant eux.

Les souvenirs de Darryl et des années d'enfer

s'estompaient dans l'esprit de la jeune femme. Elle ne s'autorisait à songer qu'à cette première année de mariage, quand son mari était un jeune médecin dévoué. Elle refusait de penser au Darryl qu'elle avait vu à Centralia, au Darryl qui tuait et violait. Elle était presque parvenue à se convaincre qu'il était mort à la guerre.

Il lui arrivait encore de regretter de n'avoir rien dit à Kevin. Mais maintenant qu'ils étaient mariés et qu'elle portait son enfant, elle avait l'impression qu'il était beaucoup trop tard et que ce serait de toute façon inutile. Darryl était mort... Cette partie de sa vie était achevée. Une autre commençait.

Le déménagement fut très facile : Kevin insista pour qu'elle ne fasse rien. Il engagea des hommes qui emballèrent et transportèrent ses affaires depuis Abilene. Anna commanda l'essentiel de leur mobilier à Saint Louis et Kevin lui expliqua qu'elle n'avait qu'une chose à faire : indiquer aux déménageurs où disposer les meubles. Il était d'une prévenance absolue pour elle...

Un jour, deux semaines avant Noël, alors que la dernière assiette venait de trouver sa place dans le vaisselier de la cuisine, Kevin la prit dans ses bras et l'embrassa avec une ardeur qui l'intrigua.

— C'est bientôt Noël, murmura-t-il. Notre premier Noël en tant que mari et femme, dans notre propre maison. Que dirais-tu si je te donnais un de tes cadeaux maintenant?

Elle le dévisagea.

— Tout de suite?

Une étrange tristesse passa dans le regard de Kevin.

— Tout de suite. (Il fouilla à l'intérieur de sa veste de mouton et en retira son insigne.) Je vais au bureau rendre ceci.

— Kevin, je...

— Ne t'en fais pas. Cette plaque signifie beaucoup pour moi, mais pas autant que ma famille. Il est temps que je quitte ce métier, Anna.

— Je veux que tu sois heureux, Kevin. Un homme doit faire ce qui compte le plus à ses yeux.

— Tu es ce qui compte le plus à mes yeux.

Il l'embrassa à nouveau avant de quitter la maison. Une fois en selle, il lança un regard vers le porche. Oui, se dit-il en contemplant sa femme, il avait raison de rendre cet insigne, aussi difficile que cela pût être...

Au bureau du marshal, il retrouva son ami, Jim Lister. Les deux hommes se serrèrent la main. Kevin n'eut pas besoin de parler : Jim devina immédiatement la raison de sa visite.

— Tu démissionnes ?

Kevin poussa un soupir.

— Il est grand temps, je pense.

Ils se dévisagèrent, tous deux se souvenant de cette journée qu'ils avaient passée coincés dans un fossé par Bill Sharp et ses hommes. Jim comprenait Kevin, il savait à quel point le destin de sa sœur le faisait souffrir.

— Tu as eu une carrière sacrément courte comme marshal, Kevin, mais sacrément efficace. Au moins, elle se termine bien. Tu as raison d'arrêter, mon ami. Moi, je n'ai rien, pas de femme qui m'attend, pas de famille. Mais si j'avais ce que tu as maintenant, j'arrêterais sur-le-champ.

Kevin sourit tristement.

— Je n'en suis pas si sûr. Tu aimes tellement ce travail que tu périrais d'ennui.

Jim éclata d'un rire léger.

— En tout cas, je suis prêt à parier que tu vas être élu, Kevin, et tu seras encore meilleur comme gouverneur adjoint que comme marshal. C'est une belle occasion qui se présente à toi.

Posant une main sur son épaule, Jim l'accompagna jusqu'à son bureau.

— C'est vraiment moche pour ta sœur, reprit-il, mais Dieu sait que tu as essayé. Tu as fait du très bon travail.

— Aucun travail ne rendra sa santé à Christine. Mais j'ai fait de mon mieux. Je ne peux changer le passé, Jim. Et c'est insupportable.

— Je sais, Kevin, je sais. (Il ajusta son chapeau.) Bon, il faut que j'y aille. Je devrais déjà être en route.

Kevin le fixa droit dans les yeux.

— Sois prudent, Jim. Et viens nous voir quand tu passeras par Topeka.

— Tu peux y compter. Bonne chance, Kevin. J'espère que ta femme aura un beau bébé en pleine santé.

— Merci.

Kevin soupira et baissa les yeux vers son bureau. C'était étrange de voir Jim partir en patrouille sans lui. Il sortit sa plaque de métal de sa poche et la contempla longuement avant de l'abandonner sur la table.

Kevin entra en campagne dès le mois de janvier. Il partit en tournée à travers tout le Kansas pour rencontrer les électeurs et ceux qui, déjà, voulaient former son comité de soutien. Anna l'accompagna au cours des premières semaines puis resta ensuite à Topeka.

En mars, il cessa ses tournées pour demeurer à la maison. Il ne voulait surtout pas manquer la naissance du bébé...

Les douleurs commencèrent une nuit, au cours

d'un rêve. Anna voyait le visage de Darryl. Il riait à nouveau. Il pointait un pistolet vers elle et appuyait sur la détente. La balle lui traversait le ventre, provoquant une douleur épouvantable...

Elle hurla avant de se redresser, haletante.

— Anna ?

Kevin s'assit à son tour et alluma la lanterne.

— Anna, qu'y a-t-il ? répéta-t-il, angoissé.

Éperdue, elle le fixa un instant avant de comprendre qu'il s'agissait de Kevin et non de Darryl.

— Je... j'ai fait un cauchemar.

La douleur revint, la pliant en deux.

— Kevin, le bébé...

Il se leva et s'habilla rapidement.

— Ne bouge pas du lit, ma chérie. Je t'envoie Marie tout de suite puis j'irai réveiller le docteur.

Il enfila ses bottes avant de la forcer gentiment à se recoucher. Il la borda avec tendresse.

— Tout ira bien, Anna. Je reviens tout de suite.

Il sortit sans même prendre une veste.

La douleur était si atroce qu'Anna se demanda pourquoi elle avait voulu ce bébé. Soudain, la perspective de l'accouchement la terrorisait. Elle se dit que l'enfant allait être anormal, que ce serait sa punition pour ne pas avoir avoué la vérité à Kevin à propos de Darryl.

Elle se replia sur elle-même. Non, il s'agissait du bébé de Kevin. Il était impossible que Dieu le punisse ainsi...

Marie la rejoignit au bout de quelques minutes qui, pour Anna, durèrent des heures. Tout à coup, elle sentit une grande main sur son front et entendit la voix de son mari lui répéter qu'il allait chercher le docteur.

Le reste de la nuit se déroula comme un rêve

étrange, un mélange entre la réalité et ses angoisses passées. Parfois, elle entendait le rire de Darryl, mais alors elle ouvrait les yeux et voyait Kevin debout devant elle.

A un moment, elle entendit le docteur protester :

— Vous ne devriez vraiment pas être là.

— J'en ai le droit et je veux rester avec elle, répliqua son mari.

La douleur la déchirait. Elle ne pouvait s'empêcher de hurler. Cela lui faisait du bien de hurler, pas uniquement à cause de la souffrance mais aussi pour se libérer de l'angoisse. Combien de fois avait-elle déjà voulu hurler et hurler encore à en perdre la voix, sans oser le faire ?

Pendant des heures, les contractions la torturèrent, jusqu'à ce qu'elle sente la peur dans le timbre de Kevin qui demandait au docteur si tout se passait bien.

— Tout va plutôt bien, répondit l'homme. Le premier est souvent le plus difficile et elle est en train de se battre. Il faut qu'elle se détende pour le laisser venir.

La douleur revint, une douleur plus profonde qui la fit se raidir. Kevin était sidéré de sentir une telle force en elle tandis qu'elle lui broyait la main. Elle serrait les dents alors que le médecin lui ordonnait de pousser. Son mari essaya de l'encourager de son mieux.

— C'est bien, Anna, dit le docteur. Aidez le bébé et nous en aurons bientôt fini.

Pendant plusieurs minutes encore, ce fut un terrible combat mais elle s'accrochait à la main de Kevin. Kevin. Que ferait-elle sans lui ? Pour lui, elle pouvait y arriver... Soudain, quelque chose s'ouvrit en elle et elle éprouva un formidable soulagement. Un instant plus tard, elle entendit une sorte de petit braillement.

— C'est une fille, dit quelqu'un.

Anna sentit que son mari embrassait sa joue trempée de sueur.

— Nous avons une petite fille, ma chérie. Elle est magnifique !

La chambre semblait à présent remplie de voix. Marie dit qu'elle allait laver le bébé et le docteur appuya sur son ventre. Elle cria de douleur.

— Ne vous inquiétez pas, lui dit-il. Tout semble en ordre, Anna. Marie va bientôt vous ramener le bébé et vous pourrez le voir.

Un peu plus tard, Kevin revint auprès d'elle pour lui enfiler une chemise de nuit propre. Il la recoucha avec d'infinies précautions avant de se pencher pour lui caresser les cheveux.

— Elle est superbe, Anna.

Un peu perdue, la jeune femme contempla son mari. Un sourire lui mangeait le visage d'une oreille à l'autre. Et il avait les yeux rouges et gonflés.

— Tu es content ? Même si c'est une fille ? demanda-t-elle.

— Je suis le plus heureux des hommes. D'ailleurs, on en aura d'autres... mais pas avant un moment. Je sais que c'est toi qui as souffert, mais je ne suis pas sûr d'être capable de supporter ça une deuxième fois...

A sa propre stupéfaction, Anna songeait déjà que la douleur n'était pas si terrible. Marie lui avait dit un jour que la plupart des femmes juraient à chaque bébé que ce serait le dernier, mais que les souffrances étaient vite balayées par la joie d'avoir un nouvel enfant.

— Nous en aurons d'autres, affirma-t-elle.

Il l'embrassa longuement sur le front.

— Merci, Anna.

— Promets-moi simplement que... tu ne me quitteras jamais.

Il fronça les sourcils, surpris.

— Pourquoi ferais-je une chose pareille ?

Une larme perla sous la paupière d'Anna.

— Je ne sais pas... Je ne dois plus avoir toute ma tête... Tu ferais bien de télégraphier à Claudine. Elle viendra passer les premiers jours avec moi. C'est beaucoup trop pour Marie. Elle doit déjà s'occuper de Christine.

— J'irai dès l'ouverture du bureau.

— Kevin...

Il l'embrassa.

— Oui ?

— Ne repars pas en campagne tout de suite. Tu... veux bien rester une semaine ou deux ?

— Bien sûr. Tu sais que cette campagne a beaucoup moins d'importance pour moi que toi... et ma fille.

Marie ramena l'enfant et la tendit à Kevin qui la prit avec une maladresse comique. Elle était à peine plus grande que sa main.

— Mon Dieu, Anna, elle est si petite...

Il déposa le bébé à son côté. La jeune femme ouvrit la couverture qui l'enveloppait et observa ses traits. Parfaits... et tous les doigts étaient là ! Son minuscule visage était tout ridé et elle ouvrit la bouche pour se mettre à piailler.

— Vous croyez qu'elle a faim ? demanda Anna d'une voix faible.

— Je crois bien, déclara Marie. C'est bon signe... voilà une enfant qui a envie de vivre.

Elle contourna Kevin et glissa un oreiller supplémentaire sous la tête d'Anna, puis elle l'aida à se mettre en position pour nourrir sa petite fille.

— Il y a une technique mais votre instinct

maternel devrait vous aider à apprendre rapidement.

Le bébé trouva ce qu'il cherchait et le calme revint subitement. Marie sourit et tapota l'épaule de Kevin avant de quitter la chambre. Il contemplait ce spectacle, fasciné. Anna sourit à son tour.

— Elle est jolie, n'est-ce pas ?

— Elle sera aussi jolie que sa mère.

— Et que son père.

Il éclata de rire mais elle vit ses yeux briller d'émotion.

— Je croyais que le jour où tu as accepté de m'épouser était le plus heureux de ma vie. Mais aujourd'hui, le 15 mars 1868, c'est encore mieux. Tu me combles de bonheur, Anna, et chaque jour un peu plus.

Elle se baissa pour embrasser le bébé.

— Nous aurons d'autres choses à célébrer quand tu gagneras les primaires en août et l'élection en novembre. (Elle croisa son regard.) Et tu gagneras, j'en suis certaine.

Il lui sourit tendrement.

— Comment allons-nous l'appeler ?

Anna soupira, surveillant son enfant qui tétait goulûment.

— Je pensais à Rebecca, comme ta mère, annonça-t-elle.

Elle le dévisagea et vit l'amour se mêler à la peine dans son regard.

— Merci, Anna, murmura-t-il d'une voix rauque. Merci à toi. Toute la famille sera heureuse de l'appeler Rebecca.

Elle sourit.

— Alors, ce sera son nom... Rebecca Joline, comme ta mère et ma sœur. Il faut que j'écrive à Jo...

Kevin lui caressa les cheveux et contempla sa petite fille en faisant le vœu qu'à l'avenir elle n'ait rien à craindre d'hommes comme ceux qui avaient détruit la vie de Christine.

18

Anna fut conduite jusqu'à la très jolie chambre d'hôtel où ils passeraient la nuit, Kevin et elle. Elle remercia l'employé qui la laissa seule pour nourrir Rebecca. Le bébé n'attendait pas la fin des discours de son père pour avoir faim.

La jeune femme ouvrit la fenêtre. Il faisait très chaud en ce mois de juillet. Elle pouvait entendre la foule rassemblée dans la rue où Kevin allait prendre la parole.

Elle tira une chaise près de la fenêtre et s'assit, avant d'ouvrir sa robe et de donner le sein à sa Becky, âgée maintenant de quatre mois. C'était la première fois qu'elle accompagnait Kevin en campagne depuis la naissance du bébé. Elle avait été à la fois heureuse et triste d'apprendre que cet important meeting avait lieu à Lawrence, sa ville natale, dont elle gardait tant de bons et de mauvais souvenirs...

Depuis sa fenêtre, Anna apercevait son mari en contrebas dans la rue. Il levait les mains pour réclamer le silence. Il commença par les mots qui le faisaient acclamer partout où il se rendait :

— Mesdames et messieurs, il est temps de montrer à ceux qui veulent enfreindre la loi qu'ils ne seront plus tolérés par les citoyens du Kansas ! Il est temps de regarder devant nous, d'oublier le passé et les vieilles rancœurs. Il est temps de nous tourner vers l'avenir et de montrer que le Kansas est un État civilisé, peuplé de gens civilisés... Un État dont les villes sont bien organisées et dynamiques, un État où nos enfants peuvent recevoir une bonne éducation, où fermiers et éleveurs, même installés dans les coins les plus reculés, n'ont rien à craindre pour leur vie, leurs récoltes et leurs biens... et où la loi et l'ordre sont la priorité des priorités !

Les applaudissements crépitèrent. On scanda son nom en agitant des banderoles. La foule faisait un tel vacarme que personne n'entendit la détonation. Personne n'avait remarqué le canon d'un fusil sur le toit de l'immeuble face à l'hôtel. Et lorsque Kevin bascula lourdement, s'effondrant sur les hommes qui se tenaient derrière lui, il fallut un moment aux gens pour saisir l'horrible vérité. Même Anna ne comprit pas immédiatement.

Puis ce fut la confusion et la panique. Les femmes commencèrent à hurler et à courir pour mettre leurs enfants à l'abri. Les hommes s'agitaient en tout sens. Anna, incrédule, vit un attroupement se créer autour de la silhouette inerte de son mari. Alors, quelqu'un cria les mots redoutés :

— Un docteur, vite !

— Kevin, murmura-t-elle. Non ! fit-elle plus fort. Mon Dieu !

Elle arracha Rebecca à son sein pour refermer très vite sa robe. Serrant le bébé contre elle, elle se rua vers la porte puis dans les escaliers. Privée de son repas, l'enfant se mit à pleurer.

Deux hommes arrêtèrent Anna dès qu'elle sortit de l'hôtel.

— Restez ici, madame Foster.

— Kevin ! Qu'est-il arrivé à Kevin !

Dans son angoisse, Anna ne remarqua pas une grande femme aux cheveux sombres qui se tenait non loin de là et qui les écoutait. La femme sourit et s'éloigna pour rejoindre un homme qui émergeait d'une ruelle, vêtu d'un élégant costume. Ils marchèrent bras dessus, bras dessous vers la gare. Un passant qui courait dans l'autre sens s'arrêta pour leur demander :

— Que s'est-il passé ?

— Je n'en sais rien, répondit Darryl Kelley. Il y a eu un coup de feu, je crois. Je ne voulais pas que ma femme reste là-bas. C'est trop dangereux.

L'homme repartit à toutes jambes, croisant d'autres gens qui fuyaient la scène du drame.

Darryl et Fran rejoignirent leurs chevaux attachés près de la gare. Soudain, il attira sa compagne dans un recoin en riant comme un fou.

— Je l'ai fait, Fran ! J'ai réussi !

Elle l'étreignit en souriant.

— Oui, tu as réussi. Mais ne t'en vante pas trop fort pour le moment. Partons d'ici, Doc.

Elle grimpa sur son cheval et le précéda hors de la ville. Oui, se disait-elle, le cœur en joie, il avait réussi à un point dont il n'avait pas idée. Elle revit le visage ravagé d'Anna. Ainsi, cette petite garce avait épousé Kevin Foster. Ah, que la vengeance était délicieuse !

Claudine pénétra sans bruit dans la salle d'hôpital où gisait Kevin, le visage pâle comme la mort. Anna était assise près du lit. Elle ne semblait guère en meilleur état, les yeux enflés et soulignés de cernes noirs. Rebecca dormait dans ses bras. Anna se redressa à son entrée et Claudine éprouva un déchirant sentiment de pitié pour son amie. Après tout ce qu'elle avait déjà enduré, voilà qu'elle devait supporter cette nouvelle épreuve. La perte de Kevin serait insurmontable pour elle.

— Claudine, fit Anna d'une voix pitoyable.

Son amie se précipita et s'agenouilla devant elle.

— Ma pauvre chérie! (Elle embrassa Anna et le bébé.) Je suis venue aussi vite que possible. Laisse-moi tenir Becky.

Comme apeurée, Anna serra l'enfant contre elle.

— Non. Je... J'ai besoin de la sentir contre moi.

Sa voix était méconnaissable et sa terreur évidente. Fronçant les sourcils, Claudine lui prit la main.

— Cela doit faire des heures que tu es assise là, j'imagine?

Anna se tourna vers Kevin. Au lieu de répondre, elle expliqua :

— La balle n'a pu être extraite. Le docteur dit... qu'elle a traversé de nombreux organes avant de se loger près de la colonne vertébrale. Il a peur d'opérer. Il a peur de... le tuer ou de le laisser paralysé. (Elle fixa des yeux égarés sur son amie.) Il va peut-être finir comme sa sœur.

Claudine la saisit par les épaules.

— Cela n'arrivera pas, Anna. Il faut avoir confiance.

— D'une certaine manière, au fond de moi... je savais qu'une chose pareille allait arriver. Tout... était si merveilleux. Je ne méritais pas d'être aussi heureuse.

— Bien sûr que tu mérites d'être heureuse, et tu le seras! Kevin est un homme fort. Il ne mourra pas et il ne sera pas paralysé.

— C'est ma faute...

Anna ferma les yeux et des larmes coulèrent sur ses joues.

— Ta faute? Allons donc! Pourquoi faut-il toujours que tu te reproches des choses sur lesquelles tu n'as aucun contrôle!

— Je l'ai obligé à rendre son insigne, à abandonner son arme. Je n'ai pas pensé à... tous ces criminels qui... ne veulent pas voir un homme comme Kevin occuper un poste aussi important. S'il avait porté son arme... il n'aurait pas été aussi vulnérable. Ils avaient peur de lui avant. Mais, en rendant son arme et sa plaque, il est devenu une cible trop facile.

— Anna, il les a rendues de son plein gré, pour Rebecca et pour toi. C'est un homme responsable. S'il n'avait pas vraiment voulu les rendre, il ne l'aurait pas fait.

— Oh, comment Dieu peut-Il permettre une chose pareille! Je ne comprends pas! (Serrant Becky contre son sein, elle oscillait sur sa chaise.) Ses... parents, Christine, et maintenant lui... Après tout ce qu'il a fait pour arrêter ces criminels... ce n'est pas juste! Ce n'est pas juste!

Claudine entendit alors quelqu'un fermer les rideaux autour du lit de Kevin. Elle se retourna pour découvrir son frère, Rob, dont le visage était aussi pâle et marqué que celui d'Anna. Elle se leva et lui tendit la main.

— La dernière fois que nous nous sommes rencontrés, je venais tenir compagnie à Anna et au bébé. Tout le monde était si heureux... Je suis désolée, monsieur Foster. C'est terrible. Je ne sais pas quoi dire...

Rob contempla son frère avant de soupirer.

— Merci d'être venue. Cela va faire du bien à Anna de vous avoir à ses côtés.

— Que va-t-il se passer, monsieur? Anna dit que la balle est toujours là?

Rob acquiesça en contournant le lit pour prendre la main de son frère.

— Un chirurgien arrivera de Saint Louis

demain. C'est le meilleur de toute la région. Il va essayer d'extraire la balle. Ensuite, dès qu'il nous donnera l'autorisation de transporter Kevin, nous le ramènerons chez lui. (Il secoua la tête.) Je pensais qu'après nos parents et Christine, notre famille ne connaîtrait plus ce genre d'horreur. Mais un homme comme Kevin a beaucoup d'ennemis...

Claudine se pencha pour toucher le front du blessé.

— Il vivra et il guérira. J'en suis absolument certaine. Il le fera pour Anna et pour sa fille. (Elle se tourna vers son amie.) Tu m'entends, Anna ? Quelque part, tout au fond de son cœur, il sait, il se souvient. Il sait qu'il doit guérir pour prendre soin de Becky et de toi. Il veut voir sa fille grandir, être un père pour elle. Il veut d'autres enfants. C'est ton amour qui lui permettra de s'en sortir, et tu dois être forte maintenant, plus forte que tu ne l'as jamais été. Kevin Foster est un homme solide et coriace. Crois-tu qu'il accepterait de laisser en liberté l'homme qui lui a fait ça ? Pas Kevin Foster. Jamais il ne permettra une chose pareille. Il vivra et il retrouvera le coupable. Et il ne sera pas seul. Il a beaucoup d'amis pour l'aider.

D'un geste sûr et précis, elle enleva le bébé des bras d'Anna sans lui laisser le temps de réagir. La jeune femme la dévisagea avec surprise.

— As-tu mangé ou dormi depuis la fusillade ? demanda Claudine.

Les yeux d'Anna dérivèrent vers son mari.

— Non.

— Alors, c'est ce que tu vas faire sur-le-champ. Si tu tombes malade, qui nourrira la fille de Kevin Foster ? Et qui restera à ses côtés pour l'encourager ? Il a besoin de toi, Anna, et tu ne pourras pas l'aider si tu t'effondres. Viens avec moi. Nous allons te trouver quelque chose à manger, que cela te plaise ou non. Puis tu iras te reposer à ton hôtel.

Anna se tourna vers Rob qui acquiesça.

— Allez-y, Anna. Faites-le pour Kevin. Je reste ici. S'il se passe quoi que ce soit, s'il se réveille et vous appelle, je vous enverrai chercher immédiatement. Reposez-vous un peu et quand vous reviendrez, j'irai en faire de même.

Résignée, Anna se leva lentement. Ses jambes étaient faibles et tremblantes. Elle déposa un baiser sur la joue de Kevin, lui caressa les cheveux. Deux nuits plus tôt, il lui avait fait l'amour avec une telle force, une telle vitalité. Sentirait-elle encore ses bras se refermer sur elle, ses lèvres l'embrasser?

— Je t'aime, Kevin, dit-elle doucement. Et Becky a besoin de son papa. Il faut que tu gagnes cette bataille, pour nous, pour Christine. Cela lui briserait le cœur si elle ne revoyait plus son grand frère. Et moi, j'ai besoin de ta force et de ton amour...

Elle l'embrassa une nouvelle fois, comprenant enfin que Claudine avait raison. Elle devait être forte pour lui. Mais elle ne savait pas où trouver cette force.

19

Anna était assise avec Claudine dans le hall du petit hôpital qui ne possédait que deux salles de dix lits chacune. Il aurait été trop risqué de transporter Kevin dans un hôpital plus important, à Saint Louis ou à Chicago. Mais au moins, se rassurait-elle, ils avaient fait venir un des meilleurs chirurgiens.

Les hurlements de Kevin quand on l'avait placé sur un brancard pour l'emmener en salle d'opération continuaient à la hanter. Même inconscient, il endurait des douleurs intolérables...

Oh, comme elle aurait aimé voir le coupable arrêté et puni ! A présent, elle comprenait la détermination de Kevin après la blessure de Christine, cette rage qui l'avait conduit à choisir ce métier. Et elle s'inquiétait de ce qu'il ferait, si jamais il survivait.

Être gouverneur adjoint ne lui suffirait pas. D'ailleurs, il avait déjà perdu ce poste. Il n'était pas en état de se présenter aux élections. Leur rêve d'une vie paisible à Topeka était définitivement brisé.

Elle avait pris un bain et était parvenue à dormir un peu la nuit dernière. En se rendant compte du soutien dont bénéficiait Kevin, elle avait été très émue. Leur chambre était remplie de bouquets de fleurs et de messages de sympathie. Le propriétaire de l'hôtel lui avait annoncé qu'un service exceptionnel aurait lieu aujourd'hui à l'église : les citoyens de la ville prieraient pendant que le docteur opérerait Kevin...

Dehors, les gens qui n'avaient pu trouver place à l'église s'étaient rassemblés dans la rue devant l'hôpital, attendant les nouvelles.

— Non, monsieur, vous ne pouvez pas entrer, déclara une des infirmières.

— Je suis marshal fédéral et un des meilleurs amis de Kevin.

Anna reconnut la voix de Jim Lister. Elle se leva rapidement pour gagner la porte.

— S'il vous plaît, laissez-le entrer.

L'infirmière s'écarta et Jim pénétra dans le hall. Sa mine était éloquente : lui aussi était accablé.

Il dévisagea la jeune femme, le visage blême, le regard noyé de tristesse et d'inquiétude.

— Je ne sais pas quoi dire, Anna. Je...

Sa voix se brisa et il détourna les yeux.

— Je comprends, Jim.

Anna avait souvent rencontré le grand Jim Lister auparavant. Il passait voir Kevin dès qu'il en avait l'occasion. Ils étaient restés très proches depuis ce jour où ils avaient failli mourir ensemble en traquant Sharp.

Lister enleva son chapeau, révélant un crâne chauve.

— Je suis venu dès que j'ai su. Et vous pouvez être certaine que je vais trouver celui qui a fait ça. Même si c'est la dernière chose que je fais sur cette terre...

Anna hocha la tête.

— Je sais que vous le ferez, Jim. J'espère simplement que Kevin sera là pour le voir.

— Il sera là, croyez-moi. Je connais bien Kevin. Il voudra même m'accompagner. Son amour pour vous et son besoin de retrouver ce type vont le galvaniser. Il survivra.

Elle l'examina un instant. Lister présentait un visage rugueux, aux traits taillés à coups de serpe, avec un nez proéminent et une moustache blonde. C'était de toute évidence un homme bon, mais qui savait se montrer extrêmement dur quand il le fallait. Anna ne voyait pas meilleur compagnon pour chevaucher aux côtés de Kevin au cours d'une mission dangereuse.

— Ai-je eu tort, Jim, de vouloir lui faire rendre son insigne ?

Il secoua la tête.

— Non, Anna. Kevin avait fait son choix tout seul. Mais vous devez comprendre que lorsqu'il aura récupéré, il voudra reprendre sa plaque et son arme.

Elle serra Becky contre elle.

— J'y ai déjà pensé.

— Il a ça dans le sang. Et avec ce qui vient d'arriver, ce sera pire encore. Il tenait vraiment à vivre différemment. Mais vous voyez à présent qu'enlever son insigne ne signifiait pas ne plus courir aucun danger. Un homme comme Kevin a beaucoup d'ennemis. D'une certaine façon, il vaut mieux qu'il porte son arme. Les gens savent à quel point il peut être dangereux ainsi, et Kevin lui-même reste davantage sur ses gardes. J'imagine que pendant quelques mois, il a été tellement heureux qu'il a en quelque sorte oublié ses ennemis. On aimerait bien que notre travail soit terminé, Anna. Mais il n'est jamais terminé. (Il tripota un instant son chapeau). J'aimerais attendre ici jusqu'à la fin de l'opération, si ça ne vous dérange pas.

— Non, Jim, ça ne me dérange pas. Au contraire... Son frère est dans la salle avec le chirurgien. Il essaie de l'aider.

— Combien de temps cela va-t-il durer ?

— Le docteur ne savait pas trop. Cela fait déjà quatre heures qu'il opère... (Anna le dévisagea.) Si Kevin décidait de... de reprendre son insigne, vous seriez ensemble le plus souvent ?

Il eut un petit sourire.

— On aime bien travailler ensemble.

Elle baissa les yeux vers Becky.

— Tant mieux. J'ai confiance en vous, Jim. Vous risqueriez votre vie pour lui. Je le sais et je vous en suis reconnaissante. Je me sentirais mieux... de savoir qu'au moins vous êtes ensemble.

Jim lui tapota gentiment l'épaule.

— Anna, Kevin sait ce qu'il fait. Et je peux vous assurer qu'il courra moins de risques avec son arme.

— Je ne peux m'empêcher de penser que ce qui est arrivé est en partie ma faute.

— Non, non, c'est lui qui a pris cette décision. Il pensait que c'était ce qu'il fallait faire. A présent, s'il change d'avis, ce sera à vous de le soutenir.

Elle caressa la joue de Becky.

— Je sais.

— Laisse-moi prendre le bébé un moment, ma chérie, intervint alors Claudine. Tu dois avoir mal au bras.

La jeune femme lui tendit l'enfant.

— Oh, Claudine, je suis désolée. Je ne vous ai pas présentés. Voici Jim Lister. Il était l'adjoint de Kevin autrefois. Ils ont arrêté ensemble le gang Sharp. Jim, voici Claudine Marquis, une très chère amie. Elle dirige mon restaurant à Abilene.

Claudine esquissa un sourire.

— Je suis heureuse de vous rencontrer, monsieur. J'ai beaucoup entendu parler de vous. M. Foster m'a raconté un jour vos exploits. C'est un homme si bon.

Jim opina.

— Oui, m'dame. Mais Kevin est aussi un battant et je suis sûr qu'en cet instant, tout au fond de lui, il est drôlement en colère. Ça et son amour pour Anna et le bébé, c'est ce qui va le sauver.

— Vous avez raison. C'est ce que je n'arrête pas de répéter à Anna.

Celle-ci lissa sa robe et se massa le cou. Chacun de ses muscles était noué.

— A-t-on une idée de qui a pu commettre une chose pareille, Jim ?

— Pas encore. En fait, nous avons des tas de suspects possibles. Mais rien de précis.

— Le meurtrier doit probablement être en route pour le Mexique, à l'heure qu'il est. Il ne sera jamais pris.

— Oh, je n'en suis pas si sûr. Je pense que ce gars-là doit être assez curieux pour rester dans les parages. Et il aura sûrement envie de clamer partout qu'il a abattu le grand Kevin Foster. Non, je pense qu'il ne doit pas être loin. Il attend de savoir si Kevin va vivre ou mourir.

Vivre ou mourir. Oui, se dit Anna, l'alternative était simple... et terrifiante.

Au bout de sept heures abominables, le médecin et Rob sortirent enfin de la salle d'opération. Ce dernier était décomposé et semblait au bord de l'évanouissement.

— Il vit, annonça-t-il à Anna.

Elle se jeta dans ses bras et il la serra contre lui.

— Jamais je ne voudrais revivre une épreuve pareille, reprit-il.

Elle s'écarta pour faire face au chirurgien.

— Comment cela s'est-il passé, docteur Madison ? demanda-t-elle.

— Aussi bien que possible. C'est un des pires cas que j'aie jamais rencontrés. La balle a pénétré de haut en bas et provoqué des dégâts innombrables. Par miracle, elle n'a pas touché le cœur et les poumons. Il ne devra ingurgiter que du liquide pendant un bon moment. C'est un homme solide, d'une constitution robuste, et on m'a dit qu'il avait du tempérament. Si tout se passe bien, je pense qu'il survivra. J'ai fait tout ce dont la science médicale est capable à l'heure actuelle.

Il prit la main d'Anna.

— Je dois vous avouer que je ne puis garantir qu'il remarchera. (Il lui pressa la main en voyant l'espoir déserter ses yeux.) La balle s'est logée près des vertèbres lombaires, madame Foster, dans le bas du dos. J'ai été aussi prudent que mon habileté me le permettait mais il n'y a aucun moyen de connaître l'étendue des lésions. Il faut attendre. Ne soyez pas alarmée si, au début, il semble paralysé. Il va beaucoup souffrir et chaque mouvement provoquera des douleurs insupportables. Mais même les nerfs cicatrisent, madame Foster. A mesure que son dos guérira, les douleurs s'atténueront et il pourra bouger un peu. Pour l'instant, nous avons enveloppé ses jambes, ses hanches et le bas de son dos de façon qu'il ne puisse pas remuer. Je veux qu'il reste immobile pendant au moins un mois.

Jim se détourna pour que nul ne remarque ses larmes.

— Et si d'autres le portent ? demanda Anna. Pouvons-nous le ramener chez nous ? Je pense qu'il se rétablira mieux dans notre maison à Topeka. Sa belle-sœur, son frère et moi pourrons nous occuper de lui.

Le docteur acquiesça.

— Dans à peu près deux semaines, ce sera envisageable. Je vais rester ici quatre ou cinq jours pour surveiller son évolution. Après, il me faudra rentrer à Saint Louis mais je laisserai des instructions pour le médecin de cet hôpital et le vôtre à Topeka. Et s'il y a le moindre problème, envoyez-moi chercher. Mais je pense sincèrement que s'il passe ces prochains jours, il sera hors de danger.

Anna lui serra la main.

— Merci pour tout, docteur. Puis-je le voir ?

— Vous pouvez vous asseoir à son côté mais il est sous sédatifs. Ne vous inquiétez pas s'il a des nausées à son réveil. C'est une réaction courante à l'éther. Je ne serai pas loin. Pour l'instant, j'aimerais manger et me reposer un peu.

— Oui, vous l'avez bien mérité. (Anna se tourna vers son beau-frère.) Et vous aussi, Rob. Vous avez une mine affreuse. Vous vous sentez bien ?

Il eut un rire nerveux.

— Je suis juste un peu secoué. (Il se frotta les yeux.) Je crois que je vais envoyer un message télégraphique à Marie et me reposer aussi.

— Allez-y. Je reste avec Kevin.

Il chercha son regard.

— Et vous ? demanda-t-il. Je vous trouve bien calme et forte, soudain.

Elle sourit, les yeux brouillés de larmes.

— Je connais Kevin. S'il a supporté tout ceci, il survivra. Jim l'a dit tout à l'heure : il doit être drôlement en colère. Et c'est ce dont il a besoin en ce moment. Il va vouloir trouver celui qui a fait ça. Si ces idées de vengeance l'aident à rester en vie et à marcher de nouveau, alors je préfère qu'il soit enragé. Je suis d'accord pour qu'il reprenne son insigne et son arme.

Rob esquissa un sourire.

— Eh bien, il a épousé la femme idéale... Venez, docteur. Je vous accompagne. Je crois qu'il y a des gens, là dehors, qui attendent des nouvelles.

Anna se tourna vers Jim :

— Pourquoi n'iriez-vous pas prendre un verre ? J'ai l'impression que vous en avez besoin.

Il hocha la tête et se dirigea vers la porte.

— Je reviendrai plus tard.

Claudine rejoignit Anna et les deux femmes s'étreignirent.

— Allons voir Kevin, dit Claudine. Il a besoin d'entendre ta voix, d'entendre Becky.

Anna rassembla toutes ses forces. Les semaines qui s'annonçaient allaient être les plus difficiles de son existence. Elle ne devrait montrer aucun doute, aucun découragement. Elle devrait laisser croire à Kevin qu'il pouvait remarcher.

Respirant profondément, elle pénétra dans la

pièce. En le découvrant, elle réprima une folle envie de hurler. Pourquoi cette blessure avait-elle changé ses traits à ce point ? Cet homme inconscient, aussi pâle qu'un cadavre, ne ressemblait pas à Kevin.

— Oh, mon amour, murmura-t-elle, désespérée de ne pouvoir prendre un peu de sa douleur en elle.

Sept jours passèrent dans une angoisse atroce. Pas une seule fois, Kevin ne se réveilla. Pas une fois il ne montra le moindre signe de conscience. La vie semblait l'avoir déserté.

Anna bordait ses draps pour la centième fois de la journée quand elle sentit soudain un changement dans la pièce. Elle se redressa. Les yeux grands ouverts, il la fixait en silence.

— Kevin ?

Elle s'approcha, lui touchant le visage.

— Tu es réveillé ? Tu me vois ? Peux-tu parler ?

Il voulut bouger. Un râle lui échappa et il frémit.

— N'essaie pas de bouger, Kevin. Pas encore. Il faut que tu guérisses d'abord.

Il contempla la pièce autour de lui avant de revenir à elle, les yeux égarés comme ceux d'un petit garçon.

— Où... suis-je ?

Elle ferma les paupières et remercia le ciel : au moins, il avait repris conscience. Elle l'embrassa sur la joue.

— Nous sommes à Lawrence, Kevin. Tu es venu ici pour faire un discours, tu te rappelles ? C'était il y a un peu plus d'une semaine. (Elle lui caressait tendrement les cheveux.) Quelqu'un t'a tiré dessus. Nous ne savons pas encore qui, mais Jim et d'autres sont sur l'enquête.

— Tiré sur moi ? Pourquoi ? C'est... grave ?

— Pour l'instant, nous ignorons pourquoi. Quant à la blessure... c'est assez grave. Un spécialiste est venu de Saint Louis pour t'opérer. Il reviendra t'examiner bientôt. La balle s'est arrêtée près de la colonne vertébrale. C'est pour cela que tu souffres autant. (Elle lui prit la main.) Kevin, le docteur a dit que tu ne devais pas t'inquiéter si, au début, tu n'arrives pas à bouger. Il dit que les nerfs guériront et que tu pourras...

— Pas bouger! (Il voulut essayer mais hurla de douleur.) Mon Dieu... pas comme Christine! Il faut que je bouge. Il faut que... je sorte de... ce satané lit... que je trouve ce... celui qui a fait ça!

Elle saisit son visage à deux mains. Il était en nage et tremblait de façon incontrôlable.

— Kevin, écoute-moi je t'en prie! Tu marcheras, mais pas si tu essaies trop tôt! Tu dois faire ce qu'a dit le docteur et te donner un peu de temps. Je t'en supplie. Fais ce qu'il dit. Fais-le pour Christine, pour moi et pour Becky.

— Becky, murmura-t-il, les larmes aux yeux. Où est... Becky?

— Elle est ici dans son berceau, juste à côté de ton lit. Je vais te la montrer. Elle va bien, ne t'inquiète pas.

Soulevant le bébé, elle le tint au creux de son bras de façon qu'il la voie.

— Voilà pourquoi il faut que tu ailles mieux, Kevin. Tu as survécu à une blessure qui aurait tué la plupart des hommes. Le docteur a dit que si tu passais les premiers jours sans avoir d'infection grave, tu serais hors de danger. Maintenant, il faut que tu laisses ton dos guérir.

Il ferma les yeux.

— Et s'il... ne guérit pas? Je... ne serai plus... un mari pour toi, un père pour Becky... Je ne pourrai pas... trouver... celui qui a fait ça.

— Tu vas guérir, Kevin. Le docteur en est certain, mentit-elle. Mais il faut faire ce qu'il dit.

— Anna... pauvre Anna. Ce doit être... l'enfer pour toi.

Elle reposa Becky dans le berceau.

— N'y pense pas. C'est toi qui traverses l'enfer.

— Jim. Je veux voir... Jim...

— Il va venir.

— Où est... Rob ?

— Il est resté presque toute la semaine. Puis il a dû rentrer auprès de Marie et Christine. Claudine est venue, elle aussi, mais je l'ai renvoyée hier pour s'occuper du restaurant.

— Il y a... quelque chose... sur mes jambes.

— C'est une sorte de corset pour t'empêcher de bouger.

Il y eut un bref silence.

— Qui... qui a fait ça ? Qui ?

— Si seulement je le savais... (Elle l'embrassa une nouvelle fois.) Ne pense pas à cela pour l'instant, Kevin. Concentre-toi sur ta guérison. Tu dois commencer à manger.

— Je vais... essayer. (Un voile passa devant ses yeux.) Et... les élections...

Elle ravala ses larmes.

— Il faudra attendre la prochaine fois, mon chéri. Mais le gouverneur lui-même m'a dit qu'il te soutiendrait si tu te représentes. D'après lui, tu auras encore plus de chances de gagner. Il pense même que tu pourrais devenir gouverneur, un jour.

— Pas gouverneur... marshal... Je veux retrouver celui... qui a fait ça.

La gorge nouée, elle posa la joue sur son front.

— Tu le retrouveras, Kevin. Tu le retrouveras.

La foule s'était rassemblée à la gare pour saluer Kevin Foster qu'on embarquait à bord d'un wagon spécialement aménagé. Rob et Jim Lister étaient venus l'aider. Le trajet en chariot depuis l'hôpital avait été atrocement douloureux pour Kevin mais le docteur avait perçu un premier signe encourageant : il pouvait à nouveau bouger les orteils.

Toujours engoncé dans son corset, il était attaché à un brancard. Rob et Jim le soulevèrent avec d'infinies précautions pour l'installer sur un matelas de plumes disposé dans le wagon. Dehors, les gens pleuraient. Tous connaissaient Kevin Foster mais ils avaient peine à reconnaître cet homme maigre, pâle et immobile.

Un peu plus tard, le train s'ébranla.

— Jim, grogna Kevin, le visage couvert de sueur.

— Je suis là, répondit-il, agenouillé à son côté.

— Qu'as-tu... appris ?

— Pas grand-chose, en réalité. On travaille dur, Kevin. Jesse James et les Younger sont en train de mettre le Missouri à feu et à sang.

— Tu crois que c'est eux ?

Jim secoua la tête.

— Je ne sais pas. Mais si ce n'est pas eux, c'est quelqu'un qui pense comme eux. Apparemment, les James et les Younger ne sont pas venus par ici. Mais Lawrence n'est pas si loin du Missouri. Cela dit, cet attentat a un parfum de vengeance, Kevin. Et tu n'as jamais pourchassé ces types.

— J'aurais aimé le faire.

Jim sourit et demanda :

— Et toi ? Qu'en penses-tu ?

Il espérait ainsi détourner ses pensées de la douleur qui le torturait.

Kevin passa la langue sur ses lèvres.

— Je... ne sais pas. Tous ceux... qui auraient pu vouloir se venger de moi... sont morts. Ce fou... ce

Crazy Doc... il aurait fait un bon suspect. Ou Bill Sharp. Mais ils sont morts tous les deux...

Anna se détourna à la mention de Crazy Doc. Au moins, se dit-elle, voilà une horreur à laquelle son ancien mari n'était pas mêlé.

— Ce qui m'inquiète, continuait Kevin, c'est que ce salopard... devait être là dans la foule. Il devait bien rire... et il aurait pu... s'en prendre à Anna... ou à Becky.

— Personne ne leur fera aucun mal. A Topeka, j'ai déjà pris des dispositions pour que ta maison soit gardée en permanence. Ne t'inquiète pas pour ça. Pense simplement à guérir et à te remettre sur pied.

Kevin respira profondément.

— Cette fois... c'est un peu plus moche que cette blessure avec le gang Sharp, hein ?

Pour cacher sa peur, Jim gloussa.

— C'est sûr, Kevin. Mais tu t'es déjà sorti de situations impossibles, tu t'en sortiras encore une fois. (Il lui toucha le bras.) Ne les laisse pas gagner, Kevin, tu m'entends ? Ne laisse pas ces ordures gagner ce coup-ci. Si tu dois mourir d'une balle, il vaut mieux que ce soit l'arme à la main en train de te défendre.

— C'est... comme ça que j'ai toujours vu les choses.

Jim se leva.

— Je te laisse à Anna.

— Merci d'être là, Jim, dit celle-ci.

Il hocha la tête et s'éloigna. Par la fenêtre, la jeune femme aperçut la foule qui les saluait une dernière fois. Désormais, Lawrence resterait un mauvais souvenir pour elle. Huit ans plus tôt, les gens de cette ville les avaient chassés, Darryl et elle. Et son second mari avait maintenant failli y perdre la vie.

Elle regarda les maisons disparaître en souhaitant ne jamais revenir dans sa ville natale. Oui, elle y avait été heureuse pendant son enfance, mais la guerre avait tout changé.

20

Les deux mois qui suivirent furent une épreuve terrible. Kevin souffrait le martyre et Anna le soignait avec une constance et une patience à toute épreuve. Rob amenait souvent Christine qui encourageait son frère à guérir.

La jeune fille était plus frêle que jamais et, à mesure que l'état de Kevin s'améliorait, le sien empirait, comme si à chaque fois qu'elle lui tenait la main, elle lui transmettait un peu de ses forces. Anna remarqua qu'elle respirait de plus en plus difficilement.

En novembre, Becky avait huit mois et elle commença à ramper un peu partout à travers la maison. Kevin était capable de s'asseoir et même de s'installer tout seul dans un fauteuil roulant. Il avait repris un peu de poids. Mais son humour avait totalement disparu. Anna sentait l'amertume s'installer en lui.

La colère le rongeait et il s'énervait pour un rien. Son aigreur s'accrut encore à l'époque des élections auxquelles il ne participait pas. Son rêve était brisé, et Anna sentait qu'il s'en voulait de l'avoir en quelque sorte trahie...

Peu avant Noël, Rob apporta des béquilles.

— Ah, je vais peut-être enfin pouvoir quitter ce maudit fauteuil ! grogna Kevin.

Anna voulut l'aider à se lever.

— Laisse-moi tranquille ! aboya-t-il.

Elle écarquilla les yeux de surprise. Jamais il ne lui avait parlé sur ce ton. Elle recula, regardant Rob qui fronçait les sourcils. Lui aussi percevait le changement chez son frère. Sans un mot, Anna saisit Becky qui jouait par terre.

Dès qu'elle eut quitté la pièce, Kevin jeta les béquilles d'un geste rageur.

— J'en ai assez ! grommela-t-il.

— Te rends-tu compte de ce que cette femme a vécu ces derniers mois ? lui demanda son frère, choqué.

— Rentre chez toi, Rob. Merci pour les béquilles. Je les essaierai demain. Je veux parler à Anna.

Rob hocha la tête en soupirant.

— Tu es tout pour elle, Kevin. Tu as eu besoin d'elle ces derniers mois mais n'oublie pas qu'elle aussi a besoin de toi.

Kevin se frotta les yeux.

— Je sais, je sais... Va-t'en.

Son frère lui étreignit l'épaule avant de partir. Kevin attendit quelques secondes puis rejoignit sa femme dans leur chambre : elle changeait Becky. Elle sentit sa présence mais ne dit rien.

Après avoir enfilé une chemise de nuit à l'enfant, elle l'installa dans son petit lit qui était placé à côté du leur... un lit dans lequel Anna n'avait plus dormi depuis leur retour de Lawrence. Pour ne pas le déranger, elle couchait sur le sofa.

Elle frotta gentiment le dos du bébé jusqu'à ce que la petite Becky ferme les yeux. Sans un mot, Kevin continuait de l'observer.

— Je suis désolé, dit-il finalement.

— Tu n'as pas à l'être. Je comprends ce que tu éprouves. Je... (Elle hésita.) J'aimerais simplement retrouver le Kevin que j'ai connu. (Elle se décida à affronter son regard.) Pas physiquement. Cela ne me dérange pas du tout... C'est le vrai Kevin qui me manque.

Anna était terrorisée. Deviendrait-il un jour comme son premier mari ?

Il l'étudia longuement avant de détourner le regard.

— Anna, quand je suis en colère, ce n'est pas après toi. Ça tombe sur toi parce que tu es là, c'est tout. Je regrette vraiment, ma chérie. Je suis tellement frustré de voir à quel point tu dois t'occuper de moi toute la journée. Je ne supporte pas de ne pouvoir être un vrai mari pour toi. Et puis, le fait que nous vivions avec ton argent...

— Nous avons déjà parlé de ça, Kevin. C'est *notre* argent. Au nom du ciel, cet argent devrait être le cadet de tes soucis en ce moment ! Tu ne devrais penser qu'à une chose : guérir.

Il parut troublé, comme s'il cherchait ses mots.

— Ce n'est pas simplement l'argent, Anna. Ce n'est pas pour ça que je suis... en colère. Le pire... bon sang ! Le pire, c'est que je voudrais tellement t'avoir avec moi la nuit. Mais... ça me... gêne.

Elle fronça les sourcils.

— Qu'est-ce qui te gêne ?

La colère le reprit.

— Je ne devrais pas avoir à te l'expliquer. Tu es là, une femme si belle, si pleine de vie... et je ne peux pas être un homme pour toi !

Elle eut envie de rire et de pleurer en même temps. S'asseyant sur le lit, elle laissa échapper un soupir de soulagement : voilà donc ce qui le chagrinait tellement !

— Oh, Kevin, dit-elle calmement en le fixant droit dans les yeux. Comment as-tu pu penser... (Elle sourit.) Sais-tu à quel point ça me manque de sentir tes bras autour de moi chaque nuit ? C'est tout ce dont j'ai besoin. C'est de toi dont j'ai besoin... pas de faire l'amour mais simplement de toi. J'ai besoin de savoir que tu m'aimes encore.

Il était stupéfait.

— Si je t'aime ? Comment peux-tu en douter ? Sans Becky et toi, jamais je ne m'en serais tiré !

— Je croyais que ce qui comptait surtout pour toi, c'était de retrouver le coupable.

Il soupira.

— Anna... mon Dieu, ça compte aussi, bien sûr... mais l'essentiel, ça a toujours été Becky et toi. (Il fit rouler sa chaise pour venir auprès d'elle et lui prendre la main.) J'ai tellement besoin de toi...

Oh, comme elle aimait cette phrase ! Elle lui pressa la main.

— Tu vas guérir, et tu redeviendras le mari que tu désires être. D'ici là, ça me suffit de savoir que tu es près de moi.

Il scruta longuement ces yeux bleus qu'il aimait tant.

— Tu veux bien dormir avec moi ce soir ? Je déteste dormir tout seul.

Elle le dévisagea, le regard embué de larmes.

— Je sais à quel point c'est affreux pour toi, Kevin. Je sais comme tu as souffert. Mais imagine ce que j'ai vécu. Tu pouvais mourir... J'ai déjà perdu un mari et nous avons eu si peu de temps ensemble...

— Je sais, répondit-il. Mais je ne suis pas mort. Et je me sens devenir plus fort chaque jour. Bientôt, je marcherai à nouveau et je te referai l'amour. Je te le promets.

Elle sourit tristement en essuyant ses larmes.

— Cela n'a pas d'importance tant que je sais que tu m'aimes.

— Je t'aime, Anna. Tu te rends compte que nous ne nous sommes pas embrassés depuis des mois ? Je ne parle pas de ces bisous que tu me donnes sans arrêt, je veux parler d'un vrai baiser.

Elle reconnut alors l'étincelle dans ses yeux. Il l'attira contre lui et leurs lèvres s'unirent. Il l'embrassa tendrement, longuement, réveillant une passion depuis trop longtemps endormie.

Il s'écarta pour l'admirer.

— Et si on se couchait ? proposa-t-il. J'aimerais te voir te déshabiller. Cela fait des mois que je te regarde sans te toucher.

Elle rougit mais commença à délacer ses chaussures.

— Tu peux me toucher autant que tu en as envie, Kevin Foster.

— Je n'osais pas. C'était trop dur en sachant que je ne pouvais rien faire de plus.

Il admira ses formes élancées tandis qu'elle se débarrassait de sa robe et de son jupon. Un désir lancinant lui déchira les reins. Au moins, il avait retrouvé toutes ses sensations. Si seulement ses jambes fonctionnaient...

Elle enfila une chemise de nuit avant de l'aider à se déshabiller. Comme il détestait cela : être incapable de s'occuper de lui-même... Pendant des mois, elle l'avait baigné, soigné, nourri comme un bébé, comme Becky. La malheureuse avait dû s'occuper de deux enfants.

Mais c'était terminé, se promit-il. A présent, il se laverait tout seul, mangerait tout seul. Dès demain, il utiliserait ces maudites béquilles...

Elle lui enleva ses caleçons longs et souleva ses jambes pour l'aider à entrer dans le lit. Tandis qu'elle éteignait la lumière, Kevin s'assura que sa carabine était bien à portée de sa main.

— Tu as verrouillé les portes ? s'enquit-il.

— Oui.

Elle tira les couvertures sur eux avant de se glisser dans ses bras.

— Oh, Kevin, serre-moi...

Ses bras puissants se refermèrent sur elle tandis qu'elle se blottissait contre son torse. C'était merveilleux de se retrouver là. Voilà tout ce dont elle avait besoin.

— Je marcherai à Noël, Anna. Ce sera mon cadeau pour toi.

Elle embrassa sa poitrine.

— Kevin, c'est dans trois semaines à peine.

— Même si c'était dans trois jours, je marcherais à Noël !

Kevin et Anna passèrent le dîner de Noël avec Rob et Marie. Tous les enfants étaient réunis et Becky était, bien sûr, la plus choyée d'entre tous. Kevin était venu en marchant avec ses béquilles jusqu'à la maison de son frère. Ces derniers temps, il s'entraînait jusqu'à huit heures par jour.

Ses premiers essais avaient été extrêmement difficiles mais il s'était acharné avec détermination. Ses jambes étaient faibles et mal coordonnées et son dos le torturait toujours.

Au début, en le voyant grimacer, Anna avait été tentée de le freiner ou de l'aider, mais elle savait que c'était la dernière chose à faire. Elle s'était donc résignée à le laisser marcher dans le couloir pendant des heures.

Finalement, la soirée de Noël fut plus gaie qu'elle ne l'aurait cru possible. Jim Lister, qui n'avait pas de famille, s'était joint à eux. Et, depuis qu'il avait ses béquilles, l'humeur de Kevin s'était considérablement améliorée.

Chez les Foster, la coutume voulait qu'on ouvre les cadeaux le soir de Noël, ce qui faisait le bonheur des enfants. Becky amusa tout le monde en écartant ses jouets car elle préférait le papier qui les enveloppait.

Marie et Anna avaient préparé un festin royal. Après celui-ci, Rob emmena Christine se coucher. Les enfants l'imitèrent peu après. Les femmes firent la vaisselle tandis que les trois hommes passaient au salon fumer un cigare.

— Il va beaucoup mieux, n'est-ce pas, Anna? demanda Marie.

— Oui. Surtout depuis qu'il a les béquilles. Je pense qu'il va se rétablir complètement, répondit la jeune femme en frottant un plat, l'air absent. Je... j'ai simplement peur du jour où il va vouloir reprendre son insigne.

— C'est trop important pour lui. N'essayez pas de l'en dissuader.

— Je sais. Mais cela me terrifie. Rien que l'idée de ne jamais savoir où il est...

— Peut-être qu'un jour, il donnera définitivement sa démission. Surtout s'il retrouve l'homme qui l'a blessé.

— J'aimerais...

— Anna?

Elle se retourna pour découvrir Kevin debout sur le seuil, les yeux brillant d'une joie espiègle. Cela faisait des mois qu'elle ne lui avait pas vu une telle expression.

— Ne bouge pas, dit-il.

Elle remarqua alors qu'il n'avait pas les béquilles.

— Comment...

— J'ai marché! Ça m'a pris quelques minutes mais je suis venu du salon jusqu'ici sans béquilles. Reste où tu es, je vais marcher jusqu'à toi.

Elle sentit sa gorge se serrer.

— Kevin... n'en fais pas trop.

— Je t'avais promis un cadeau de Noël. Maintenant, ne bouge surtout pas.

Il lâcha le mur et attendit quelques secondes pour se stabiliser. Puis il avança un pied, faisant passer son poids en avant. Il oscilla mais tint bon, les bras tendus devant lui comme s'il marchait sur une corde raide. Il fit un nouveau pas, puis un autre, fournissant un terrible effort pour traverser la cuisine jusqu'à Anna.

— Tu ferais mieux de m'attraper avant que je ne me casse la figure.

— Oh, Kevin. (Elle l'enlaça par la taille et il la serra contre lui.) C'est le plus beau cadeau qu'on m'ait jamais fait.

Il embrassa ses cheveux.

— Je ne peux pas encore me pencher ou m'agenouiller mais j'y arriverai. Je vais m'entraîner. Après, je monterai à cheval. Au printemps, je serai redevenu le Kevin Foster que tu as épousé.

— Kevin, je n'en crois pas mes yeux! s'exclama Marie. Oh, il faut que Christine voie ça.

— Je lui montrerai demain matin.

— Elle sera si heureuse. Elle aura vécu assez long...

Gênée, elle s'interrompit.

— Son état a empiré, n'est-ce pas? demanda Kevin qui gardait un bras autour des épaules d'Anna.

Marie soupira.

— Elle n'arrive plus à contrôler... ses besoins. Et elle respire de plus en plus mal. (Ses yeux s'embuèrent.) Je ne vois vraiment pas comment elle pourra passer une nouvelle année. Oh, je ne voulais pas aborder ce sujet ce soir...

— Non, ce n'est rien. J'avais remarqué qu'elle respirait mal. Merci pour tout ce que vous avez fait pour elle, Marie. Je sais comme ça a été dur...

— Bah, ne parlons pas de ça maintenant ! C'est un merveilleux Noël. Vous marchez à nouveau. (Elle gloussa gentiment.) Bon, je vais vous laisser tous les deux. Je suis sûre que vous avez très envie d'être seuls.

Elle quitta la cuisine tandis qu'Anna, interloquée, se tournait vers Kevin. Une étincelle amusée dansait dans ses yeux.

— Je leur ai demandé de garder Becky ce soir, annonça-t-il, mi-espiègle, mi-gêné. Rentrons chez nous, Anna. Je veux savoir si je suis capable...

Le feu aux joues, elle murmura :

— Je le sais déjà, Kevin...

Quelques minutes plus tard, ils étaient dans leur chambre et Anna enlevait sa cape et son chapeau. Kevin s'assit lourdement sur le lit.

— Si je te dis quelque chose, tu me promets de ne pas rire ?

— Quelle chose ? demanda-t-elle en le rejoignant.

— Je me sens comme une jeune vierge avant sa nuit de noces.

Elle enfonça les doigts dans sa chevelure et sourit tendrement.

— Alors, je serai le marié.

Elle s'écarta et commença à se déshabiller, rougissant de sa propre audace tandis qu'elle révélait peu à peu son corps. Levant lentement les bras derrière la nuque, pour lui laisser le temps d'admirer ses seins lourds et offerts, elle relâcha sa chevelure qui cascada sur ses épaules.

Il la dévorait des yeux, s'attardant sur ses seins fiers, sur la taille fine, sur les hanches si rondes et délicates. Dieu, comme il avait envie d'elle, mais il n'osait pas bouger!

A nouveau, Anna surprit cette expression de petit garçon. Elle s'agenouilla devant lui, déboutonnant sa chemise pour embrasser sa poitrine. Du bout des doigts, elle suivit la longue cicatrice avant de l'effleurer de sa bouche.

Elle lui retira ses bottes puis sa ceinture avant de dégrafer son pantalon.

— Lève-toi, chuchota-t-elle.

Il parvint à se dresser et elle fit glisser son pantalon et son caleçon le long de ses jambes. Levant un pied après l'autre, il s'en débarrassa. Anna était debout devant lui à présent, caressant cette partie de lui qu'elle n'avait pas osé toucher depuis si longtemps car il n'était pas prêt. Il l'attira contre lui.

— Aide-moi, Anna, murmura-t-il.

Elle lui embrassa à nouveau le torse avant de tirer les couvertures et d'éteindre la lampe. Elle se coucha. Kevin la rejoignit, ramenant ses jambes sous les draps sans son aide. Anna les recouvrit tous les deux puis elle l'enlaça. Kevin s'accrocha à sa chevelure, lui rendant ses baisers avec ferveur.

Soudain, sans qu'ils aient besoin de parler, ils comprirent comment ils pourraient faire l'amour pendant les prochaines semaines sans lui faire mal.

Il l'attira de façon qu'elle le chevauche. Anna n'avait encore jamais osé se placer ainsi, mais le besoin qu'elle avait de lui et sa passion lui dictaient ce qu'il fallait faire. Elle le guida à l'intérieur d'elle-même, éprouvant une gêne et une immense satisfaction mêlées. Mais sa gêne ne tarda pas à disparaître. Pour l'instant, c'était elle qui devait lui faire l'amour, qui devait être active. Et elle allait lui montrer qu'il était toujours un homme.

Cette expérience devint l'une des plus délectables

qu'elle ait jamais connues. Le contact de ses mains sur ses seins, ses gémissements de plaisir qui remplaçaient ceux de douleur, le bonheur de le sentir à nouveau en elle, tout cela l'amena à l'extase. Quelques secondes plus tard, elle sentit le plaisir jaillir en elle. Elle se fondit dans ses bras, posant la joue sur sa poitrine.

D'une main infiniment douce, il lui caressait les cheveux. Soudain elle se rendit compte qu'il pleurait en silence.

— Merci, Anna, murmura-t-il.

— Joyeux Noël, chuchota-t-elle en souriant. Je crois que nous venons d'avoir chacun notre cadeau.

— Le plus beau, répondit-il.

Assis à son bureau, Jim Lister chassa une mouche en maudissant la chaleur étouffante. C'est à cet instant qu'il aperçut une haute silhouette devant lui.

— Kevin ! (Il se leva, la main tendue.) Tu as l'air en forme. Seigneur, je me demandais si je verrais ce jour...

Ils s'étreignirent amicalement.

— Tu sais pourquoi je suis ici, déclara Kevin d'emblée.

Jim l'étudia sans répondre.

— Je suis en pleine forme, reprit Kevin. Je m'entraîne au tir et je suis aussi bon qu'avant. Je peux monter et marcher, même si j'ai encore mal parfois. Mais les douleurs ne me gênent pas : au contraire, elles me stimulent. Il y a de fortes probabilités pour que, désormais, j'aie mal toute ma vie, surtout au dos. Mais ce n'est pas ça qui m'empêchera de faire mon travail.

Jim soupira. Les deux hommes s'assirent. Ils

fumèrent un cigare quelques instants sans rien dire.

— Bon, fit enfin Jim, je ne suis pas vraiment surpris de te voir ici. Les choses ont beaucoup changé en un an, Kevin. L'an dernier, à la même époque, tu te présentais aux élections. Tu pourrais te représenter, tu sais. Le gouverneur aimerait bien t'a...

— Tu ne me feras pas changer d'avis. Même Anna ne s'y est pas risquée. Tu devrais me connaître.

Jim hocha la tête.

— Je te connais. Mais un ami a quand même le droit d'essayer, non ?

Kevin eut un petit sourire.

— D'accord, tu as essayé. Passons à autre chose.

Jim posa les coudes sur son bureau.

— L'attorney général a tenté plusieurs fois de me donner ton poste de marshal en chef. A vrai dire, ils ne voyaient pas qui d'autre mettre à ta place. Mais j'ai refusé. Je me doutais qu'un jour tu reviendrais. Et quand tu as été blessé, ça a été une certitude.

Il ouvrit un tiroir et lança négligemment la plaque de métal à Kevin qui l'attrapa au vol. Jim sourit.

— Pour tester tes réflexes.

Son ami le fixa d'un regard impavide.

— Mes réflexes sont excellents, surtout quand il s'agit de dégainer. (Il contempla son insigne.) Maintenant, tout ce qui m'intéresse, c'est de savoir qui m'a fait ça.

Jim avala une bouffée de son cigare.

— Je crois le savoir.

Kevin sursauta.

— Et tu me le cachais ?

— Je ne voulais rien te dire avant que tu ne sois prêt. J'avais peur que tu te lances sur les pistes sans même pouvoir monter correctement. J'ai fait mon enquête mais ce type est malin... très malin. Il a réussi à nous faire croire qu'il était mort.

Kevin fronça les sourcils.

— De qui parles-tu ?

— De Crazy Doc.

Une flamme étincela dans le regard de Kevin.

— Crazy Doc ! Il est vivant ?

— La rumeur le prétend. J'ai arrêté des voleurs de chevaux, il y a deux semaines, près de la réserve indienne. L'homme à qui appartenaient les chevaux voulait les exécuter sur place mais je ne l'ai pas laissé faire. Nous étions dans le district du juge Quill et les deux gars savaient que Quill n'est pas un tendre : il fait pendre systématiquement les voleurs de chevaux. Pour eux, le rancher ou Quill, c'était du pareil au même. L'un d'eux m'a demandé si j'interviendrais auprès du juge en échange d'un renseignement important. J'ai dit que ça dépendait du renseignement. Alors, il est devenu très bavard. Trois mois plus tôt, il avait fait partie de la bande de Crazy Doc.

Kevin ne le quittait pas des yeux.

— Tu crois qu'il disait la vérité ?

— Je crois, oui. Il n'était pas assez malin pour inventer une histoire pareille. Selon lui, Crazy Doc s'était caché au Mexique avec une femme et quelques hommes. Puis il est revenu il y a à peu près un an. Très vite, après deux ou trois pillages, il a reconstitué une bande à laquelle notre gars s'est joint... Un jour, avec la femme qui l'accompagne, Doc revient au repaire habillé comme un milord et leur annonce qu'il part régler une affaire importante. Quelques jours plus tard, ils apprennent que Kevin Foster a été descendu. Il paraît que Crazy Doc parlait souvent de toi, qu'il t'insultait, te traitait de Yankee, tu vois le genre... Mon gars était sûr que Crazy Doc et cette femme avaient fait le coup, alors il a préféré quitter la bande avant leur retour. D'après lui, Doc est complètement fou, incontrôlable... et il n'avait pas envie de voir tous les marshals des États-Unis leur courir après.

— Il t'a dit le nom de cette femme et l'endroit de leur cachette ?

— Doc l'appelait Fran. Fran Rodgers, je crois.

Les sourcils froncés, Kevin releva les yeux.

— Fran Rodgers ? C'est bizarre, je connais ce nom-là...

— Tu l'as peut-être entendu à Columbia. Cette femme tenait un restaurant là-bas avant de tout sacrifier pour suivre le Doc. Ce doit être un drôle d'oiseau, celle-là...

Kevin sursauta à nouveau.

— Mon Dieu !

— Qu'y a-t-il ?

— Maintenant, je m'en souviens. C'est la femme pour qui travaillait Anna à Columbia. Elles se sont fâchées à cause de la guerre. Cette femme est une Sudiste enragée. Voilà pourquoi elle a suivi Crazy Doc. Je me demande s'ils se voyaient déjà à l'époque. Il faudra que j'interroge Anna à ce sujet... (Il soupira.) Bah, elle ne doit pas savoir grand-chose ! Cette Fran et elle ne s'entendaient pas. Anna a fini par démissionner.

— Elle va être très inquiète en apprenant que Crazy Doc est toujours vivant, Kevin, et qu'il te court toujours après. Il t'a déjà blessé deux fois.

— La troisième fois, c'est moi qui lui réglerai son compte, répliqua son ami en se levant. Je suis prêt, Jim. Où est sa planque ?

Lister se mordit la joue.

— C'est là le problème. Avant que j'aie fini de

parler avec ce gars, un tireur embusqué les a descendus, lui et son copain. Je sais que c'est un type payé par le rancher qui a fait le coup, mais je n'ai aucune preuve. Maintenant, ils sont morts et nous n'en savons pas plus. Ces éleveurs se croient tout permis. Ils pensent qu'ils ont le droit de rendre leur propre justice. Et le juge Quill n'a même pas voulu me donner de mandat contre le rancher. D'après lui, en tuant ces deux voleurs de chevaux, il a épargné des frais à l'État.

— Bon sang, grogna Kevin. Ça ne va pas être facile de retrouver ce bâtard !

— Ce n'est pas si sûr... A vrai dire, j'ai une petite idée. Il sait que tu as survécu. On va dire aux journaux de faire tout un plat de ta guérison et de ton retour comme marshal. Il en entendra obligatoirement parler et la tentation de te faire la peau sera trop grande pour lui. Il reviendra... mais cette fois, on l'attendra.

Kevin eut un petit rire.

— Pour sûr qu'on l'attendra. Si cet homme disait vrai, si Crazy Doc est bien vivant, c'est notre meilleur suspect. Cette façon d'agir lui ressemble. Mais ça ne m'enchante pas trop de jouer la chèvre... (Il réfléchit.) Il doit sûrement se cacher dans la réserve indienne.

— On n'a aucune chance de le trouver là-bas, Kevin, et tu le sais. Dès qu'on y pose un pied, les Indiens nous repèrent. Et la rumeur se répand comme un feu de brousse. Ce Crazy Doc l'apprendrait et il n'aurait plus qu'à disparaître. Il est peut-être fou mais, comme beaucoup de fous, il est aussi très malin. Ce type m'a dit qu'on l'appelait Doc parce qu'il a vraiment été médecin autrefois.

Une idée troublante traversa l'esprit de Kevin. Le premier mari d'Anna avait, lui aussi, été médecin... Il haussa les épaules. C'était ridicule.

— Il ne faut pas lui faire peur, continua Jim. Dès qu'il saura que tu portes à nouveau ton insigne, il se montrera. Et ce sera son erreur. (Ils échangèrent un regard.) Tu vas parler de ça à Anna ?

Kevin grimaça.

— Pas tout de suite. Mais il le faudra, et d'ailleurs je dois lui poser des questions à propos de Fran Rodgers. Non, je vais lui donner un ou deux jours. Elle doit d'abord se réhabituer à me voir porter mon insigne. Toute cette histoire a été très difficile pour elle. Je...

Soudain, le jeune Ben Foster apparut à la porte, haletant et en nage.

— Oncle Kevin !

Le gamin semblait terrifié.

— Qu'y a-t-il, Benny ?

— C'est tante Christine. Elle n'arrive plus à respirer ! P'pa a dit de venir te chercher. Anna et Becky sont déjà à la maison.

21

Pratiquement toute la ville de Topeka assista aux funérailles de Christine Foster. Anna, tenant Becky dans ses bras, se tenait aux côtés de Kevin, désespérant de trouver un moyen de le réconforter.

Cette disparition avait été plus dure à supporter pour lui que pour les autres. Son sentiment de culpabilité était remonté à la surface. Il était resté auprès d'elle pendant son agonie, la tenant dans ses bras tandis qu'elle luttait en vain pour retrouver le souffle. La bouche ouverte et horriblement crispée, les yeux écarquillés de peur, elle semblait hurler en silence. Il ne s'était pas tout de suite rendu compte de sa mort. Et il avait fallu plus longtemps encore pour le convaincre de la lâcher.

A présent, il voyait sa jolie petite sœur descendre dans un trou noir dans la terre...

Cela valait mieux ainsi ; tout le monde, y compris Kevin, en était persuadé, mais cela ne soulageait pas la peine.

Le service se termina enfin. Les gens exprimèrent leurs condoléances mais Kevin ne semblait pas les entendre. Finalement, une fois que le cimetière fut déserté, il demanda à Rob et à Anna de le laisser seul.

— Ce fils de chienne a repris son insigne ! hurla Darryl en fracassant tout ce qui se trouvait sur son chemin.

— Doc, je viens de faire le ménage, se plaignit Fran.

Il flanqua un coup de pied dans un guéridon qui supportait un vase de fleurs.

— Qu'est-ce que tu veux que ça me fasse ?

Elle soupira et se mit à genoux pour ramasser les morceaux du vase brisé. Ils étaient installés dans une petite ferme au sud-ouest du Missouri, une région où personne ne les connaissait. Ils avaient acheté cette maison avec de l'argent volé. C'était la première fois depuis bien longtemps qu'ils menaient une vie presque normale.

Darryl et ses neuf hommes avaient découvert que piller des banques et des diligences était une activité lucrative et peu risquée. La plupart de leurs méfaits étaient attribués aux gangs des James ou des Younger. Mais Darryl commençait à en avoir assez d'agir dans l'ombre. Il voulait la célébrité, cette célébrité que lui dérobaient les James, par exemple. Et quelle meilleure publicité que d'annoncer à la face du monde que c'était lui qui avait tiré sur le fameux marshal Kevin Foster, et qu'il comptait bien recommencer ?

— Jamais il n'aurait dû survivre à cette balle ! Jamais !

— Eh bien, il a survécu. Tu as lu le journal. Il a survécu, il est redevenu marshal et il veut retrouver celui qui l'a blessé.

— Oh, il va le retrouver, ne t'en fais pas, car j'ai bien l'intention de finir le travail ! Mais maintenant, il va se méfier. Ce sera moins facile mais je trouverai un moyen. Je trouverai !

Continuant à ramasser les morceaux de verre, Fran pensa à Anna. Elle n'avait toujours rien dit à Darryl. Elle avait peur qu'il cherche à la revoir.

— Tu es sûr de vouloir encore essayer ? Je croyais que nous étions d'accord : nous sommes dans une situation idéale. On te croit mort. Ils s'imaginent que ce sont les James qui commettent tous ces vols.

Il brandit sa bouteille de whisky.

— Les James ! J'en ai vraiment marre des James ! Je veux être célèbre. (Il se frotta le crâne qui lui faisait un mal de chien aujourd'hui.) Je veux que le monde sache que Crazy Doc est toujours vivant et que c'est lui qui a abattu Kevin Foster. Je veux que cette ordure tremble dans ses bottes. Qu'il ne sache jamais à quel moment le coup va venir. Il s'imagine avoir tué Crazy Doc ! Il va avoir une fameuse surprise, hi, hi !

— Ne sois pas imprudent, Doc. Les choses marchent bien pour nous ici.

— Bien ? Tu plaisantes ? On crève d'ennui. Tu as oublié la cause, peut-être ? Mais les James et les Younger n'ont rien oublié, eux. A chaque fois qu'on vole une banque fédérale ou la paie d'une garnison fédérale, on crée des problèmes aux Yankees. Si tu as tellement envie de t'installer comme une vieille femme et de vivre tranquille dans ton coin, tu n'as qu'à déguerpir. La porte est grande ouverte.

Fran se redressa. Ces derniers temps, il la menaçait de plus en plus souvent de l'abandonner. Elle sentait qu'il s'éloignait d'elle.

— Tu me laisserais partir ? Après tout ce que j'ai fait pour toi ? Bon sang, Darryl, je t'aime. J'ai toujours été là quand tu as eu besoin de moi. Comment peux-tu dire que je ne pense plus à la cause alors que j'ai risqué ma vie pour toi ? Que je t'ai donné toutes mes économies quand tu n'avais plus un sou ! J'ai même couché avec tes hommes parce que tu voulais qu'ils soient contents. Crois-tu que c'était facile pour moi ? J'ai fait tout ce que tu m'as demandé. Et quand tu es malade ou que ta tête ne fonctionne plus comme il faudrait, je suis là pour te protéger, pour prendre soin de toi. Tu as besoin de moi, Darryl.

Il lui lança un regard de travers. C'était dans ces moments-là qu'il était le plus dangereux, Fran le savait.

— Pourquoi utilises-tu mon vrai nom, tout à coup ? rugit-il. Je te l'avais interdit, bon sang !

Les mains sur les hanches, elle ne recula pas.

— Tu veux qu'on sache qui tu es, Darryl ? Tu veux la même célébrité que les James ou les Younger ?

Incertain, il passa la main dans ses cheveux gras et mal peignés.

— Que veux-tu dire ?

Elle sourit. Comme souvent, elle venait de semer la confusion dans son esprit.

— Dis-moi que tu m'aimes, Darryl. Promets-moi que nous serons toujours ensemble et je t'offrirai cette célébrité que tu désires tant. Et, avec ça, une formidable vengeance sur Kevin Foster. Mais tu devras redevenir Darryl Kelley. Seul Darryl Kelley peut provoquer la chute de Kevin Foster.

Il reposa son whisky, remarquant la lueur de triomphe dans ses yeux. Fran était une femme intelligente. Il ne la supportait plus mais il était assez lucide pour se rendre compte qu'il n'aurait pas survécu sans elle. Et elle possédait une immense qualité : il pouvait lui faire confiance. Si elle avait une idée, c'était sûrement une bonne idée.

— Explique-toi.

— Kevin Foster a une femme.

— Et alors ? Je le sais déjà... une femme et une saleté de gosse...

— Mais tu ne sais pas qui est cette femme. Moi, oui. Je l'ai vue, ce jour-là à Lawrence. Je ne t'ai rien dit... parce que j'avais peur que tu commettes une folie et qu'on t'arrête. Je ne veux pas te perdre, Darryl. Je me moque des femmes que tu as violées pour t'amuser, ou de ces petites Mexicaines que tu te payais. Mais celle-là est différente.

Il reprit sa bouteille.

— Bon sang, tu vas en venir au fait ? Qui est cette satanée bonne femme ?

— Une jolie blonde... qui s'appelle Anna.

Darryl baissa lentement la bouteille. Il déglutit, les joues soudain très rouges.

— Mon Anna ?

— Plus maintenant. C'est l'Anna de Kevin Foster. Du moins, elle le croit. Tu imagines les commérages... La réputation de Kevin Foster sera définitivement ruinée quand ils découvriront qu'elle n'est pas sa femme, qu'ils vivent dans le péché, que c'est une bigame. Ils ne le supporteront pas. Ce sera pire encore quand ils apprendront que l'épouse de l'illustre marshal Kevin Foster est en fait toujours mariée à l'infâme Crazy Doc.

Darryl semblait complètement égaré.

— Anna ? répéta-t-il.

— Je veux t'aider, Darryl, reprit Fran très vite. Tu as besoin de cette célébrité et de cette vengeance. Anna t'a trahi. Je te l'avais dit. Elle s'est enfuie pour épouser un marshal yankee. Elle ne vaut rien, elle t'aurait dénoncé si elle l'avait pu. Maintenant, après tout ce qu'elle t'a fait, elle mérite d'être humiliée, et Foster aussi. Tu ne vois donc pas ? C'est la vengeance parfaite !

Elle continuait à parler pour le soûler de paroles, pour lui faire oublier qu'elle ne lui avait rien dit pendant un an.

— Tu vois la scène ? poursuivit-elle. Tu vas à Topeka et tu la kidnappes. Et là, tu annonces la nouvelle : je suis Darryl Kelley, le mari de cette femme, celui que votre marshal croyait avoir tué sous le nom de Crazy Doc. Si ça se trouve, elle n'a rien dit à Foster à ton sujet. Ah, ce serait encore mieux !

Soudain, Darryl leva des yeux déments. Il expédia sa bouteille qui explosa contre un mur.

— Le bâtard ! Le bâtard de Yankee ! (Il se tourna vers Fran.) Oui, il viendra la sauver et c'est pour ça que je vais l'enlever ! Il va foncer à son secours, tout droit dans mon piège. Et là, je l'abattrai comme le chien qu'il est. Je vais dévaliser la banque de Topeka, sa banque, et kidnapper sa femme. Il se lancera à ma poursuite et je le tuerai. Et après, je m'offrirai une petite partie avec Anna. Pour lui dire adieu. (Il ricana, montrant des dents jaunes.) Un homme a bien le droit de dire adieu à sa chère et tendre épouse, pas vrai ? Je la regarderai tirer la langue pendant que je serrerai sa jolie gorge. Je vais tuer Kevin Foster et sa femme ! Les James et les Younger vont en crever de jalousie !

— Oui, Darryl. Mais tu dois me promettre de la tuer. Si tu n'y arrives pas parce qu'elle était ta femme... je le ferai pour toi.

— Te tracasse pas, je lui réglerai son compte.

Elle s'approcha de lui.

— Et si tu veux profiter d'elle, alors laisse les autres avoir leur part avant de la tuer. Tu sais qu'une garce hautaine comme elle ne le supportera pas, hein ? Cette Yankee a mérité une vraie punition.

Il hocha la tête.

— Tu as raison... ouais, ça me plaît beaucoup.

Fran passa les bras autour de son cou.

— Tu es content, Darryl ?

Il se pencha pour saisir une nouvelle bouteille de whisky.

— Très content. On va même célébrer ça, fit-il en buvant une large rasade avant de lui arracher son corsage.

Kevin se pencha en avant, les coudes sur les genoux. Intriguée, Anna le surveillait du coin de l'œil. Toute la soirée, il avait été bizarre comme s'il voulait lui dire quelque chose sans oser le faire. Le moment semblait arrivé. Il se racla la gorge.

— Anna, tu te souviens d'une certaine Fran Rodgers ? Je crois que tu as travaillé pour une femme qui s'appelait ainsi, à Columbia, dans un restaurant.

Anna se pétrifia. Une main glacée lui étreignit le cœur.

— Je ne veux pas t'inquiéter, poursuivit Kevin qui, heureusement, ne la regardait pas, mais j'ai besoin de savoir si tu te souviens de quoi que ce soit la concernant. Jim et moi avons des raisons de croire que ce hors-la-loi, Crazy Doc, est toujours vivant. Et nous pensons que Fran Rodgers est avec lui. Si tu as la moindre idée de l'endroit où cette femme pourrait se cacher, si elle a des parents...

Il s'interrompit, alarmé en découvrant le visage d'Anna. Elle semblait soudain terrorisée, tétanisée. Les yeux écarquillés, elle ne parvenait plus à respirer normalement.

— Que... veux-tu dire? murmura-t-elle. Crazy Doc... vivant? C'est impossible!

— Il semble qu'il ait réussi à nous le faire croire. Jim a arrêté un homme qui faisait partie de sa bande l'an dernier. (Il voulut lui prendre la main mais elle eut un violent geste de recul.) Anna, bon sang, que t'arrive-t-il? Enfin, ce type n'est pas là, dehors, sur le porche de la maison! Nous sommes à sa recherche. Je pensais que tu pourrais savoir quelque chose à propos de Fran Rodgers...

Anna avait l'impression qu'on venait de la jeter dans un puits sans fond. L'obscurité se refermait autour d'elle comme une boue noire et poisseuse. Elle suffoquait. Elle se leva mais ses jambes ne la soutenaient plus. Elle tituba et serait tombée si Kevin ne l'avait rattrapée.

— Enfin, Anna, que se passe-t-il?

Elle se tourna vers lui. Kevin. Son mari qu'elle aimait tant. Si bon, si confiant. Des larmes glacées coulaient à présent sur ses joues mais elle les sentait à peine. Elle s'arracha aux bras de Kevin.

— Dis-moi que ce n'est pas certain. Dis-moi que ce n'est pas vrai... à propos de Crazy Doc.

Il la scruta attentivement tandis qu'une crainte horrible s'immisçait en lui.

— Nous en sommes pratiquement sûrs. L'homme nous a donné une description qui correspond. Et des détails aussi. Quand j'ai été blessé, Fran Rodgers et lui se sont absentés du camp, disant qu'ils avaient une affaire à régler. Bien habillé et avec un chapeau sur la tête pour dissimuler sa cicatrice, Crazy Doc ne risquait pas d'être reconnu. Et on le croyait mort. Il pouvait se glisser dans une foule sans crainte. Je ne suis même pas certain que je l'aurais reconnu moi-même.

Elle se retint au chambranle de la porte.

— Moi, je l'aurais reconnu... Ô mon Dieu, qu'ai-je fait ? Je t'ai perdu.

Elle frémit et faillit à nouveau s'effondrer. Kevin la rattrapa encore une fois.

— Bon sang, Anna, vas-tu enfin m'expliquer ?

Elle ne répondit pas immédiatement. Le monde s'écroulait autour d'elle. Soudain elle le dévisagea, l'air égaré.

— Kevin, est-ce que tu m'aimes ? Est-ce que tu m'aimes vraiment ?

Il fronça les sourcils.

— Qu'est-ce que c'est que cette question ?

— J'ai besoin de savoir.

Il tendit à nouveau la main mais elle recula.

— Ne me touche pas. Pas maintenant... pas avant de savoir...

Il resta le bras tendu, interloqué.

— Savoir quoi, Anna ?

Elle prit une longue inspiration. Elle avait espéré ne jamais connaître cet instant.

— Le hors-la-loi avec lequel se trouve Fran Rodgers, celui qu'on surnomme Crazy Doc... c'est mon mari... Darryl Kelley.

Voilà. Elle l'avait dit. Si seulement elle l'avait fait des années plus tôt... Elle attendit. La maison était si silencieuse tout à coup. Elle sentait les yeux de Kevin posés sur elle mais elle n'osait pas les affronter.

— Je le croyais... mort, gémit-elle. Je pensais... que j'étais libre de t'épouser. Fran m'avait écrit qu'il était mort. Mon Dieu, nous ne sommes même pas légalement mariés ! Mon mari... mon vrai mari... a failli te tuer.

Elle poussa un cri étranglé quand il la saisit soudain par le bras.

— Je n'y comprends rien, Anna ! Crazy Doc est ton mari ? Tu le savais quand il... quand nous pensions qu'il était encore vivant ?

— Je ne voulais pas te le dire. Comment aurais-je pu ? demanda-t-elle, la voix tremblante. Tu étais si bien... tout le contraire de Darryl... si bon et... Si je te l'avais dit, tu m'aurais haïe... tu n'aurais vu en moi qu'une femme de *Bushwhacker*. Tu m'aurais peut-être même arrêtée ! Imagines-tu ma honte ? Mon mari était parti à la guerre... c'était un docteur, un homme droit, doux, attentionné, et il est devenu un meurtrier... un voleur, un assassin et Dieu sait quoi d'autre !

» Il était à Centralia, poursuivit-elle, incapable désormais d'arrêter le flot. Il était là-bas ! Je l'ai vu... j'ai vu mon propre mari commettre ces atrocités, alors que je ne savais même pas s'il était encore vivant ! Il ne m'avait rien dit ! Voilà pourquoi j'ai été si bouleversée ce jour-là ! Voilà pourquoi je ne supporte pas d'entendre parler de Centralia.

Elle leva enfin les yeux vers lui et ce fut au tour de Kevin de reculer. Pour la première fois, ses prunelles grises étaient indéchiffrables. Il secoua la tête avant de se détourner. Elle remarqua ses poings serrés.

— Kevin, je le croyais mort ! Je pensais que c'était terminé...

Il leva la main.

— Arrête ! Arrête et reprends depuis le commencement. Ton mari était à Centralia et tu ne me l'as pas dit ? Mon Dieu, au début, quand nous étions simplement amis, tu aurais pu...

— J'avais trop honte et j'avais peur, Kevin. J'avais peur de ce qui pouvait m'arriver. Tu étais un marshal. Tu aurais pu m'arrêter.

— Tu crois vraiment que je t'aurais arrêtée ?

— Je ne te connaissais pas bien. Et surtout, je ne voulais pas qu'on sache. Une femme qu'on soupçonnait être l'épouse d'un *Bushwhacker* a été battue et violée à Columbia. D'autres ont été arrêtées.

— Tu aurais pu me le dire plus tard, quand les choses se sont calmées, quand je t'ai demandé de m'épouser. J'avais le droit de savoir, bon sang !

— J'avais peur de te perdre !

— Et tu ne pensais pas me perdre en me le disant après notre mariage ?

— Je croyais que cela n'avait plus d'importance. Je pensais que Darryl était mort.

Il secoua la tête.

— Eh bien, au moins, Jim et moi avons un nom à présent : Darryl Kelley... (Il ricana amèrement.) Quel gâchis ! Comment vais-je dire à Jim que le meurtrier que nous recherchons, celui qui m'a tiré dessus, est le premier mari de ma femme ? Non, pas ma femme. Tu ne peux pas être ma femme. Tu as déjà un mari !

— Kevin, arrête ! Je t'en prie, calme-toi et laisse-moi t'expliquer. Essaie de me comprendre. Je t'aime plus que ma propre vie. J'ai besoin de toi. Si tu savais ce que j'ai traversé... Je l'ai dit à Claudine... uniquement parce qu'elle m'avait apporté la lettre de Fran. C'était une lettre si méchante, si cruelle. Et elle me disait que Darryl était mort. Je n'en savais pas plus...

— Mais tout le monde croyait que j'avais tué Crazy Doc ! Bon sang, tu as épousé l'homme qui avait soi-disant tué ton mari !

— Darryl n'était plus mon mari ! C'est un étranger, Kevin ! Un parfait inconnu ! Pour moi, l'homme que j'ai épousé est mort à la guerre.

— Le fait est qu'il était quand même ton mari,

que tu ne m'as pas dit la vérité à son sujet... et qu'il n'a pas été tué ! Il est revenu et il m'a tiré dessus. A cause de lui, j'ai vécu un véritable enfer !

— Et pour moi, ce n'était pas l'enfer ? Tous ces mois pendant lesquels je t'ai vu souffrir ? Mon Dieu, comment pouvais-je savoir que Darryl était le responsable ?

— Peut-être savait-il que je t'avais épousée ? Peut-être est-ce pour ça qu'il m'a tiré dessus ? C'est une fichue bonne raison, tu ne trouves pas ? Il avait déjà une dent contre moi... puis il a découvert que je couchais avec sa femme !

Ce fut comme un coup de poignard. Anna baissa la tête, vaincue.

— Je vais retourner à Abilene un moment, rendre visite à Claudine... Je crois qu'il vaut mieux que tu ne sois pas obligé de me voir pendant quelque temps. Nous avons tous les deux besoin de réfléchir. (Elle tremblait.) Mais... n'oublie pas que jusqu'à ce que Francine m'apprenne sa mort, je n'ai rien entrepris de sérieux avec toi. En dépit de ce que je savais de lui, je suis restée fidèle à mes vœux de mariage. Je ne suis pas la garce insensible que tu crois.

— Seigneur, Anna, je ne crois pas ça du tout ! J'essaie simplement de comprendre pourquoi tu ne me l'as pas dit ! Cela n'aurait rien changé pour moi.

— Vraiment ?

Elle croisa son regard qui restait toujours aussi indéchiffrable. Kevin ! Elle était en train de le perdre !

— Non, répondit-il. Mais attendre... me laisser apprendre la vérité comme ça...

— Je le croyais mort ! (Elle se couvrit les yeux.) J'étais trop heureuse. Tout était trop merveilleux. Toutes ces années de solitude, d'attente, d'inquiétude et de prières pour mon mari parti à la guerre... et découvrir ensuite ce qu'il était devenu... Ne peux-tu pas comprendre un petit peu?

Un lourd silence les enveloppa. Ils n'osaient se regarder, s'approcher l'un de l'autre.

— As-tu cette lettre? demanda-t-il enfin.

— Je l'ai brûlée.

— Et une photographie? As-tu un portrait de Darryl Kelley? Ça peut nous aider dans nos recherches. La première fois, je l'ai à peine aperçu. Je veux voir son visage. Je veux connaître l'homme qui va essayer à nouveau de me tuer.

La dureté dans sa voix faisait mal.

— J'ai gardé une photo mais elle est très ancienne. A l'époque, c'était un homme bon, Kevin. Je ne l'aurais pas épousé autrement. C'est une blessure à la tête qui l'a transformé.

Le corps comme du plomb, elle quitta la pièce et gravit lentement l'escalier. Elle aurait préféré qu'il crie, qu'il la frappe même... n'importe quoi plutôt que ce silence buté. Elle sentait ses yeux vrillés dans son dos. Cet homme qu'elle aimait tant, cet homme qu'elle avait soigné pendant près d'un an, cet homme qui lui avait donné un enfant, qui lui faisait l'amour d'une façon si merveilleuse, cet homme était devenu un étranger...

Dans leur chambre, elle ouvrit un de ses tiroirs et chercha la photographie prise quelques jours après son premier mariage au cours d'une foire à Lawrence. Lorsqu'elle tomba dessus, elle ne la regarda même pas. Elle redescendit pour la tendre à Kevin.

— Voilà l'homme que j'ai pleuré, Kevin. Il est mort quelques mois après m'avoir quittée. Cette blessure a fait de lui une personne différente. Je n'ai eu aucun chagrin pour celui que tu étais censé avoir tué. Et si tu le tues pour de bon maintenant, pour moi ce sera comme si tu tuais un quelconque hors-la-loi.

Kevin prit la photo et l'étudia. Au côté d'Anna, il découvrit un beau gentleman au regard doux et rayonnant.

— Difficile de croire qu'il s'agit du même homme, reconnut-il en secouant la tête.

— Si c'est difficile pour toi, imagine à quel point ça l'a été pour moi.

— Je vais sortir, annonça-t-il d'une voix rocailleuse.

— Où vas-tu ?

— Je ne sais pas. N'importe où... Demain, j'apporterai cette maudite photo à Jim. Je me demande comment je vais pouvoir lui expliquer...

Il gagna la porte.

— Tu reviendras ? questionna-t-elle.

Il ne répondit pas immédiatement.

— Je reviendrai, oui. Au moins pour Becky.

Sur ces mots, la porte claqua.

22

Jim étudiait attentivement la photo.

— Tu crois qu'il ressemble toujours à ça ?

Kevin fixait la rue par la fenêtre.

— Je n'en sais rien.

Lister soupira en contemplant le visage mal rasé de son ami.

— Tu sais, il n'est pas nécessaire de parler de ça à qui que ce soit. Si on le retrouve et qu'on le tue, personne ne saura jamais rien. Pas la peine d'y mêler le nom d'Anna... D'un autre côté, on n'aura peut-être pas le choix. (Un temps.) Tu en as parlé à Rob ?

— Non.

Pensif, Jim se frotta la mâchoire. Kevin Foster avait eu sa part de malheur en ce monde. Mais Anna aussi.

— Elle t'aime, tu le sais. Je peux comprendre pourquoi elle a fait ça. C'est une femme bien, Kevin. Elle a cru agir au mieux. Ça a dû être terrible pour elle.

— Je le sais. Il faut juste... que je m'y habitue. Jusqu'à présent, son premier mari n'existait pas pour moi... Bon sang, nous ne sommes même pas légalement mari et femme ! Je dois trouver ce type au moins pour qu'elle puisse divorcer. Et d'ici là, je ne devrais même pas habiter avec elle... De toute manière, elle va partir à Abilene quelque temps voir Claudine.

— Tu ne devrais pas la laisser partir. Si Crazy Doc est réellement toujours vivant, elle pourrait être en danger.

Kevin le considéra avec surprise.

— Seigneur, je n'avais même pas pensé à ça !

— Eh bien, penses-y. Elle a besoin de toi, Kevin, maintenant plus que jamais. Elle était là quand tu étais cloué sur ton lit, incapable de manger tout seul. Et si tu n'avais pas retrouvé l'usage de tes jambes, elle serait restée avec toi. Aujourd'hui, c'est elle qui est blessée. Peut-être pas physiquement mais elle est blessée. Ça a dû être un sacré choc pour elle. Et quand les gens vont commencer à savoir, elle va devoir supporter les ragots. Tu ne peux pas la laisser comme ça, tu ne peux pas permettre à cette crapule de vous gâcher la vie. Ce que vous avez, Anna et toi, est unique. Il n'y a pas beaucoup d'hommes qui ont la chance d'avoir une femme pareille.

— C'est dur aussi pour moi, Jim. Ce sont des

types comme lui qui ont assassiné Christine... Et il a bien failli m'abattre également. Si je le tue, je tuerai son mari. Becky est une enfant illégitime.

— Sottises ! Cette petite a été conçue par amour. Et un bout de papier ne fait aucune différence. Pour Anna, Darryl Kelley était mort, et bien mort. Nous le retrouverons, Kevin, et soit nous le tuerons, soit il sera pendu. De toute manière, il mourra. Alors vous pourrez vous remarier tous les deux et Becky n'en saura jamais rien.

— Elle saura si nous restons au Kansas.

— Eh bien, vous quitterez le Kansas. Ce n'est pas le seul endroit au monde qui ait besoin d'un bon marshal.

Kevin soupira, mit son chapeau et gagna la porte.

— Cache cette photo, pour le moment. Je reviendrai plus tard. Et ouvre l'œil.

Il s'en fut et Jim étudia à nouveau le cliché, remarquant à quel point Anna et Darryl semblaient heureux.

— Saleté de guerre, maugréa-t-il.

Anna entendit la porte s'ouvrir et se refermer. Elle hésita puis continua à faire ses bagages. Becky jouait, assise par terre. Les lourds pas de Kevin retentirent dans l'escalier. Il n'était pas rentré de la nuit. Après l'avoir vainement attendu toute la matinée, elle avait décidé de partir à Abilene comme elle l'avait dit la veille. Apparemment, il n'avait plus envie de la voir.

Il pénétra dans la chambre. Elle frémit en découvrant son regard toujours aussi inexpressif.

— Tu n'es pas forcée de partir, Anna.

— Il le faut. Je reviendrai dans quelque temps. Pour l'instant, nous ne devrions même pas vivre sous le même toit, non ?

Il ne répondit pas.

— J'ai eu raison de garder le restaurant, ajouta-t-elle alors. Je devais me douter qu'une chose pareille arriverait.

Rebecca leva ses larges prunelles bleues vers son père. Elle lui fit un sourire désarmant en agitant ses petites mains.

Kevin se pencha pour la prendre dans ses bras. Les yeux fermés, il embrassa ses boucles blondes.

— S'il te plaît, ne pars pas, Anna.

Il avait prononcé ces mots simplement, sans colère. Elle le contempla, bouleversée de le voir ainsi avec leur fille.

— Je ne sais pas quoi faire, avoua-t-elle enfin.

Il reposa Becky à terre avant de s'adosser au mur. Un long silence s'établit. Fouillant dans sa poche, il en extirpa sa blague à tabac et une feuille de papier.

— Prenons les jours comme ils viennent, déclara-t-il après avoir roulé sa cigarette, jusqu'à ce que j'aie trouvé Darryl Kelley et que nous puissions mettre un terme à ce cauchemar. (Il alluma sa cigarette.) L'une des raisons pour lesquelles je ne veux pas que tu partes concerne ta sécurité. Cet homme sait probablement tout de nous. J'aimerais que tu restes à Topeka où je pourrais garder un œil sur toi.

— Tu as peur qu'il m'arrive quelque chose ?

Il fronça les sourcils.

— Bien sûr que j'ai peur. Je t'ai demandé de rester, non ?

— Pour ma sécurité... ou, plus probablement, pour celle de Becky. C'est ça la raison, Kevin ?

— Bon sang, Anna, ce n'est facile ni pour toi, ni pour moi ! Je... je préférerais qu'on n'en dise pas plus pour l'instant. On risque de prononcer des mots qu'on pourrait regretter ensuite. Je sais que j'ai tendance à être trop fier. Cette fierté peut faire du mal, à moi et aux gens autour de moi. Mais c'est ainsi et je dois m'en accommoder. Laisse-moi un peu de temps, c'est tout ce que je te demande.

— Je veux juste que tu me prennes à nouveau dans tes bras, murmura-t-elle d'une voix brisée.

Il eut un étrange hoquet comme s'il venait de recevoir un coup à l'estomac, mais il continua à fixer le sol.

— Je ne peux pas. Pas encore. Je suis désolé...

Pour ne pas pleurer, elle se mordit cruellement les lèvres.

Il lui tourna le dos et se dirigea vers la porte.

Malgré son chagrin, elle trouva la force de le rappeler :

— Kevin... (Il s'arrêta et attendit.) Je t'ai fait beaucoup de peine. Ce n'est pas ce que je voulais. Il faut que tu le saches.

Il se retourna pour la regarder. Soudain, il paraissait beaucoup plus vieux.

— Je le sais. Et je ne veux pas te faire de la peine à mon tour. Mais on ne fait pas toujours ce qu'on veut.

— Comment va la vie à la maison ? s'enquit négligemment Jim.

Il versa du café dans deux timbales et en offrit une à Kevin.

Celui-ci le toisa entre ses paupières plissées.

— Ça ne te regarde pas.

Lister gloussa.

— Mais si, ça me regarde quand ça affecte ton travail, quand j'ai l'impression que tu n'es pas aussi efficace que tu devrais l'être. Darryl Kelley ne va pas tarder à se montrer. Et tu es tellement obsédé par Anna que tu ne vois plus rien. Il y aurait un bison dans cette pièce que tu ne t'en apercevrais pas.

— Je m'occuperai de cette crapule le moment venu.

— Pour l'instant, je pense que tu ferais mieux de t'occuper de ta femme...

— Laisse tomber, Jim. Légalement, elle n'est même pas ma femme.

— Elle est ta femme, et tu le sais.

Kevin avala le reste de son café puis reposa violemment la timbale sur la table.

— Quand je la regarde, c'est lui que je vois. Ce maudit salopard a réussi à se glisser entre nous.

— Je ne crois pas. Je crois plutôt que c'est toi qui es différent.

Kevin sortit son colt et se mit à le vérifier.

— Ce qui veut dire ? questionna-t-il froidement.

— Ce qui veut dire que tu as un seul gros défaut. Malgré tout l'amour que tu éprouves pour Anna, tu prends l'honnêteté au pied de la lettre. Tu es si honnête que tu ne supportes pas la malhonnêteté chez les autres. Et c'est ainsi que tu juges ce qu'a fait Anna. Pour toi, c'est une malhonnêteté. Mais c'était loin d'être aussi simple. Les choses ne sont pas toutes noires ou toutes blanches. Et si tu ne te décides pas à le reconnaître, tu vas tout gâcher entre elle et toi.

Kevin rangea son arme et se dirigea vers la fenêtre.

— J'en ai assez de rester ici à ne rien faire. On va partir en patrouille...

Jim leva les yeux au ciel.

— Tu as entendu ce que je viens de dire ?

— J'ai entendu.

— Et ?

— Et je sais que tu as raison... J'essaie, Jim, crois-moi. Mais il me faut du temps. Tu as dit l'autre jour qu'elle était blessée. Eh bien moi aussi, et il faut un peu de temps à une blessure pour cicatriser. (Il attrapa son chapeau et se tourna vers son ami.) Depuis deux semaines, je vois l'amour et le besoin dans ses grands yeux bleus et j'ai l'impression que je vais devenir fou. Je vois sa souffrance aussi et je sais que c'est moi qui l'ai provoquée. Je veux la prendre dans mes bras... mais c'est toujours là, comme une voix qui ne cesse de me répéter qu'elle ne m'appartient pas... que lorsqu'elle me faisait l'amour, elle savait que c'était lui qui m'avait tiré dessus la première fois... elle le savait quand elle est venue me voir ici... elle savait qu'il était à Centralia, qu'il n'était pas mort à la guerre. (Il mit son chapeau.) Allons faire cette maudite patrouille.

Poussant un soupir, Jim acheva son café et le suivit dehors.

— Tu l'aimes toujours ?

Kevin sourit tristement.

— C'est bien ça le pire.

— Alors, dis-le-lui. C'est tout ce qu'elle a besoin de savoir pour l'instant.

Kevin le toisa d'un air ironique.

— Depuis quand es-tu devenu conseiller matrimonial ?

— Depuis que je vois mon meilleur ami gâcher son mariage avec la meilleure femme qui soit.

— Tu n'as jamais été marié. Pourquoi t'écouterais-je ?

— Si j'avais trouvé une femme comme Anna, crois-moi, je l'aurais épousée et je l'aurais gardée.

Il avait dit cela avec une telle force et une telle sincérité que Kevin en fut touché, malgré lui. Il s'immobilisa tandis que Jim passait devant lui et s'engageait sur le trottoir.

— Oh, Kevin, bonjour !

Celui-ci se secoua et regarda le petit homme planté devant lui.

— Oh, bonjour docteur.

C'était le docteur Long, le médecin de la ville.

— Je voulais justement vous féliciter, marshal. Vous devez être heureux et fier. Ce sera peut-être un garçon cette fois-ci.

Kevin esquissa une grimace.

— Hein ?

Les sourcils du docteur se rapprochèrent.

— La petite dame ne vous a encore rien dit ? Oh, j'espère ne pas avoir gâché la surprise. Vous ne saviez pas qu'elle était à nouveau enceinte ?

— Anna va avoir un bébé ? demanda Kevin, tellement stupéfait qu'il paraissait idiot.

Le docteur éclata de rire.

— Dans six mois, à peu près. Elle va m'en vouloir de vous avoir prévenu avant elle. Dites-lui bien de me pardonner.

— Il... il n'y a rien à pardonner.

Là-dessus, il fit volte-face et courut à l'écurie chercher sa monture.

Anna entendit un cheval s'approcher au grand galop. Immédiatement, la peur la saisit. Il était arrivé quelque chose à Kevin ! Elle se rua dehors et reconnut le bel appaloosa de son mari.

Il sauta de selle, prit à peine le temps d'attacher la bride avant de la rejoindre sur le porche.

— Tu m'as fichu une peur de tous les diables à arriver comme ça, lui dit-elle.

— Anna...

Sa voix... Quelque chose avait changé, c'était la même voix qu'avant, tendre et amoureuse. Elle eut alors la surprise de sentir ses bras se refermer autour d'elle.

— Mon Dieu, Anna, tu aurais dû me le dire !
Comme c'était bon d'être à nouveau blottie contre ce torse puissant. Son cœur bondit de joie.
— Dire quoi ?
Il lui embrassa les cheveux.
— J'ai rencontré le docteur Long.
Elle se raidit un peu avant de s'écarter.
— Je ne voulais pas utiliser ce genre d'argument pour regagner ton amour.
Elle se détourna.
— Bon sang, Anna, tu n'as jamais perdu mon amour ! (Il la prit par les épaules.) Écoute-moi, ma chérie. Je peux être bigrement fier et têtu. Une vraie tête de mule, je le sais. Je me suis mal conduit ces dernières semaines avec toi. Je t'en voulais alors que c'est toi qui aurais dû m'en vouloir pour ne pas comprendre ce que tu avais enduré, pour m'éloigner au moment où tu avais le plus besoin de moi.
» Anna, je ne suis pas venu au triple galop simplement à cause de ce bébé. Je suis venu parce que tu ne me l'avais pas dit ! J'ai compris alors quelle femme j'étais en train de laisser échapper. Une femme qui préfère souffrir seule et en silence plutôt que d'utiliser sa grossesse pour parvenir à ses fins. (Il saisit délicatement son visage entre ses mains.) Je ne veux plus que tu souffres ainsi en silence, comme tu l'as tellement fait par le passé. Tu ne porteras pas ce poids toute seule. Et moi non plus. Nous le partagerons. Comme nous avons partagé tout le reste...
Elle chercha ses yeux. Et, dans l'instant qui suivit, leurs bouches s'unirent sauvagement.
Il la serrait si fort qu'elle pouvait à peine respirer.
— Quand le docteur Long m'a appris la nouvelle, j'ai su, Anna. J'ai su qu'un bout de papier ne

comptait pas. Becky, le bébé que tu portes, ils sont à moi... Je me moque de ce que penseront les autres. Tu es ma femme, et le fait que Darryl Kelley soit toujours vivant n'y change rien.

Il la souleva dans ses bras et l'emmena à l'intérieur, fermant le battant d'un coup de talon.

— Où est Becky ?

— Elle fait sa sieste.

— Tant mieux.

Il la porta jusqu'à la chambre d'ami où il la coucha sur le lit. Très vite, il enleva son ceinturon. Leurs regards restaient noués l'un à l'autre, débordant de passion. Puis il la couvrit de baisers.

— Il faut que... je me prépare pour aller à la banque, Kevin, lui dit-elle à travers ce déluge. Tu sais... que... j'y vais... tous les mercredis.

Il embrassa ses yeux, son nez, ses pommettes.

— Et moi, je devrais être en patrouille. (Il glissa une main sous sa robe.) Mais pour l'instant, je m'en moque éperdument.

Le souffle coupé, elle ferma les paupières tandis que ses doigts s'insinuaient plus avant.

— Je t'aime, Kevin. Rien ne pourra jamais changer ça.

— Pour moi non plus. Il m'a simplement fallu un peu de temps pour le comprendre.

Il lui déroba sa bouche et elle la lui offrit avec une exaltation égale à la sienne. Ils ne prirent même pas le temps de se déshabiller.

L'instant d'après, il plongeait en elle. Son ardeur arracha un cri à Anna. Elle se cramponna à lui, les mains nouées à son gilet de cuir. Il était revenu dans ses bras, dans son cœur. Ils étaient à nouveau unis...

Elle se mit à pleurer et il lécha ses larmes, sans jamais cesser d'aller et venir, à l'écoute du moindre de ses râles, du moindre de ses sanglots. C'était comme s'il ne la connaissait pas, comme s'il la redécouvrait. Soudain, elle hurla et il ne put se retenir davantage. La jouissance les emporta au même instant...

Quelques secondes plus tard, il roula sur le matelas, la gardant toujours dans ses bras.

— Dis-moi que tu me pardonnes, Anna. J'aurais dû comprendre...

— Il n'y a rien à pardonner. J'aurais dû te le dire. Je n'ai pas été honnête avec toi.

— Cela n'a plus d'importance maintenant. D'une manière ou d'une autre, cette histoire sera bientôt réglée et nous pourrons reprendre une vie normale.

C'est alors qu'on frappa à la porte. Kevin se leva aussitôt et enfonça sa chemise dans son pantalon.

— Une minute !

Il prit son arme avant d'aller ouvrir.

Anna entendit des voix dans le couloir. Mais elle ne les écoutait pas. Elle avait encore envie de pleurer de joie.

Puis Kevin revint dans la chambre et un peu de cette joie s'envola quand elle découvrit son expression.

— C'était Jim, annonça-t-il sombrement. Il vient de recevoir un message par télégraphe. Une diligence a été attaquée non loin de Lawrence. Il y a eu des morts. Un des survivants dit qu'il s'agissait de Crazy Doc. On doit y aller. (Il vit sa crainte, son amour pour lui.) Tu peux me préparer quelques provisions ? Je vais me débarbouiller un peu et préparer mes sacoches.

Elle ferma les yeux. Non, se dit-elle, il fallait être forte.

— J'y vais. Tu devrais passer voir Becky un instant.

Avant qu'elle ne sorte de la chambre, il la prit dans ses bras.

— Je t'aime, Anna.

Elle le fixa droit dans les yeux en effleurant sa joue du bout des doigts.

— Vas-y, Kevin, et qu'on en finisse.

Elle tourna les talons pour se rendre dans la cuisine tandis que Kevin montait se changer et embrasser sa fille qui dormait.

Quelques minutes plus tard, il redescendait. Pendant un moment, il observa sa femme qui s'activait au-dessus du poêle. Elle était plus belle que jamais.

Elle rangea quelques pommes de terre dans sa sacoche avant de la lui tendre.

— Des pommes de terre, des haricots secs et des biscuits frais avec de la confiture. Il y a aussi un peu de lard, de farine et de la viande séchée. (Elle gardait le menton haut.) Je n'ai pas besoin de te dire d'être prudent. Tu sais ce qu'il veut. Cela pourrait même être un piège.

— Je sais. (Il effleura son visage.) Sois prudente, toi aussi. Je veux que tu ailles chez Rob et Marie pendant mon absence.

Elle acquiesça.

— J'irai. Dès que j'aurai fini de ranger.

— Je vais envoyer quelqu'un surveiller la maison jusqu'à ce que tu sois prête.

Les yeux d'Anna s'embuèrent.

— Reviens-moi, Kevin. Promets-le-moi.

— Je reviendrai.

Elle sourit à travers ses larmes. Kevin l'enlaça tendrement.

— Je suis content de t'avoir retrouvée, Anna.

— Moi aussi, mon amour...

— N'oublie pas ce que tu m'as dit. Darryl Kelley n'est plus l'homme que tu as épousé. C'est un étranger... et il est fou. C'est quelqu'un qu'on ne peut pas raisonner. (Il recula, ses sacoches sur l'épaule.) Je vais peut-être devoir le tuer, Anna.

Elle ferma les yeux.

— Je sais, murmura-t-elle. La première fois, je ne t'ai rien reproché. Pourquoi en irait-il autrement maintenant ?

Il l'embrassa à nouveau, très fort.

Une fois dehors, il fixa ses sacoches sur sa monture et sauta en selle. Il la contempla un instant.

— Je t'aime.

— Je t'aime.

Et il partit au galop.

Quelques minutes plus tard, un couple élégamment habillé, dissimulé dans l'entrée d'un magasin de chaussures, observait Kevin Foster qui quittait la ville en compagnie d'un autre cavalier.

L'homme et la femme se dévisagèrent.

— Et voilà, fit-il. Il est parti.

Fran Rodgers ricana.

— Tu vois ? Je t'avais dit que mon plan était bon. Que ferais-tu sans moi, Darryl ?

Il la toisa d'un air écœuré. Décidément, elle le rendait malade. Mais elle avait raison. Son plan semblait fonctionner et la suite serait digne d'entrer dans les livres d'histoire.

— Tu es sûre qu'elle va à la banque tous les mercredis ?

Francine esquissa un sourire diabolique.

— Tu serais surpris de ce qu'on peut apprendre en faisant bavarder les gens. Ils adorent parler de la délicieuse Mme Foster. Ils raffolent de ce couple si « merveilleux ». Anna va en effet à la banque tous les mercredis, pour vérifier les dépôts effectués par son restaurant à Abilene. Ne te tracasse pas, elle ira.

Elle contempla les deux cavaliers qui s'éloignaient et ajouta :

— Regarde comme ils sont pressés. Kevin Foster et son bras droit partent à la chasse aux chimères ! Quand ils reviendront, beaucoup de choses auront changé à Topeka...

Darryl regarda autour de lui pour vérifier si ses hommes étaient bien en place. La ville était paisible. Personne ne se doutait de ce qui se préparait. Et surtout pas Anna Kelley. Oui, Anna était toujours sa femme, et il n'allait pas tarder à le lui montrer.

23

La jeune femme habilla Becky. Après avoir arrosé les plantes et s'être assurée que tout était en ordre, elle prit son sac et sortit.

— Allons-y, Lonnie.

Elle grimpa dans le buggy conduit par le jeune marshal adjoint que son mari lui avait envoyé. Lonnie Gates la conduisit d'abord chez Rob et Marie, où elle déposa Becky et son sac, puis ils prirent le chemin de la ville.

Quelques minutes plus tard, Lonnie s'arrêtait devant la banque et elle descendit. Son compagnon l'imita, n'accordant qu'un bref regard aux chevaux attachés non loin de là. Un homme attendait sur l'un d'eux, les mains croisées sous sa veste, tandis qu'un autre était nonchalamment adossé devant la banque. Il portait une arme mais adressa un sourire amical à Lonnie.

Le jeune homme accompagna Anna à l'intérieur. Elle prit place dans la file d'attente derrière un client qui portait une veste élégante et un chapeau.

Celui-ci lança un coup d'œil vers une femme brune debout près d'une fenêtre. Machinalement, Anna suivit son regard... et son cœur s'arrêta quand elle reconnut Fran Rodgers.

Elle faillit s'évanouir en comprenant ce qui était en train de se passer. L'homme devant elle se retourna, un pistolet à la main. Il lui enfonça le canon sous la gorge.

— Salut, Anna.

— Au nom du...! s'exclama Lonnie.

Darryl bougea à peine son six-coups. Une détonation explosa dans l'oreille d'Anna, la faisant hurler. Lonnie s'effondra, la poitrine en sang.

— Apporte l'argent, Duke! cria Darryl en fixant la jeune femme avec des yeux fous. Vous êtes toujours aussi jolie, madame Kelley.

Anna remarqua à peine les clients entassés derrière un guichet et M. Flannagan, le propriétaire de la banque, qui gisait à terre, le crâne défoncé. Les yeux écarquillés, elle dévisageait Darryl. En un éclair, elle comprit que l'attaque de la diligence n'était qu'un leurre destiné à éloigner Kevin. Une peur intense l'envahit. La saisissant par la taille, Darryl l'entraîna vers la porte, suivi de quatre hommes et de Fran. Il s'arrêta devant une vieille femme pétrifiée sur une chaise.

— Souviens-toi de ce que je vais te dire, la vieille. Tu vas annoncer à ce bon marshal Kevin Foster que Darryl Kelley est venu reprendre sa femme. Oui, dis-lui que j'ai repris ma femme! Et s'il veut la récupérer, il n'a qu'à venir la chercher... seul! Tu as compris? Je suis Darryl Kelley, alias Crazy Doc. Celui qui lui a tiré dessus l'an dernier à Lawrence! Dis-lui qu'il a intérêt à suivre ma piste parce que j'ai Anna. Plus il tardera, plus ce sera dur pour elle. Et dis-lui bien de venir seul, entendu, la vieille?

La pauvre femme hocha une tête tremblante. C'était Mme Lovejoy, qui tenait le magasin voisin de la banque.

Une fois dehors, Darryl ouvrit le feu sur un passant qui criait, paniqué. Anna gémit en voyant Clyde Benson, un fermier, s'écrouler.

Alors, ce fut le chaos. Dans la rue, les gens se mirent à hurler et à courir dans tous les sens tandis que les bandits tiraient à tort et à travers.

— Monte ! ordonna Darryl en la poussant contre un cheval.

Elle voulut saisir le pommeau de la selle mais ses bras et ses jambes refusaient d'obéir. D'un geste écœurant de vulgarité, Darryl la souleva par les fesses avant de s'installer derrière elle. Le cheval hennit et se cabra, effrayé par la fusillade. Darryl l'éperonna sauvagement et ils partirent au galop. Quelques secondes plus tard, ils avaient quitté la ville. Fran et les neuf hommes qui les accompagnaient hurlaient de joie.

— On a réussi, Fran ! lança Darryl.

Il éclata d'un rire dément qui donna la chair de poule à Anna. Ce fou furieux qui venait de tuer deux innocents était bien son ancien mari. Son pire cauchemar était en train de se réaliser.

Il rengaina son revolver pour lui pétrir les seins.

— On a des années à rattraper, ma chère madame Kelley, dit-il, ricanant toujours. Et après, je tuerai ton marshal.

Pour aller plus vite, Kevin et Jim avaient pris le train. Ils arrivèrent à Big Springs deux heures à peine après avoir appris la nouvelle de l'attaque de diligence. Ils furent accueillis par un détachement conduit par Paul Bailey, un marshal adjoint venu de Lawrence. Il était en discussion avec un certain

John Powers, l'unique survivant de l'attaque. Celui-ci semblait salement secoué mais il se souvenait que les tueurs étaient au nombre de trois, tous masqués.

— Ils n'arrêtaient pas d'en appeler un « Doc »... expliquait-il. Comme s'ils voulaient être sûrs que je me rappelle ce nom. Ils ont dit aussi qu'ils iraient dans le Sud. Et ils sont effectivement partis dans cette direction.

Kevin et Jim échangèrent un regard, et ce dernier fronça le nez. Kevin n'eut aucun mal à deviner ce qu'il pensait : cela sentait le piège. Il se tourna vers le shérif local.

— Combien ont-ils pris ?

— A peu près six mille dollars.

— Si vous allez à l'endroit où ça s'est passé, vous trouverez encore des traces, intervint Powers. Vous êtes Kevin Foster ?

— Oui.

— Ils ont parlé de vous. L'un d'entre eux a dit que cette attaque allait vous faire sortir du bois. J'ai l'impression qu'ils m'ont laissé en vie parce qu'ils voulaient qu'on sache que ce Doc était mêlé à ça. (Il secoua la tête.) Je remercie le ciel d'avoir survécu...

Ils se tenaient tous autour de Powers qui était assis sur les marches devant le poste de diligences.

— Je prendrais bien un verre, ajouta-t-il.

— On va vous en trouver un, répliqua quelqu'un. C'était courageux de votre part d'avoir ramassé les corps et de les avoir ramenés ainsi que la diligence. Dommage que le docteur ne puisse plus rien pour eux.

Kevin observait l'homme. Quelque chose le gênait dans cette histoire. D'ailleurs, depuis qu'il avait appris cette attaque, il était mal à l'aise. Il questionna encore Powers à propos de l'endroit où cela s'était passé avant de se tourner vers Jim :

— Allons voir ça.

Ils montèrent en selle et se dirigèrent vers le sud en compagnie de quelques hommes du détachement, laissant Powers derrière eux. Celui-ci fut conduit au plus proche saloon où le patron, pris de pitié, lui offrit un verre de whisky.

Il ne leur fallut pas plus d'une demi-heure pour parvenir sur les lieux de l'attaque. Kevin et Jim examinèrent les traces. Du sang avait séché sur le sol poussiéreux, là où les corps étaient tombés. Les cadavres avaient disparu, ramenés à Big Springs par Powers. Ils virent les traînées sur le sol, montrant comment il les avait tirés jusqu'à la diligence. Trois chevaux avaient effectivement laissé des traces nettes se dirigeant vers le sud.

— Allons-y, fit Kevin qui remontait en selle. Ils n'ont que quelques heures d'avance.

— Ça ne me plaît pas, protesta son ami. C'est trop facile.

— C'est ce que je pense aussi. Kelley veut que je me lance à sa poursuite.

Au bout d'une heure de galop, la piste des bandits bifurquait vers l'ouest. Kevin immobilisa sa monture en contemplant le soleil couchant.

— Ça me plaît de moins en moins...

— Tu veux savoir ce que je crois ? demanda Jim.

— Je t'écoute.

L'adjoint se frotta les lèvres, une habitude qu'il avait lorsque quelque chose le chiffonnait.

— Je crois que c'est un piège ou une sorte de diversion. Plus j'y pense, plus je trouve que ce Powers a réagi avec un sang-froid étonnant pour un simple quidam. Après avoir vécu ce qu'il a vécu, il prend le temps de traîner trois corps dans la diligence puis de revenir avec jusqu'à Big Springs. Après, il prend bien soin de nous dire que ces types sont partis vers le sud. Maintenant, ces traces se dirigent vers l'ouest. Et la prochaine ville vers l'ouest est Topeka...

Leurs regards se croisèrent et Jim vit l'horreur dans celui de Kevin.

— Anna, murmura-t-il.

— Oui, c'est possible. Selon moi, nous devrions dire adieu à ces six mille dollars et retourner à Big Springs pour reprendre le train jusqu'à Topeka. On pourra toujours revenir ici si on s'est trompés.

Kevin enleva son chapeau et essuya la sueur glacée sur son front avec sa manche. Si jamais Jim avait raison... Anna !

Il se tourna vers les autres.

— Paul, continuez à suivre ces traces et... faites très attention. Ce pourrait être un piège. Ma femme et ma famille à Topeka sont peut-être en grand danger. Nous retournons là-bas. Si cette piste vous y conduit, nous nous retrouverons.

— Oui, monsieur.

Une fureur terrible envahissait Kevin.

— Je vais avoir une petite discussion avec ce soi-disant survivant...

Jim hocha la tête.

— Allons-y.

Ils lancèrent leurs montures dans un galop effréné.

Au saloon où il acceptait toujours les verres qu'on lui offrait, Powers leva les yeux. Depuis quelques heures, il ne cessait de répéter son histoire à qui voulait l'entendre, se vantant d'avoir réagi si promptement, d'avoir ramené les corps et prévenu les autorités si vite. Les gens souriaient et lui tapaient dans le dos.

Mais soudain, Powers remarqua Kevin Foster qui l'observait depuis l'entrée du saloon. Il blêmit.

— Marshal ! Que faites-vous ici ? demanda-t-il en affichant un air amical. Vous n'allez pas laisser ces bâtards s'en tirer, hein ?

Kevin traversa la salle avec une telle expression que la foule s'écarta devant lui.

— Je veux la vérité, Powers, et je la veux tout de suite ! gronda-t-il.

L'homme reposa lentement son verre de whisky.

— Que voulez-vous dire ?

— Ce que je veux dire ? Ces traces que nous suivions soi-disant vers le sud ont tout à coup obliqué vers l'ouest... Mon partenaire et moi, on s'est alors mis à réfléchir. Tu as réagi drôlement vite après cette terrible attaque où tout le monde a été tué... sauf toi.

— Mais... je vous ai expliqué pourquoi.

Kevin se pencha au-dessus de la table, ses grandes mains posées à chaque extrémité.

— Je viens de télégraphier à Topeka. Il y a eu une attaque de banque là-bas, mon cher, et c'est Crazy Doc lui-même qui l'a menée. Ce même Crazy Doc qui, selon toi, a attaqué la diligence... et ils ont enlevé ma femme ! Où est-elle, Powers ?

— Je... commença l'homme d'un ton implorant.

Kevin vit son bras bouger. En un éclair, il lui renversa la table dessus. Une détonation claqua. La balle traversa la table, projetant des éclats de bois, mais sans toucher Kevin. Powers s'écrasa violemment à terre. Des femmes hurlèrent. Kevin rejeta la table et saisit l'homme au collet. Il le cogna à trois reprises dans le ventre avant de le frapper à la tempe. Powers s'écroula à plusieurs mètres de là.

Jim le ramassa, lui tordant les bras derrière le dos. Kevin s'approcha, menaçant.

— Où est-elle, Powers ? Où Darryl Kelley a-t-il emmené Anna ?

— Je... je ne...

— C'est de ma femme que nous parlons, fais attention! Tu vas me dire où elle est, crois-moi. Je sais comment battre un homme sans qu'il s'évanouisse et je peux le faire très longtemps, si c'est ça que tu veux!

Powers leva une main, terrorisé par l'éclat meurtrier de son regard.

— D'ac...cord... bafouilla-t-il. Pawnee Hill... A l'ouest de Topeka... Vous devez vous y rendre seul. On peut voir à des kilomètres de là-haut. Si vous venez avec une patrouille, il lui fera sauter la tête. C'est vous qu'il veut. S'il peut vous tuer, elle vivra... Il veut juste l'humilier pour l'avoir laissé tomber. Il veut vous voir mort et que tout le monde sache qu'il était son premier mari.

Un murmure parcourut la salle. Son premier mari? La femme de Kevin Foster était mariée à un criminel?

Powers ricana.

— Il vous a bien eu cette fois, Foster. Il va la punir pour avoir épousé un Yankee. Il nous a dit combien elle est jolie... Doc va sûrement rattraper le temps perdu... Il va...

Le poing de Kevin s'écrasa sur son visage et le bandit s'écroula au sol, assommé. Pendant un instant, le jeune homme resta planté là, immobile. Puis il sentit une main se poser sur son épaule.

— Allons-y, Kevin. On va trouver un moyen de la sortir de là.

Il se retourna pour découvrir Jim qu'il ne reconnut pas immédiatement. Il n'y voyait plus très clair. Son ami le conduisit vers la sortie.

— Assurez-vous que cette ordure aille en prison, lança-t-il au patron. Nous reviendrons le chercher dans quelques jours.

— Oui, monsieur.

Une fois dehors, Kevin se plia subitement en se tenant le flanc. Sa blessure le faisait visiblement encore souffrir.

— Kevin ? Ça va ? Tu as l'air...

Il se redressa.

— En selle, Jim. Il faut que je la retrouve.

Il sauta sur sa selle. Jim lui tendit les brides de sa monture et tenta de le rassurer :

— Elle est forte et intelligente, tu sais. Elle trouvera un moyen de s'en sortir. Au fond de lui, ce type éprouve encore sûrement quelque chose pour elle.

— Tu as entendu ce qu'a dit Powers, non ?

— C'était exprès. Kelley veut te mettre hors de toi. Il veut te faire commettre des erreurs. Le bonhomme est fou, c'est vrai, mais il est rusé. Ne rentre pas dans son jeu, Kevin. Tu dois régler cette histoire comme une affaire normale. Tu ne dois pas laisser tes sentiments influencer ton jugement.

Kevin ferma les yeux.

— Tu as raison. (Il prit une profonde inspiration.) Allons prendre ce train. Et on ferait bien de fermer l'œil une heure ou deux. On risque de ne pas beaucoup dormir ces jours prochains.

Ils s'arrêtèrent enfin à un point d'eau pour abreuver les chevaux. Darryl sauta à terre et fit brutalement basculer Anna. Cela faisait des mois qu'elle n'avait pas monté et ils galopaient depuis plusieurs heures à présent. Ses jambes, raides de crampes, refusaient de la soutenir. Elle s'effondra sur place. Darryl la repoussa sur le dos et la chevaucha.

— Tu disais vrai, Doc. C'est une beauté ! s'esclaffa un de ses acolytes. On va prendre du sacré bon temps, ce soir.

Darryl, la fixant droit dans les yeux, lui clouait les poignets au sol.

— Elle m'appartient, Trace. Ne l'oublie pas. C'est à moi de décider si je vous la laisse.

— Eh ! Elle faisait partie du marché...

— La ferme ! (Darryl lui lâcha un bras pour dégainer son arme qu'il pointa vers Trace.) Je n'ai pas dit qu'elle faisait partie du marché. J'ai dit que je pourrais vous la laisser. Je n'ai jamais dit que c'était certain ! Maintenant, va faire boire mon cheval. Il faut qu'on reparte. Ben et les autres seront bientôt à Pawnee Hill avec l'argent de la diligence.

L'homme battit en retraite, emmenant la monture de Darryl. Celui-ci se retourna vers Anna. Rengainant son arme, il lui toucha la joue.

— Ça fait longtemps, mon amour...

Bravement, elle affronta son regard. Elle avait peine à croire qu'elle avait aimé cet homme, qu'elle lui avait offert sa virginité avec passion.

— Parce que tu en as décidé ainsi, répondit-elle. Je t'ai attendu... pendant des mois et des années, à m'inquiéter, à me ronger les sangs. Tu aurais dû revenir, Darryl, je t'aurais aidé. Tu n'étais pas forcé de devenir... ça !

Il lui saisit à nouveau les poignets.

— Si, j'étais forcé de devenir ça ! gronda-t-il.

Son haleine empestait le whisky. Il secoua la tête pour arracher son chapeau, révélant la hideuse cicatrice qui lui barrait le crâne.

— Ils ont tout détruit ! Ils ont brûlé la plantation de mes parents, violé et tué ma mère, tranché la tête de mon père ! Ils m'ont tiré cette balle dans le crâne ! Ils m'ont donné ce mal de tête permanent qui tuerait n'importe qui ! Sans whisky et sans laudanum, je ne pourrais pas vivre ! J'ai oublié la médecine. Et surtout, je ne ressens plus rien. Absolument rien, sinon ce besoin de vengeance contre des hommes comme ton cher Kevin Foster ! Il a peut-être survécu les deux premières fois mais là, crois-moi, je vais le crever !

Il éclata d'un rire suraigu, les yeux hagards.

— Ça va être si facile ! Je tiens sa femme ! Sauf que ce n'est pas sa femme mais la mienne... Tu es toujours légalement ma femme ! Je peux faire de toi ce que je veux !

Il voulut l'embrasser mais elle détourna la tête. Alors il se mit à lui lécher le cou avec des grognements de bête.

— Darryl, je t'en prie ! gémit-elle. Tu ne peux pas me faire ça. Nous nous sommes aimés. Je t'ai toujours attendu...

Il se leva, la forçant à s'asseoir, puis il la gifla si violemment qu'un voile noir passa devant ses yeux.

— Attendu ! répéta-t-il, furieux. Tu t'es enfuie ! Tu t'es enfuie pour épouser un marshal yankee !

Anna l'entendait à peine à travers le bourdonnement qui lui vrillait les tympans.

— Je ne me suis pas... enfuie. Je suis simplement allée à Abilene. Je devais trouver un moyen... de survivre jusqu'à ton retour.

— Ferme-la ! cria-t-il, la frappant à nouveau.

Elle bascula à terre et il se jeta sur elle, la clouant au sol de tout son poids.

— Les hommes m'ont dit que tu ne voulais plus la partager ?

Elle reconnut la voix de Fran. Darryl se redressa, toujours assis sur les jambes d'Anna qu'il écrasait contre des cailloux.

— Donne-moi cette gourde et arrête de me regarder comme ça.

Soudain, de l'eau éclaboussa le visage de la jeune femme. Quelqu'un lui pinça douloureusement les mâchoires pour l'obliger à ouvrir la bouche. On lui versa du liquide dans la gorge jusqu'à ce qu'elle suffoque.

— Je ne vais pas te tuer tout de suite, mon cœur, murmura-t-il à son oreille.

— Darryl, tu leur as promis, insista Fran. Et tu m'as juré qu'elle ne signifiait plus rien pour toi. Que c'était uniquement pour faire venir Kevin Foster. Tu as dit que tu t'amuserais un peu avec elle avant de la laisser aux autres.

— Arrête de me casser les pieds ! C'est tout ce que tu sais faire, maintenant !

Il y eut un moment de silence pendant lequel Anna essaya de rassembler ses esprits.

— C'était mon idée, Darryl, reprit Francine en sanglotant. Tu disais... que c'était une bonne idée... que tu m'aimais, tu t'en souviens ? Elle ne vaut rien, Darryl. Si tu la gardes, elle ne t'apportera que des ennuis... elle te fera prendre. On a toujours été ensemble, toi et moi, depuis qu'on est gosses. Il faut qu'on continue.

— Je t'ai dit de te taire ! Je fais ce qui me plaît.

Ricanant, il baissa les yeux vers Anna.

— Faut admettre que c'est quand même la plus jolie chose à l'ouest du Mississippi, ajouta-t-il. Elle est bien plus jolie que toi, Fran. Peut-être que si t'étais pas aussi casse-pieds, tu aurais l'air plus jolie.

— Va au diable ! Allez au diable, toi et ta jolie garce ! Tu m'as menti, Darryl !

Il leva vers elle des yeux hallucinés.

— Continue comme ça et je n'aurai plus besoin de toi, fit-il d'une voix étrangement douce.

— Tu as besoin de moi et tu le sais !

Francine ne pleurait plus à présent. Elle était dans une rage effroyable et la jeune femme la trouva aussi effrayante que Darryl.

— Sans moi, tu n'aurais pas survécu jusqu'à aujourd'hui. J'ai tout sacrifié pour toi, Darryl, et je t'aime plus qu'elle ne t'a jamais aimé !

Anna vit sa chance. Avec ces deux esprits malades, elle n'avait qu'un moyen de s'en sortir : attiser la rivalité qui régnait entre eux.

— Ce n'est pas vrai, dit-elle à Darryl. Personne ne t'a aimé autant que moi. Et je pourrais encore t'aimer, tu sais. Elle... elle te ment sur moi. Je ne t'ai jamais abandonné, Darryl. Je ne t'ai jamais trahi. Je n'ai pas été avec un autre homme avant que je ne te croie mort et...

— N'écoute pas cette traîtresse de Yankee ! hurla Fran. On doit repartir. Kevin Foster sera bientôt sur nos traces. Il faut aller à Pawnee Hill.

Darryl se leva et souleva Anna sans ménagement.

— On lui a laissé une jolie piste, hein ? Il va nous trouver.

— Tu peux en être sûr, répliqua Fran. Et n'oublie pas pourquoi il veut nous trouver. Parce que tu as Anna... et ça, c'est grâce à moi. Elle couche avec Kevin Foster, elle a couché avec lui pendant toutes ces années... et même avant qu'elle ne te croie mort !

— C'est faux ! rétorqua la jeune femme en fixant Darryl droit dans les yeux.

Il la scruta longuement. Pendant un bref instant, elle distingua dans son regard une étincelle... une hésitation, comme s'il avait envie de la croire.

— Elle ne vaut rien ! siffla Fran en s'approchant tout près d'eux. Si elle pouvait te faire arrêter et pendre sur-le-champ, elle le ferait ! Il faut qu'elle souffre, Darryl ! Il faut qu'elle souffre comme tu as souffert pendant toutes ces années alors qu'elle se vautrait dans le lit de Foster !

Anna ne lâchait pas les yeux de Darryl : ils changeaient à nouveau. Il ricana.

— Oui, dit-il.

— Tu as promis aux hommes, Darryl. Ils ont été loyaux envers toi... tout comme moi. Ne l'écoute pas. Elle n'est là que pour servir d'appât et pour qu'on s'amuse avec elle. Moi aussi, je vais m'amuser avec elle !

La jeune femme fronça les sourcils et considéra Fran. Décidément, elle était aussi démente que Darryl.

— Je vais te tuer, Anna Foster, lança Fran en ricanant. Ou devrais-je dire Anna Kelley ?

Anna plissa les paupières et glissa délibérément un bras autour de la taille de Darryl.

— Pourquoi ne le demandes-tu pas à Darryl ? S'il veut toujours de moi, alors c'est Kelley.

Les yeux de Fran virèrent au rouge et elle se jeta sur Anna, la saisissant à la gorge et serrant avec une poigne de fer. La jeune femme chercha de l'air désespérément mais très vite le monde se teinta de gris puis de noir...

Soudain, elle roula à terre, toussant et suffoquant pendant plusieurs minutes, vaguement consciente d'entendre des hurlements autour d'elle. Elle perçut des coups sourds et le mot « chienne » vociféré à plusieurs reprises. Les hurlements cessèrent enfin et Anna se sentit soulevée. Quelqu'un la déposa sur une selle, un homme monta derrière elle. Darryl.

— Tout ira bien dès que nous serons arrivés, murmura-t-il. Nous rattraperons le temps perdu, Anna. Ne t'inquiète pas pour Fran. Je ne la laisserai pas te faire du mal. (Il lui caressa le ventre.) Ce sera juste toi et moi, comme avant. Nous nous rappellerons le passé en attendant Kevin Foster. Alors, tu pourras lui montrer lequel tu préfères. Peut-être qu'on pourrait même faire l'amour devant lui ? Ah oui, voilà qui serait une belle vengeance... (Elle sentit le cheval se cabrer.) Allons-y, les gars !

« Reste vigilante, songeait-elle dans sa demi-conscience. N'abandonne pas. Il y a encore de l'ancien Darryl en lui. Tu l'as vu dans ses yeux. Son esprit est confus. Fran le manipulait. Tu peux y arriver, toi aussi... »

C'était si dur de se concentrer... Kevin ! Voilà, elle devait ne penser qu'à lui et à Becky.

24

Une foule attendait Kevin à la gare de Topeka. La plupart de ces gens étaient inquiets pour Anna et désolés pour Kevin. Mais certains n'étaient là que par curiosité, après la rumeur qui s'était répandue à travers la ville comme une traînée de poudre : le chef des bandits avait prétendu qu'Anna Foster était en réalité sa femme.

— Que se passe-t-il ? demanda quelqu'un. Vous connaissez ces tueurs, marshal ?

— Est-il vrai que cet assassin a été marié à Mme Foster ?

— De qui est-elle l'épouse, marshal, de lui ou de vous ?

Sans répondre, le visage dur et déterminé, Kevin se dirigea vers le wagon où était parqué son cheval. Il ne cessait de se répéter qu'une épreuve au moins leur avait été épargnée : Becky n'était pas avec sa mère au moment du drame.

— Taisez-vous ! cria Jim à la foule. Nous répondrons à toutes vos questions quand nous aurons retrouvé Mme Foster et son ravisseur.

— Ne le tuez pas, marshal ! hurla quelqu'un. Ramenez-le vivant ! Il a abattu Clyde Benson simplement parce qu'il passait par là ! Et il a tué votre adjoint, Lonnie Gates.

— Oui ! On veut le voir au bout d'une corde !

— Peut-être que sa femme l'a aidé à faire le coup ?

A ces mots, Kevin se figea sur place avant de faire volte-face. Il sut immédiatement qui avait dit cela à la façon dont l'homme se tassa. Il se rua sur lui, l'attrapant par les revers de sa veste.

— Qu'avez-vous dit, monsieur ?

Roulant des yeux effarés, l'homme déglutit péniblement.

— Je... C'était juste une idée...

— Kevin ! (Jim lui saisit le bras avant qu'il ne cogne.) Ne fais pas ça.

Kevin poussa l'autre si brutalement qu'il s'écrasa dans la poussière.

— Je ne me répéterai pas ! cria-t-il alors. Darryl Kelley était le premier mari de ma femme. Il a mal tourné et Anna n'y est pour rien. Le prochain qui suggère qu'elle pourrait être mêlée à ses crimes d'une manière ou d'une autre m'en répondra personnellement, même si ça doit me coûter mon insigne !

Un employé du chemin de fer baissa une rampe et fit descendre les chevaux. Kevin et Jim sautèrent en selle.

Le jeune Jimmie Flannagan, dix-sept ans, les yeux rougis par les larmes, se précipita vers eux.

— Marshal ! Ils ont tué mon père. Il faut les rattraper.

— Nous les aurons, Jimmie. Nous les aurons...

Quelques minutes plus tard, Kevin et Jim arrivaient devant leur bureau où, déjà, une patrouille était réunie. Kevin remarqua Rob parmi les hommes. Il mit pied à terre et considéra son frère avec colère tandis que celui-ci le rejoignait.

— Qu'est-ce tu fabriques ici, nom d'un chien?

— Je veux t'aider, répliqua Rob. Ce n'est pas n'importe qui, c'est Anna...

— Reste en dehors de ça! Il y a déjà eu assez de tragédies dans cette famille. Tu as quatre gosses et il se peut qu'après ça, Becky ait besoin d'un père.

Rob devina la terreur derrière la fureur de son frère.

— Il se dit des choses à propos d'Anna et de ce Darryl Kelley... fit-il d'un ton hésitant.

Kevin ravala sa salive, luttant pour garder son calme.

— Je t'en prie, Rob, rentre à la maison. Fais-le pour moi. Je me sentirai beaucoup plus rassuré de savoir que Becky peut compter sur toi s'il m'arrive quoi que ce soit. Si tu veux vraiment nous aider, rentre.

Son frère aîné soupira et le prit par l'épaule.

— Je ne comprends pas vraiment ce qui se passe mais je suis sûr que vous vous en sortirez ensemble, Anna et toi.

— Elle est enceinte, Rob. Dieu sait ce qu'il peut lui arriver. Ce qu'il va lui faire.

— N'y pense pas pour l'instant. Tu ne peux pas te le permettre. Garde la tête froide et attrape ce type.

Kevin poussa un profond soupir et gravit les marches. Les hommes se réunirent autour de lui, y compris Rob qui, même s'il ne prendrait pas part à la traque, tenait à savoir ce qui allait se passer. La patrouille était très nombreuse. En dehors de trois marshals adjoints, il y avait de nombreux citoyens qui voulaient récupérer leur argent.

Kevin scruta attentivement l'assistance.

— Vous devez bien comprendre à qui nous avons affaire. Ces hommes sont des tueurs, des bouchers. Certains d'entre vous n'ont aucune expérience de ce genre de choses et je ne veux pas qu'ils assistent à ça.

Il commença à citer des noms, écartant plus d'une trentaine des cinquante hommes. Certains grognèrent mais Kevin se montra inflexible.

— Je préfère avoir dix hommes capables que cinquante qui n'ont pas utilisé une arme depuis dix ans.

Finalement, quand il eut terminé, il ne restait plus que huit hommes — des chasseurs pour la plupart —, en dehors de ses trois adjoints, de Jim et de lui-même. Il les invita à le suivre dans son bureau. Rob se joignit à eux tandis que Kevin fermait soigneusement la porte pour éviter les indiscrétions.

— Etes-vous tous bien équipés ? Un bon cheval, des vivres et beaucoup de munitions ?

Ils acquiescèrent en marmonnant. Kevin jeta un regard peu amène à Rob.

— J'ai le droit de savoir comment tu vas t'y prendre, se défendit celui-ci. Je dormirai mieux si je sais que tu as un plan.

Kevin ôta son chapeau et épongea la sueur sur son front.

— Oui, j'ai un plan. Reste à savoir s'il marchera. (Il passa les hommes en revue.) Vous connaissez tous le problème. Kelley a dit que je devais venir seul, sinon... Je ne vais pas risquer la vie de ma femme en attaquant son campement avec toute une patrouille... Il ne doit pas nous voir.

— Tu vas nous rendre invisibles, Kevin ? se moqua quelqu'un.

Ils gloussèrent tous comme pour soulager la tension. Même Kevin esquissa un sourire.

— J'aimerais pouvoir. Mais c'est presque ça.

Cette attaque de diligence à Big Springs constituait une diversion. L'unique survivant était un homme de Kelley. Je me suis un peu occupé de lui et il m'a dit où trouver son chef.

Il y eut encore quelques ricanements.

— Il vit encore ?

Kevin se massa le cou.

— Oh, il survivra.

Les hommes s'esclaffèrent.

— Savoir exactement où est Kelley nous donne un gros avantage, poursuivit Kevin. Il s'imagine qu'on va devoir suivre ses traces. Ce qui effectivement m'obligerait à venir seul. Il pense aussi qu'il me faudra deux ou trois jours pour atteindre Pawnee Hill. C'est là qu'il sera. De ce perchoir, on peut voir à des kilomètres à la ronde dans toutes les directions. Mais ça m'a donné une idée.

» D'abord, je vais envoyer un message à Fort Riley pour demander leur aide. Le fort est à l'ouest de Pawnee Hill. Avec le train, on sera là-bas très vite, beaucoup plus vite que si on y allait à cheval... et on pourra recruter des Pawnees.

— Des Pawnees ? s'exclama quelqu'un. En quoi ça va-t-il nous aider ?

— Si nous ne pouvons pas être invisibles, alors, au contraire, soyons trop visibles. Il y a toujours des Indiens autour de Pawnee Hill. Rien de plus normal là-bas. Les Pawnees sont assez féroces pour que Kelley et ses hommes y réfléchissent à deux fois avant de chercher la bagarre avec eux. Voilà pourquoi nous avons besoin de vrais Indiens et voilà pourquoi vous apprendrez à dessiner leurs peintures de guerre. Si certains d'entre vous ont la peau trop blanche, ils devront se couvrir de poussière et de peinture. Je ne veux pas risquer la moindre erreur. Et j'espère que vous savez tous monter à cru.

Ils semblaient perplexes.

— Voilà ce que nous allons faire... reprit Kevin avant de leur expliquer son plan.

Quand il eut fini, la plupart hochaient la tête d'un air admiratif. D'autres semblaient plus dubitatifs mais tous en convinrent : il n'y avait pas d'alternative.

La nuit tombait lorsque Darryl et sa bande arrivèrent à Pawnee Hill, l'une des rares collines du Kansas.

— Plantez les tentes, ordonna Darryl en sautant de selle.

L'estomac d'Anna se révulsa quand elle pensa à ce qu'il voulait faire dans une de ces tentes. Il la souleva et, encore une fois, ses jambes ne purent la soutenir. Il la laissa tomber sur place pour enlever ses sacoches et la selle de sa monture.

Anna s'assit en grimaçant.

— Que l'un d'entre vous ramasse du bois, ordonna-t-il. Il nous faut un feu.

— Doc, un feu ici se voit à des kilomètres à la ronde.

— Et alors? Nous voulons que Foster nous trouve, non? Mais avec cette fausse piste sur laquelle nous l'avons envoyé, il va lui falloir un moment. Il ne sera pas là avant demain soir ou, plus probablement, après-demain matin. Ben et les autres seront là demain et vous pourrez compter vos parts. Entre la banque et la diligence, ça va faire un beau petit paquet.

Tout le monde gloussa et un des hommes déboucha une bouteille de whisky tandis que d'autres commençaient à planter les tentes.

— Et la femme, Doc? Tu as pris une décision?

Darryl intercepta la bouteille.

— Pas encore. C'était ma femme avant. Je dois réfléchir.

Il y avait comme un avertissement dans sa voix. Mais les hommes continuaient à la regarder avec envie.

— Tu nous avais promis qu'on pourrait en profiter, de la femme du marshal, fit l'un d'entre eux d'un ton bourru. C'est bien ça qui faisait l'intérêt du boulot. On avait l'argent et la femme de Foster en prime.

— Tu as parfaitement raison... sauf que c'est moi qui décide. Elle m'appartient.

Anna ignorait si elle devait s'en réjouir ou non. Apparemment, il allait tenir les autres à l'écart. Était-ce par pur égoïsme ou bien, tout au fond de son esprit dérangé, éprouvait-il encore quelque chose pour elle ?

— C'est pas ce qui était prévu, objecta quelqu'un. Tu as dit...

— J'ai dit que je voulais capturer la femme de Foster ! coupa sèchement Darryl. Je n'ai jamais dit que vous pourriez l'avoir. Vous vous êtes fait des idées tout seuls. Elle m'appartient, point final. Quand j'en aurai fini avec elle, je déciderai si vous pouvez ou non y goûter. Mais, après avoir réglé son compte à Foster, il se peut que je me la garde pour moi tout seul.

— Non !

C'était Fran qui venait de crier et qui s'approchait du feu d'une démarche mal assurée. Anna écarquilla les yeux en découvrant son visage méconnaissable : il était tout enflé et couvert d'ecchymoses. Elle ne l'avait pas vue depuis leur arrêt au point d'eau. Darryl avait-il l'habitude de la battre ainsi ?

— Tu es en train de changer nos plans, Doc,

ajouta-t-elle en articulant avec difficulté. C'était mon idée et elle a marché. Foster va bientôt se pointer et tu vas le tuer. Tu devais aussi tuer Anna.

— Je ferai ce qui me plaît. Pour vous, les gars, ce qui compte, c'est l'argent. On fera le partage dès que Ben arrivera et s'il y en a parmi vous qui veulent partir, eh bien, bon débarras. Ceux qui voudront rester pour mettre un peu de plomb dans la carcasse de Kevin Foster seront les bienvenus. Mais ce que je ferai d'Anna Kelley ne regarde que moi. C'est aussi simple que ça. Quiconque la touchera sans ma permission sera un homme mort, compris ? (Il arrêta ses yeux fous sur ceux de Fran.) Ça vaut aussi pour les femmes.

— Ce n'est pas juste, Darryl. Tu n'es pas juste avec moi. Comment as-tu pu me frapper ? Pourquoi, bon sang ?

— Parce que tu me fatigues, parce que tu me casses les pieds, surtout avec Anna. C'était ton idée ? Et alors ? Si tu veux encore goûter de mes poings, continue comme ça. (Il se tourna vers les autres tandis que Fran fixait la jeune femme, une lueur meurtrière dans le regard.) Des objections ?

Certains baissèrent la tête.

— C'est ta femme, Doc. A toi de décider ce que tu veux en faire, répliqua l'un d'eux.

Pendant toute la conversation, la main de Darryl était restée posée sur la crosse de son arme. Ses hommes avaient visiblement peur de lui et respectaient son autorité.

Mais il en allait très différemment avec Fran, se dit Anna. Toutes ces années, cette folle avait dû avoir une forte influence sur Darryl... jusqu'à aujourd'hui. Pour l'instant, Anna devait surtout veiller à élargir le fossé entre eux.

— Fran, fais-nous à manger, et vite ! ordonna

Darryl. Tout le monde peut se reposer cette nuit. Il n'y a rien à craindre avant demain.

— Tu penses que Foster viendra seul ?

Darryl ricana.

— Bien sûr. Je tiens sa femme. S'il ne vient pas seul, je la tuerai avant de lui régler son compte. Aucune patrouille ne peut s'approcher d'ici sans qu'on la voie. Il n'a pas le choix.

Il y eut quelques gloussements.

— Tu as eu une sacrée bonne idée, Doc.

— C'était mon idée, grommela Fran.

Les hommes se mirent à décharger leurs montures et à préparer le campement pour la nuit.

— C'était mon idée, répéta Fran en agrippant l'un d'entre eux par le bras.

— Lâche-moi, chienne, répliqua-t-il. Je suis nouveau dans cette bande. Je me moque de savoir qui a eu cette satanée idée, du moment que je touche mon argent.

Fran le quitta pour rejoindre Darryl.

— Tu ne peux pas faire ça.

— Je t'ai déjà montré ce que je pense de tes jérémiades. Arrête de couiner comme ça, tu me tapes sur les nerfs !

— Mais enfin, Darryl, c'est moi, Fran ! Moi qui t'ai soigné quand tu étais blessé, qui ai tout abandonné pour t'aider, qui t'ai soutenu, qui t'ai aimé. Nous nous connaissons depuis l'âge de six ans et je t'aime depuis ce temps-là ! Comment peux-tu dire que tu vas garder Anna ?

Il baissa sa bouteille de whisky pour la dévisager par-dessus le goulot.

— D'abord, elle est bien plus agréable à regarder que toi. Ensuite, elle est toujours légalement ma femme.

— C'est une Yankee ! Une traîtresse ! Elle t'a fui,

tu te souviens ? Elle ne t'a même pas attendu pour voir si tu allais bien, si tu avais survécu à la guerre.

— Ce n'est pas vrai, Darryl, intervint Anna. J'ai attendu. (Elle parvint à se lever et à s'avancer d'une démarche incertaine.) Même après t'avoir vu à Centralia, j'ai attendu. Je... j'espérais que tu viendrais me donner une explication. Et puis j'ai eu peur, parce que les femmes des autres hors-la-loi étaient violées et arrêtées. Et je... pensais que tu ne voulais plus de moi car tu avais jeté ton alliance. Fran me haïssait, elle était jalouse. J'ai dû quitter le restaurant... je devais survivre... alors je suis allée à Abilene et j'ai ouvert un restaurant toute seule. J'avais laissé mon adresse à Columbia... pour que tu saches où me trouver si tu le désirais.

— Tu mens ! s'écria Fran. Tu l'as abandonné ! Tu as commencé à traîner avec Kevin Foster alors que tu savais que Darryl était toujours vivant.

La jeune femme secoua tristement la tête.

— Non. J'avais laissé mon adresse et... j'ai attendu. (Elle ne lâchait pas les yeux de Darryl.) J'ai reçu une lettre de Fran... me disant que tu étais mort. Ce n'est qu'après ça que j'ai commencé à... voir Kevin. Et je ne lui ai jamais parlé de toi, Darryl. Je n'ai jamais rien dit sur toi. J'aurais pu te piéger. J'aurais pu essayer de te trouver... de t'attirer dans un traquenard, mais je ne l'ai pas fait. Je ne voulais pas qu'il t'arrive quoi que ce soit parce que tu étais encore mon mari. Je t'ai vraiment attendu, tu sais. Mais c'est Fran qui m'a écrit que tu étais mort. Je te suis toujours restée fidèle... tant que tu étais vivant, Darryl.

— Salope de menteuse !

Fran voulut se jeter sur sa rivale mais Darryl la saisit par le bras.

— La séance de tout à l'heure ne t'a pas suffi ?

Tous les hommes observaient et écoutaient. Nul n'osait prononcer le moindre mot.

Fran foudroya son compagnon du regard.

— Tu vas la garder, hein? cracha-t-elle. Malgré tout ce qu'elle t'a fait!

— Qu'est-ce que c'est que cette histoire de lettre disant que j'étais mort? Et comment se fait-il que tu ne m'aies pas dit où elle était? Tu prétendais ne pas savoir où la joindre. En arrivant à Columbia, je t'ai questionnée à propos d'Anna. Je t'ai dit que je voulais lui parler. Tu m'as répondu qu'elle avait fui sans laisser d'adresse. Tu m'as menti, Fran! Tu savais où elle était! Et tu lui as écrit pour lui annoncer ma mort! Pourquoi as-tu fait ça, hein?

La femme sembla se ratatiner.

— Je l'ai fait parce que je t'aimais. Elle ne vaut rien. Elle ne partage pas nos rêves. C'est une Yankee.

— Je ne suis ni une Yankee, ni une Confédérée, intervint Anna. Je voulais juste que cette guerre se termine. Je voulais que mon mari me revienne vivant...

Fran agrippa la veste de Darryl.

— Darryl, réfléchis! Réfléchis à tout ce que j'ai fait pour toi! J'ai même couché avec tes hommes pour qu'ils soient contents. Je t'ai donné tout mon argent, je t'ai réconforté, j'ai nettoyé tes maisons, je t'ai aidé à voler, j'ai accepté les autres femmes...

Il lui saisit le poignet.

— Tu m'as menti, Fran! gronda-t-il en jetant sa bouteille de whisky. Toi... la seule personne en qui j'avais confiance...

Anna laissa échapper un petit cri quand, sans prévenir, il abattit son poing sur le visage de Fran, qui tomba à genoux. Il la releva et la cogna à nouveau au menton, l'envoyant rouler à plusieurs pas, inconsciente.

— Les gars, faites ce que vous voulez avec celle-là, lança-t-il. Elle n'est pas terrible à regarder mais elle est bonne au lit. Si vous avez besoin d'une femme, elle est à vous pour cette nuit. Elle sait ce qu'on attend d'elle.

— Ça va pas être drôle si elle reste dans les vapes, plaisanta un des types qui déboucha une gourde dont il versa le contenu sur son visage.

Elle toussa et s'ébroua mais l'homme l'agrippait déjà par le col et l'entraînait dans l'obscurité. Horrifiée, Anna croisa les bras sur son ventre, saisie d'une envie de vomir. Quelqu'un lui tira les cheveux. Les yeux fous de Darryl étincelèrent devant elle.

— Allons dans ma tente, fit-il avec un ricanement. Nous avons des tas de choses à rattraper, madame Kelley.

Il la poussa sous les acclamations de ses hommes.

— Préviens-nous, Doc, si tu en as assez d'elle !

25

Anna se réfugia dans un coin de la tente tandis que Darryl dégrafait son ceinturon et enlevait sa veste.

— J'aime les femmes, tu sais... toutes les femmes. Depuis cette blessure, j'ai un appétit insatiable. (Il vint vers elle, un rictus aux lèvres.) Fran sait me satisfaire. Beaucoup d'autres femmes ont appris à me satisfaire, que cela leur ait plu ou non. Et toi, Anna ? Tu peux rendre ça facile et prendre du bon temps avec moi, ou alors tu peux me combattre et tu souffriras encore davantage.

Sans le quitter des yeux, Anna rassembla son courage.

— Peut-être que ton problème, c'est que tu voulais que toutes ces femmes soient moi ?

Il s'immobilisa pour la dévisager avec une étrange expression.

— Quoi ?

— Je ne suis pas comme les autres, dit-elle en essayant de raffermir sa voix enrouée. C'est moi, Darryl. Anna, ton épouse... Avant de partir pour la guerre, tu étais tendre et gentil. Tu me faisais l'amour parce que tu m'aimais et me respectais... pas par besoin bestial. Si tu essaies de me forcer maintenant... je ne crierai pas, je ne lutterai pas comme tu le désires. Je me contenterai de rester allongée là... en n'éprouvant que de la pitié pour toi, parce que c'est le seul sentiment qui me reste... pour l'homme tendre et attentionné que tu étais autrefois... un homme plein de promesses.

Il plissa les paupières et tendit les mains devant lui.

— De promesses ? Regarde ces mains ! Je ne pouvais plus redevenir docteur, Anna.

— C'est surtout le whisky qui les fait trembler.

— Je dois boire, ou alors la douleur me rend fou ! Je vis avec ça chaque jour... des migraines permanentes. Tu sais ce que c'est ?

— Non. Mais je peux l'imaginer, Darryl... et je suis désolée. Tu aurais quand même pu rentrer chez nous. Je t'aurais aidé autant que je l'aurais pu.

Elle avait la lèvre coupée et parler était douloureux, mais c'était sa dernière chance. Elle espérait trouver un moyen de l'atteindre.

— S'il te plaît... raconte-moi, Darryl. Dis-moi ce qui s'est passé. Pourquoi n'es-tu pas revenu vers moi pour que je t'aide ?

Il se tassait sur lui-même comme un chat craintif, comme s'il sentait qu'il ne pouvait lui faire confiance. Il tentait de déterminer si elle était sincère ou si elle ne cherchait qu'à gagner du temps.

Anna essaya de ne pas montrer sa peur. Kevin lui avait dit un jour que si un homme ne recule pas devant un animal sauvage, la plupart du temps celui-ci bat en retraite. Et c'était bien ce que Darryl était devenu : un animal sauvage.

Il contempla à nouveau ses mains.

— Je ne pouvais plus être aidé. J'avais retrouvé mon père et ma mère. Ma mère gisant, nue, violée et assassinée... mon père à qui on avait tranché la tête ! La plantation avait été brûlée... la maison, les bâtiments, les moissons... tout !

Il se frotta les mains sur les cuisses pour arrêter les tremblements.

— Peu après, notre régiment a été taillé en pièces. Mark et moi, on a été faits prisonniers mais nous nous sommes échappés. Nous nous sommes échappés...

Il fronça les sourcils, comme s'il cherchait à se souvenir de quelque chose.

— C'était la nuit... non, pas la nuit... on rampait dans la boue et un de ces Yankees nous a tiré dessus... Mark a pris une balle... j'ai voulu le... et après, c'était la nuit... la douleur dans ma tête... oh, l'abominable douleur...

Il tremblait de tous ses membres. Soudain, il frémit avant de considérer la bouteille qui se trouvait dans sa main. Il s'en était emparé sans s'en rendre compte et, à présent, il avait l'air de ne pas trop savoir à quoi servait cette bouteille. Il but une énorme rasade de whisky. Les tremblements diminuèrent.

— Ils m'ont laissé pour mort, reprit-il d'une voix plus assurée. En me réveillant, au début, je ne savais plus qui j'étais. Des gens m'ont aidé. Ils m'ont caché. Personne n'a jamais su ce qui m'était arrivé. De toute manière, mon sort n'intéressait personne.

Anna l'étudiait, essayant de retrouver un signe quelconque du Darryl qu'elle avait connu.

— Il m'intéressait, moi, dit-elle. C'est la vie que tu as menée depuis qui a dressé les gens contre toi.

Il la toisa des pieds à la tête.

— Tu te moquais bien de moi ! Le Sud avait perdu et je suis sûr que tu devais être contente !

— Je n'étais pas contente. Je voulais juste... que tu reviennes à la maison.

— A la maison ? Quelle maison ? Ma vraie maison avait disparu, Mark avait disparu et je ne pouvais plus exercer mon métier. Tu ne comprends pas la haine qui m'habite, Anna, le besoin de vengeance en moi qui n'est jamais satisfait et ne le sera jamais ! J'ai rejoint Bill Anderson et ça m'a fait du bien d'abattre ces gens qui étaient responsables de ma souffrance ! Je me moquais que ce soit des femmes, des enfants, des vieillards... quelle importance ? Quand on souffre comme ça, rien n'a d'importance ! C'est exactement ce que j'ai ressenti à Centralia. J'étais content de voir ces salopards mourir ! Mais alors je t'ai vue, et après je me suis dit que je devais te retrouver... te parler. Je suis allé à Columbia et Fran m'a aidé. Elle m'a dit comment tu t'étais enfuie... comment tu te fichais de moi.

— Elle a menti parce qu'elle te voulait pour elle seule.

— Non ! Fran me comprenait. (Il se frotta à nouveau le crâne.) Bah, ça n'a plus d'importance ! C'est devenu une vraie garce. J'en ai assez de l'entendre geindre sans arrêt.

— C'est dommage que tu... l'aies écoutée, Darryl. Tu aurais dû venir me trouver dès le début.

— Avec cette haine en moi contre les Yankees ? J'avais besoin de tuer. (Son regard s'égarait à nouveau.) Tuer, tuer, tuer ! (Il l'attrapa par le poignet.) J'avais une femme yankee ! Peut-être que j'avais peur de te tuer, toi aussi ? Et puis au bout d'un moment, ça n'a plus eu aucune importance. Je me souvenais comment tu m'avais regardé à Centralia ! J'ai vu dans tes yeux ce que tu pensais de moi et j'ai su que Fran avait raison. Non, je ne pouvais pas revenir te trouver. Et maintenant, je n'ai plus aucun sentiment pour toi. Je t'ai enlevée pour une seule raison... pour régler son compte à ce marshal que tu as épousé.

— Je ne te crois pas, fit-elle d'une voix rauque. Tu m'aimes encore, Darryl Kelley. Tu as dit que tu avais peur de revenir vers moi parce que tu aurais pu me tuer. Cela prouve bien que tu tenais encore à moi.

— Ferme-la !

— Non ! Quelque part au fond de toi, malgré toute cette haine et cette colère, tu te souviens de ce que nous avons connu ensemble. N'est-ce pas ?

Il la gifla. Le coup vint si vite et si violemment qu'elle perdit l'équilibre.

— Je me moque de ce que nous avons connu ! siffla-t-il. Maintenant, il n'y a que la vengeance qui compte. Tu as couché avec un autre homme — un homme que je hais, un homme qui représente tout ce que je combats. Je tiens ma vengeance, la plus belle qui soit : je vais prendre la femme de cet homme, je vais le rendre fou...

Sa voix semblait très distante. Elle sentit une main sur ses seins et, à travers un voile, elle distingua son visage mal rasé. Il arracha le corsage de sa robe. Elle s'accrocha à ses avant-bras, essayant de garder la tête froide malgré la douleur et l'écœurement.

— Je ne suis pas comme les autres, Darryl, parvint-elle à articuler. Je... t'aimais. Fran t'a... menti. Je t'ai attendu. J'ai prié pour que tu me reviennes... J'ai prié pour trouver un moyen de t'aider... J'espérais que nous pourrions partir ailleurs... prendre un nouveau départ.

Elle le sentit se raidir. Soudain, il se redressa.

— Sois maudite ! gronda-t-il.

Anna se couvrit vivement la poitrine avec son corsage déchiré, tout en l'observant. Il tournait en rond, tel un animal traqué.

— Je... t'aimais pour toi-même, ajouta-t-elle en se disant qu'il n'était pas très difficile de semer la confusion dans son esprit. Ça ne comptait pas pour moi que tu sois un Confédéré. Je t'aimais avant tout ça.

» Fran, par contre, ne t'a jamais vraiment aimé. Elle a besoin de croire... que tu tiens à elle, à cause de son enfance malheureuse. Tu étais juste quelqu'un de son passé qui acceptait d'être son ami alors qu'elle n'en avait pas. Et vous aviez ce même désir... de continuer la guerre. Fran essayait simplement de ne pas rester seule. Mais moi, je t'aimais, Darryl. Avec tendresse et dévouement. Elle est incapable d'aimer ainsi. Son passé est trop rempli de douleur et de violence... La guerre est terminée, Darryl. Il faut l'accepter.

— La ferme !

— Tu... sais que j'ai raison. Si tu étais venu me voir dès le début, avant tous ces vols et ces meurtres... nous aurions peut-être... trouvé un moyen. Nous aurions pu sauver notre mariage...

— Je t'ai dit de la fermer ! (Il lâcha la bouteille de whisky pour la saisir par les épaules et la jeter au sol.) Tu mens ! Tu ne cesses de mentir ! Tu essaies d'éviter ce qui va t'arriver en parlant, mais ça ne marchera pas ! Tu es ma femme et je vais prendre ce qui m'appartient. Bientôt, Kevin Foster mourra et tu viendras avec moi. Quand j'en aurai assez de toi, mes hommes seront ravis de prendre ce que je leur laisserai !

A nouveau, il lui arracha sa robe et la chevaucha. L'air dans la tente était étouffant. L'haleine de Darryl répugnante. Anna était saisie de vertiges.

— Darryl, je t'en prie, ne fais pas ça, implora-t-elle. C'est moi, Anna ! Je vais avoir un bébé et je ne veux pas le perdre.

Il se leva, haletant.

— Un bébé ! Le bébé de Kevin Foster !

Elle chercha de l'air. Sa gorge était bloquée.

— Oui... Darryl, s'il te plaît, j'ai... besoin d'un peu d'eau. Ma gorge...

Il attrapa une gourde qu'il lui jeta en pleine poitrine.

— Tiens !

Les mains tremblantes, elle la déboucha et avala une gorgée qui lui fit l'effet d'un morceau de plomb. La chaleur devenait intolérable : elle était en nage.

— Nous... avons déjà une petite fille. (« Ne t'arrête pas de parler, songeait-elle. C'est ta seule chance. ») Ne vois-tu pas comme c'est mal ? J'ai une petite fille... qui m'attend, Darryl. Je n'ai jamais rien fait contre toi. Je t'ai attendu et quand je t'ai cru mort... il a bien fallu que je continue à vivre. Mais cela ne change rien au fait que je t'ai aimé... et que tu m'as aimée. Je ne crois pas que tu veuilles vraiment me faire du mal...

Il agrippa ses cheveux et attira son visage tout près du sien.

— Un bébé ! Comment se fait-il que tu ne m'aies jamais donné de bébé !

— Je ne sais pas, Darryl. C'est comme ça, c'est...

— Tu veux dire que Kevin Foster est plus viril que moi ?

— Non... je...

Il la dévisagea d'un air étrange, effleurant sa gorge presque gentiment.

— Le collier, Anna. Où est le collier ?

Elle écarquilla les yeux.

— Je... j'ai dû le vendre. J'avais besoin d'argent.

Alors il se mit à la gifler, si méthodiquement et si sauvagement qu'elle tenta de le frapper à son tour. Il continua à la battre en la traitant de tous les noms.

Puis il lui saisit les poignets qu'il maintint au-dessus d'elle en l'écrasant de tout son poids.

— Kevin Foster va mourir, Anna. Mourir ! Tu viendras avec moi et tu comprendras vite qui, de lui ou de moi, est le meilleur. Peut-être que tu ne m'aimes plus, mais ça m'est complètement égal.

Elle sentit ses lèvres sur son cou. Anna fut un instant tentée de se débattre, de lutter. Mais elle se rendait compte qu'elle n'avait aucune chance contre lui. Le combattre ne ferait qu'exciter son appétit... et elle risquerait de perdre son bébé.

Il était impossible de raisonner avec lui. Il était vraiment fou. Une seule chose semblait le calmer : quand elle lui témoignait de l'affection. Il fallait essayer. Elle cessa de se raidir et approcha les lèvres de sa joue.

— Je t'aime, Darryl, dit-elle avec douceur. Je n'ai jamais cessé de t'aimer. Mais je... te croyais mort. C'est la faute de Fran. Je t'en prie... pardonne-moi. Je suis désolée pour le collier. Je n'avais pas le choix.

A nouveau, il hésita et elle comprit qu'elle tenait sa seule arme : l'amour, la gentillesse, la soumission. Cela semait le trouble dans son esprit. A la surprise d'Anna, il s'écarta et se leva.

C'est alors qu'ils entendirent des cris à l'extérieur. Soudain, le rabat de la tente claqua et Fran se rua à l'intérieur, un pistolet à la main. Échevelée, les yeux hallucinés, la robe déchirée, elle était dans un état effroyable. A la lueur de la lanterne, Anna vit que son visage était encore plus abîmé qu'elle ne l'avait cru. On aurait dit de la bouillie...

— Tu m'as trahie, Darryl ! hurla-t-elle. Je vais vous tuer tous les deux !

Darryl bougea à la vitesse d'un serpent tandis qu'elle ouvrait le feu. Il plongea sur Fran alors qu'elle tirait une deuxième fois. La balle s'enfonça dans le sol, à quelques centimètres d'Anna. Pendant ce temps, Darryl frappait Fran si violemment qu'elle fut projetée en arrière. Dans sa chute, elle heurta l'un des montants de la tente qui s'effondra. La toile entra en contact avec la flamme de la lanterne brisée et prit feu aussitôt. Darryl et Fran roulèrent à l'extérieur tandis qu'Anna se débattait dans les replis de la toile enflammée pour essayer de s'échapper. Elle entendit une nouvelle détonation mais y prêta à peine attention, terrifiée à l'idée de mourir brûlée vive.

— Anna !

C'était Darryl qui criait son nom. Soudain, il la tira hors de la tente et l'entraîna à l'écart avant de s'effondrer à son côté. Prise d'une quinte de toux, Anna se redressa pour contempler la tente, déjà entièrement consumée. Elle se tourna vers Darryl. Une balle lui avait troué la jambe.

Elle voulut le toucher mais il chassa sa main.

— C'est rien. La balle est ressortie.

La jeune femme regarda autour d'elle et découvrit le corps de Fran.

— Fran !

Elle se leva, mais Darryl la retint par le bras.

— Je l'ai tuée, gronda-t-il. De toute manière, j'en avais assez d'elle !

Elle laissa échapper un murmure horrifié. La femme gisait sur le dos, une vilaine plaie à la poitrine. Anna ne savait plus que penser. Darryl venait de lui sauver deux fois la vie... de la balle de Fran et des flammes. Quand il l'avait tirée hors du feu, il avait crié son nom avec une telle frénésie... comme un mari réellement inquiet pour son épouse. Pourtant, il avait tué Fran sans la moindre pitié.

Il se leva et gagna le feu de camp en boitant.

— Enterrez cette chienne, ordonna-t-il aux autres. Et s'il y en a un parmi vous qui touche à ma femme ce soir, il ne verra pas le soleil se lever.

Humiliée, terrifiée, confuse, Anna avait mal partout mais elle se rendait compte que, malgré elle, Fran venait de lui rendre service : en blessant Darryl, elle lui avait accordé une nuit de répit.

La nuit passa comme un rêve étrange. Darryl soigna sa blessure au whisky avant d'avaler quasiment une bouteille entière pour calmer la douleur. Vautré devant le feu, il ne cessait de marmonner des propos incohérents.

A l'aube, les hommes étaient inquiets. Personne n'avait vraiment dormi et Anna gémit de douleur lorsque quelqu'un la secoua. La longue chevauchée de la veille lui avait laissé des courbatures qui s'ajoutaient aux dégâts causés par les coups de Darryl et l'étranglement de Fran. Elle avait dormi à même le sol sans la moindre couverture, et son visage et ses mains étaient couverts de piqûres de moustiques.

Elle se redressa difficilement. Sa gorge la faisait

terriblement souffrir et elle ne pouvait pas tourner la tête.

— Fais-nous à manger, dit un bandit. Fran n'est plus là pour nous servir.

La jeune femme regarda autour d'elle. Quelques hommes somnolaient encore, enroulés dans une couverture. D'autres étaient déjà debout, fusil à la main, surveillant l'horizon vers l'est. Attendant Kevin... Anna ne voyait pas comment il pourrait la sauver. Du haut de cette colline isolée au milieu de la plaine, on pouvait voir à des kilomètres à la ronde. Elle se tourna vers la tente, en cendres à présent. Pas très loin, se trouvait un monticule de terre sous lequel Fran était enterrée.

Elle frémit avant d'observer Darryl. Allongé près du feu, la jambe de son pantalon déchirée, il portait un bandage ensanglanté autour du mollet.

— Obéis, lui dit-il. Tu as ouvert un restaurant, non ?

Tout en préparant le petit déjeuner, elle réfléchit rapidement. Il y avait là dix hommes, y compris Darryl. Elle savait, pour les avoir entendus bavarder, que trois autres au moins devaient les rejoindre. Il n'y avait aucun moyen pour Kevin d'arriver jusqu'ici sans se faire repérer. Il viendrait seul pour lui sauver la vie et il serait froidement abattu. Ensuite, Darryl l'emmènerait avec lui, abuserait d'elle à volonté avant de la donner à ses hommes et de la tuer.

Son sort était scellé. Son unique réconfort était de savoir que Becky était en sécurité auprès de Rob et Marie.

— J'aime pas cette attente, se plaignit un homme en mâchant sa côte de porc. J'ai l'impression d'être une cible.

— C'est Kevin Foster qui sera notre cible, répliqua Darryl avant de jeter un coup d'œil à Anna. Tu vas voir mourir ton faux mari.

— Comme tu as déjà pu t'en apercevoir, il ne meurt pas facilement... répliqua-t-elle, la voix enrouée.

Assise près du feu, une timbale de café à la main, elle regarda chacun des bandits à tour de rôle.

— C'est Kevin Foster que vous allez affronter... ce n'est pas un homme ordinaire. Vous feriez mieux d'oublier cette vengeance et de filer avec votre argent.

— Tu vas te taire ? gronda Darryl. Sinon, c'est moi qui vais te fermer ton clapet. Et si tu es si pressée que mes hommes s'en aillent, je peux aussi leur faire un petit cadeau d'adieu !

— Je ne fais que vous mettre en garde. Oublie Kevin, Darryl... prends l'argent... et moi, si tu y tiens tant... et file d'ici.

Il se contenta de ricaner à l'intention de ses hommes.

— Elle ne veut pas qu'il arrive quelque chose à son amant ! Ils ont un gosse et elle en porte un deuxième. Non, Kevin Foster va mourir, et c'est tout. Ne vous laissez pas embobiner par son joli minois.

Les bandits échangèrent des coups d'œil.

— C'est pas sûr, Doc, fit le dénommé Trace. Kevin Foster n'est pas un type commode. Et cette histoire avec sa femme... bon sang, si elle est vraiment enceinte, il va être drôlement remonté.

Darryl le scruta avec attention.

— Les nouveaux peuvent partir, si ça leur chante, Trace. Mais je croyais pouvoir compter sur toi. J'attends Foster, un point c'est tout. (Sa main glissa vers la crosse de son arme.) Je partagerai ma part de l'argent avec tous ceux qui resteront avec moi. J'en donne ma parole.

Ils se regardèrent à nouveau.

— De quoi avez-vous peur? insista Darryl. Foster ne s'approchera pas d'ici sans qu'on le repère. S'il vient avec des renforts, on les descendra tous en restant bien tranquilles à l'abri. Ne vous laissez pas embobiner. Vous ne voyez pas qu'elle essaie de sauver la peau de son chéri?

Trace déglutit, les yeux fixés sur le revolver de son chef.

— Ouais, tu dois avoir raison, Doc... Dans combien de temps il va venir, d'après toi?

— Il sera là demain à midi, sans doute. Il a dû suivre Ben et les autres au sud de Big Springs. Ça fait un sacré détour. On a encore une bonne journée devant nous.

Il avala une gorgée de whisky comme s'il se désintéressait du problème. Mais il n'en allait pas de même pour ses hommes, comme Anna s'en rendit compte. Inquiets, ils ne cessaient de surveiller la plaine vers l'est...

Le soleil monta lentement dans le ciel et les bandits commencèrent à grogner car il n'y avait pas d'ombre où s'abriter. Ils s'énervaient, impatients de voir arriver leurs acolytes qui avaient attaqué la diligence.

Anna essayait de se faire toute petite mais l'attente était insupportable. En milieu de matinée, elle se mit en devoir de préparer le repas de midi. Mieux valait faire quelque chose.

L'un des hommes versa de l'eau dans son chapeau pour abreuver les montures. Quand il eut terminé, il grommela :

— On ne pourra pas attendre plus d'une journée ici. Il faut donner à boire aux chevaux.

— Il viendra demain, répliqua Darryl. Tu le verras à l'est demain.

Anna leva les yeux de sa marmite et c'est alors qu'elle les vit. Des cavaliers! Ils approchaient. Elle fronça les sourcils. Mais ils venaient de l'ouest et non de l'est. Son cœur se mit à cogner comme un marteau. Les hors-la-loi, qui surveillaient l'est, n'avaient encore rien vu. Était-ce Kevin? se demanda-t-elle, angoissée. Non, c'était impossible. Il ne pouvait pas déjà être là. De plus, ces cavaliers arrivaient par l'ouest, du territoire pawnee. Et Kevin ne serait pas venu avec une troupe pareille. Elle épongea la sueur sur son front.

— Hé, Doc, regarde! cria un des hommes.

Le cœur de la jeune femme s'arrêta de battre. Ça ne pouvait être Kevin. Et même si c'était lui, il avait été repéré.

— Qu'est-ce que c'est que ça, nom d'un chien? marmonna un autre.

Darryl se leva en grimaçant.

— Ça peut pas être Foster... c'est trop tôt... et il ne viendrait pas par là.

Trace plissait les paupières.

— Bon sang... des Indiens! On dirait des Pawnees.

— Bon Dieu, maugréa un autre. Manquait plus que ça.

— Les Pawnees sont pacifiques, non?

— Pas tous, répondit Trace. Et tu peux parier qu'ils nous ont vus. S'ils viennent ici pour faire du troc, il faut traiter avec eux, Doc. Les Indiens c'est comme des fourmis. Là où tu en vois dix, il y en a des centaines qui se cachent pas loin. J'veux pas avoir de problèmes avec eux.

— T'énerve pas, ordonna Darryl. Attendons de voir ce qu'ils veulent. Peut-être qu'ils vont simplement passer leur chemin et nous laisser tranquilles?

— C'est ça. Et peut-être que le soleil se couchera pas ce soir ?

— Ah, c'est le bon moment pour tomber sur des Indiens, grogna un bandit en s'épongeant le front. On aurait dû partir et laisser Kevin Foster aller se faire pendre ailleurs. On avait sa femme et tout cet argent. Je te le dis, Doc, plus on attend ici, plus ça va être dangereux pour nos fesses.

— Et moi, je te dis qu'il n'y a rien à craindre. Pour ce qui est de ces Indiens, on a largement de quoi les satisfaire. On leur donnera un peu de tabac et de whisky, et ils ficheront le camp.

Le cœur battant, Anna ne disait rien. Les Indiens ! Ceux des plaines avaient provoqué des troubles ces derniers temps à cause du chemin de fer. Elle n'avait jamais vécu ailleurs que dans des villes : les Indiens la terrorisaient. Et elle était la seule femme ici. Si ces guerriers n'appréciaient pas les cadeaux de Darryl, qu'allait-il se passer ?

De là où elle se trouvait, elle comptait au moins vingt-cinq cavaliers. Environ dix d'entre eux, leurs longs cheveux noirs flottant sur leurs dos nus, s'engagèrent sur le flanc de la colline à leur rencontre. Les autres attendirent au pied de la pente. Ils étaient tous lourdement armés.

Elle observa ceux qui attendaient, se demandant pourquoi ils ne montaient pas eux aussi. L'un d'eux semblait plus grand que ses compagnons. Sa monture hennit et secoua sa crinière. C'est alors qu'Anna reconnut l'appaloosa marron et blanc, avec cette grosse tache sur la croupe...

C'était le cheval de Kevin !

26

Darryl et ses hommes se tenaient prêts, fusil à la main, tandis que les dix Pawnees gravissaient lentement la colline à leur rencontre. Ils s'immobilisèrent à l'entrée du camp et l'un d'entre eux s'avança. Il jeta un regard perçant à Anna qui eut un geste de recul. Elle avait eu le temps de réfléchir : la présence du cheval de Kevin indiquait qu'il s'agissait d'une sorte de plan pour la libérer. Il valait donc mieux feindre la peur pour ne pas alerter Darryl.

Et ce n'était pas très difficile d'avoir peur de cet Indien au corps recouvert de peintures de guerre. Il s'arrêta enfin.

— Qui est votre chef? demanda-t-il.

Darryl s'avança.

— C'est moi. On m'appelle Crazy Doc.

L'Indien l'examina sans la moindre émotion.

— J'ai entendu des hommes blancs parler de toi.

Amusé, Darryl se retourna vers ses hommes en ricanant.

— Vous entendez ça, les gars? On est célèbres même chez les Indiens! (Il dévisagea à nouveau le guerrier.) Que voulez-vous? Nous ne faisons que camper pour reposer nos chevaux. Après, nous filerons.

Le Pawnee jeta un nouveau regard vers Anna avant de répondre :

— Je suis Aigle Blanc. Il nous faut du whisky et du tabac. Et aussi des vivres. Les hommes du cheval de fer ont tué les bisons. Beaucoup de nos braves doivent quitter la réserve pour trouver de la viande.

Darryl afficha un sourire amical.

— Eh bien, on doit pouvoir vous donner un peu

de tout ça. Pete, va chercher quelques bouteilles de whisky et du tabac. Et donne-leur aussi de ces pâtés qu'Anna a faits tout à l'heure.

Aigle Blanc fit légèrement reculer sa monture tandis que ses guerriers attendaient toujours, parfaitement immobiles. Pete fourra tout ce qui avait été demandé dans un sac de toile qu'il passa à l'Indien. La situation était tendue. Tous ces hommes, y compris les Pawnees, portaient une arme à feu.

Aigle Blanc tendit le sac derrière lui mais il ne bougea pas. Son regard sombre s'était à nouveau posé sur Anna.

— Et la femme ? demanda-t-il.

Le sourire de Darryl vacilla.

— Quoi, la femme ?

L'Indien le fixa droit dans les yeux.

— Est-ce une captive ? Vaut-elle quelque chose pour les Blancs ?

— Elle n'est pas captive. C'est ma femme.

Le Pawnee fronça les sourcils.

— Regarde-la. Elle est sale et on l'a battue. Je crois que tu me mens, visage pâle. Je vois de la peur dans ses yeux. Tu l'as volée. Tu vas la vendre aux marchands d'esclaves...

— Non ! C'est ma femme, je te dis. Elle est un peu abîmée parce qu'elle ne sait pas tenir sa place. Tu sais comment c'est, non ? Tu n'as jamais donné une petite leçon à ta femme ?

Aigle Blanc le toisa avec mépris.

— Non, rétorqua-t-il sèchement.

Les narines frémissantes, il semblait en proie à une telle colère que la peur saisit Anna pour de bon.

— Je veux la femme ! Elle a beaucoup de valeur, j'en suis sûr ! Nous pourrons l'échanger contre des vivres et des couvertures pour mon peuple.

Darryl regard alternativement Anna puis Aigle Blanc.

— Tu ne l'auras pas. Je te dis qu'elle m'appartient et je ne vais pas la donner à un sale Indien !

— Laisse-la-lui, grogna Ben. Ils sont trop nombreux. On va pas mourir pour elle.

— La ferme ! aboya Darryl. Je ne vais pas leur donner Anna. Je viens à peine de la récupérer. Je veux qu'elle soit là quand Foster arrivera !

— Au diable Foster ! rétorqua Trace. Nous ne serons plus là pour l'accueillir si tu ne te mets pas d'accord avec ces Peaux-Rouges.

Aigle Blanc fit lentement avancer son cheval vers Anna.

— Ne t'approche pas d'elle, prévint Darryl en s'interposant, la main sur la crosse de son arme.

L'Indien leva le bras et fit un geste circulaire étrangement doux. Dans la même seconde, Anna entendit la vibration d'une corde et un sifflement. Trace s'effondra, une flèche en plein cœur. La jeune femme le contempla avec des yeux ronds, figée de surprise comme les autres.

Aigle Blanc profita aussitôt de la situation. Eperonnant sa monture, il renversa Darryl à terre avant de se lancer vers Anna. Il lui tendit le bras en se penchant sur l'encolure. Sans réfléchir, elle saisit sa main. Il ne prit même pas le temps de la soulever sur la croupe du cheval mais dévala la colline en la portant à bout de bras.

Cinq secondes plus tard, ils étaient arrivés à mi-pente. Elle entendait des coups de feu et les hommes qui avaient attendu en bas de la colline montaient vers eux à toute allure. Elle vit le cheval de Kevin, puis Kevin lui-même qui la regarda juste le temps de s'assurer qu'elle était saine et sauve. Elle le reconnut à peine. Il avait le torse nu, peinturluré de toutes les couleurs. Elle voulut l'appeler mais elle n'avait plus de voix et la fusillade était assourdissante.

Aigle Blanc la déposa au pied de la colline.

— Reste, ordonna-t-il.

Puis il repartit au galop vers le sommet. Anna s'accroupit pour observer le combat avec angoisse. Les Indiens lançaient leurs cris de guerre comme si cette bataille était la leur.

Soudain, elle vit Darryl. Il était parvenu à chevaucher sa monture qu'il montait à cru. Il dévalait la colline au galop... droit vers elle. Elle se leva pour fuir, avant d'apercevoir Kevin qui gagnait du terrain sur Darryl.

Celui-ci dégaina son pistolet. Il n'était plus qu'à quelques mètres d'elle.

— Si je ne peux pas t'avoir, personne ne t'aura! hurla-t-il.

Elle plongea sur le sol au moment même où Kevin ouvrait le feu. Il rata Darryl mais la balle toucha son cheval à la croupe. La bête s'effondra dans une gerbe de poussière. Darryl fut projeté en l'air et son arme lui échappa.

Il se releva sans tarder, pour se mettre à courir. Kevin leva à nouveau son arme mais dans la bataille il avait déjà tiré ses six balles. Il jeta son Colt et se lança à la poursuite du bandit. Parvenu à sa hauteur, il sauta depuis sa selle et le plaqua au sol.

— Kevin, murmura Anna en se précipitant vers l'arme de Darryl qui était tombée non loin d'elle.

Elle la ramassa et se tourna vers les deux combattants qui roulaient à terre. Kevin se redressa le premier. Alors, il laissa libre cours à sa fureur. Relevant Darryl par le revers de son gilet, il se mit à cogner. Darryl s'effondra, le visage en sang. Kevin le secoua d'un air féroce.

— Bâtard ! rugit-il. Que lui as-tu fait !

Il ne vit pas Darryl ramasser une grosse pierre. Soudain, celui-ci frappa à la tempe Kevin qui s'écroula. Puis le bandit se débattit vivement pour s'extraire de sous son corps et rampa à toute allure vers l'arme de Kevin. Il la saisit et visa son ennemi inconscient. Anna ne se doutait pas qu'elle n'était plus chargée.

— Non ! hurla-t-elle d'une voix inaudible.

Elle leva le revolver de Darryl et, comme dans un rêve, appuya sur la détente. Une secousse ébranla le corps de Darryl mais il tenta de se redresser, de lever son arme. Anna le contemplait, le ventre noué. Elle n'osait plus tirer. Darryl pressa la détente. Il n'y eut qu'un petit déclic. Une étrange stupéfaction se peignit sur ses traits fous avant qu'il ne s'écroule dans la poussière.

Une tache rouge apparut à hauteur de son cœur. Il contempla Anna, apparemment toujours aussi stupéfait, avant de se redresser.

— Chienne ! rugit-il. Va au diable... Tu m'as trahi... Fran avait raison ! Ton propre mari... Tu as tué ton propre mari...

Il s'écroula une dernière fois, mort. Anna sentit qu'on lui enlevait son arme des mains. Elle se tourna, hébétée, vers un guerrier indien qu'elle ne reconnut pas : c'était Jim. Elle trébucha. Il la retint. Elle voulut se débattre mais elle sentit deux autres mains la saisir.

— Anna...

Se tordant le cou, elle découvrit Kevin, le visage en sang.

Jim la lâcha. Elle frémit.

Puis les deux bras de Kevin l'enveloppèrent. Alors elle fut prise d'une crise de sanglots. Elle se blottit contre lui, incapable de maîtriser ses hoquets.

— Chut, Anna, tout va bien... c'est fini maintenant... je suis là...

Longtemps, il la tint ainsi, lui caressant les cheveux, murmurant des paroles apaisantes, tentant de la réconforter.

Autour d'eux, la bataille était terminée mais la jeune femme ne s'en était pas rendu compte. Petit à petit, elle prit conscience de la présence de Kevin, de ses bras forts autour d'elle. Elle était à nouveau en sécurité. Il avait trouvé un moyen de la sauver. L'homme qu'elle aimait était venu la chercher. Le cauchemar était terminé... Et il n'y aurait plus de secrets.

— Apportez-moi une couverture!

C'était la voix de Kevin. Quelques instants plus tard, il la faisait s'allonger à l'ombre d'un rocher.

— Quels sont les dégâts? demanda-t-il.

— Un Pawnee a été tué, répondit Jim. Bob Lassiter a reçu une balle dans la jambe mais ce n'est pas trop grave. Six hommes de Kelley sont morts et deux autres blessés. On a retrouvé l'argent.

Il y eut une pause et la jeune femme sentit une grosse main sur sa joue.

— Vous avez été très bien, Anna, ajouta Jim gentiment.

— C'est moi qui aurais dû l'abattre, fit Kevin.

— Eh bien, ta femme l'a fait pour toi, pour te sauver. Il te tenait en joue quand elle a tiré. Elle ne savait pas que son arme était vide, bien sûr.

— Mon Dieu, Anna, murmura Kevin en lui caressant doucement les cheveux. Regarde-la. Regarde ce que ce porc lui a fait!

— Au moins, on l'a récupérée. Ton plan a fonctionné à la perfection.

— Peut-être, mais regarde comme elle a souffert. Oui, elle a bien fait de l'abattre. Elle en avait le droit.

Un bref silence, puis à nouveau la voix de Jim :

— Tu ferais bien de soigner cette blessure à la tempe, Kevin.

— Plus tard.

Anna ouvrit lentement les yeux pour découvrir son mari penché au-dessus d'elle. Tout le côté gauche de son visage était couvert de sang.

Jim se redressa et posa une main sur l'épaule de son ami.

— Prenez votre temps.

Il s'éloigna.

La jeune femme leva une main vers Kevin.

— Tu es blessé, murmura-t-elle d'une voix enrouée.

Il baisa ses doigts avant d'effleurer les marques bleuâtres sur sa gorge.

— Mon Dieu, Anna, que t'a-t-il fait ?

— C'est Fran... Elle a essayé de me tuer... de m'étrangler. Darryl l'a abattue. Il m'a frappée aussi...

Les larmes coulaient sur son visage. Mais cela n'avait plus d'importance maintenant. Tout au long de ce cauchemar, elle avait essayé de se dominer. A présent, elle pouvait se laisser aller.

Son mari était venu pour elle, il avait risqué sa vie pour elle et il l'aimait toujours. Elle vit la souffrance muette dans ses yeux gris et elle devina son angoisse.

— Il ne m'a pas... touchée, précisa-t-elle.

Il ferma les yeux, portant à nouveau ses doigts à ses lèvres.

— Il a... essayé. Fran l'a arrêté... elle a encore tenté de me tuer. Il m'a sauvée d'elle... et du feu... Je ne le comprenais pas. Si cruel... et parfois, il voulait me protéger... il ne voulait pas me... donner aux Indiens... C'est comme s'il était deux personnes en même temps.

Kevin lui pressa la main.

— Ne me raconte pas tout maintenant, Anna. D'abord, nous allons te ramener à la maison où tu pourras te reposer. (Il hésita.) Et le bébé?

— Je... ne sais pas... Je ne peux pas dire.

Il la serra dans ses bras. Elle respira son odeur familière.

— Pardonne-moi, Anna, gémit-il. J'ai mis du temps avant de réaliser à quel point je t'aime et j'ai besoin de toi... Quand j'ai appris qu'il t'avait enlevée, j'ai bien cru te perdre. Je ne pourrais pas vivre sans toi.

— Je veux rentrer à la maison... voir Becky.

— Nous partirons dès que tu pourras monter. (Il l'obligea doucement à se rallonger sur la couverture.) J'ai apporté une de tes robes. Je vais te laver et tu pourras te changer. Tu te sentiras mieux. (Il posa la main sur son ventre.) Je prie simplement le ciel pour que notre bébé aille bien. J'aurais dû me douter que cette attaque de diligence n'était qu'une ruse...

— Tu ne pouvais... pas savoir. (Elle se redressa.) J'ai besoin d'un peu d'eau.

Kevin courut jusqu'à son cheval pour rapporter sa gourde. Il l'aida à boire.

— Il était comme deux personnes en même temps, Kevin. Il m'a battue... il a essayé d'abuser de moi. Et pourtant... il m'a sauvée de Fran... et de la tente en feu.

Il mouilla un foulard pour le passer délicatement sur son visage tuméfié et trempé de sueur.

— Tu ne dois pas t'apitoyer sur son sort, Anna. Tu avais raison quand tu me disais que cet homme n'était plus ton mari. Ton premier mari est mort à la seconde où cette balle lui a perforé le crâne. Cet homme était un étranger et tu as fait ce que tu devais faire.

— Tout cela est si laid. Fran... il l'a affreusement battue... puis il l'a tuée. Il l'a tuée pour me protéger... mais ça ne lui faisait rien... Il disait qu'il en avait assez d'elle... qu'elle le fatiguait. Il n'a éprouvé aucun sentiment.

— Voilà pourquoi tu ne dois rien regretter. Il avait perdu la tête, Anna. Il n'avait plus rien d'humain.

Elle se pencha pour poser la joue contre sa poitrine et il la serra dans ses bras.

— Comment... es-tu arrivé... si vite ?

— C'est une longue histoire que je te raconterai plus tard. Nous avons toute la vie devant nous. Pour le moment, on va te nettoyer. Puis tu pourras te reposer un peu avant qu'on parte pour Topeka. Là-bas, le docteur t'examinera.

Une seconde passa.

— Je t'aime, Kevin. Je... regrette tellement.

— Je t'aime, Anna. Et ne regrette rien. C'est la guerre qui a fait ça... à Darryl Kelley, à cette femme, Fran, mais aussi à Christine, à toi et à moi. Mais maintenant, c'est vraiment terminé.

Anna déposa le bouquet sur la tombe et se leva, lisant l'inscription :

CI-GÎT DARRYL WAYNE KELLEY
20 JUIN 1832-2 AOÛT 1869
IL A SERVI COMME MÉDECIN
DANS L'ARMÉE CONFÉDÉRÉE

Le vent brûlant du Kansas agita la robe verte d'Anna et quelques mèches de sa chevelure.

Kevin vint derrière elle, glissant un bras autour de sa taille. Elle caressa sa grande main posée sur son ventre.

— Merci, Kevin.

Il soupira. Quatre semaines avaient passé depuis

Pawnee Hill, et Anna avait souhaité venir voir la pierre tombale qui avait été enfin livrée. Ils étaient légalement mariés à présent.

— Anna, j'ai réfléchi. Nous avons, tous les deux, trop de pénibles souvenirs ici. Que dirais-tu d'aller retrouver ta sœur dans le Montana ?

Elle écarquilla les yeux de surprise et se retourna pour le dévisager.

— Joline ? Oh, Kevin, je serais folle de joie ! Mais comment... ? Tu as ton travail.

— Eh bien, il y a une possibilité. (Il la saisit par les épaules.) On a un peu cherché, Jim et moi. Ils ont... euh... besoin de marshals là-bas. Il y a de plus en plus de gens qui s'installent dans cette région maintenant que le chemin de fer arrive jusqu'à la côte Ouest et avec cette ruée vers l'or. Alors j'ai pensé que ça ne nous ferait peut-être pas de mal de changer d'endroit. Et tu serais plus près de Joline. On pourrait aller la voir et après tu déciderais. Tu pourrais vendre le restaurant et dire à Claudine de nous rejoindre si elle veut. D'ailleurs, je crois qu'il y a quelque chose entre Jim et elle...

L'air surpris de sa femme le fit éclater de rire. Mais elle retrouva tout son sérieux en touchant son insigne.

— Tu veux continuer à le porter, n'est-ce pas ?

Il la regarda, les yeux éperdus d'amour.

— J'ai ça dans le sang, Anna.

— Je sais... Et Rob et Marie ?

— Eh bien, c'est ça qui est drôle. Ils ont un peu le même sentiment que moi à propos de tous ces mauvais souvenirs. Et ils ont besoin de fournisseurs dans le Wyoming. Rob n'aurait aucun problème s'il y transférait son magasin. Qu'en penses-tu ?

Elle réfléchit un instant.

— Peut-être pourrais-je remonter un restaurant là-bas ? Si tu passes ton temps à courir après les bandits, il vaut mieux que je m'occupe l'esprit. Et si Claudine est là aussi...

Il sourit avec douceur.

— Il faut toujours que tu puisses te débrouiller seule, hein ?

— Aussi longtemps que tu mèneras une vie aussi aventureuse.

— Ce n'est pas simplement ça. Tu fais partie de ces femmes indépendantes qui veulent toujours s'imposer de nouveaux défis. (Il déposa un léger baiser sur ses lèvres.) Mais c'est aussi ce que j'aime en toi. Tu ne ressembles à aucune autre. Alors, monte ton sacré restaurant si ça te chante. Mais tu risques d'être fichtrement occupée avec la bande de marmots que je vais te donner. N'oublie pas que le deuxième est déjà en route.

Oui, leur enfant avait survécu à cette pénible aventure. Il grandissait normalement en elle.

— Je n'oublie pas, fit-elle, rayonnante.

Elle l'enlaça, son alliance s'accrochant dans le col de sa chemise, leur rappelant à tous les deux qu'ils étaient vraiment mari et femme, désormais. Leurs lèvres s'unirent.

— Je t'aime, Anna Foster.

— Je t'aime, Kevin Foster.